江湖無招

●卷二 帝都逞威

王駿 著

目次

第二十七章：辦壽宴醬園掌櫃獨子被綁，進賭場儲蓋雙雄識破老千

儲幼寧腿傷、蓋喚天臂傷，經比利時神甫響屁大爺悉心照護，加以多日歇息，均大有起色。尤其，儲幼寧元神回復，氣力再生，只是行走仍不方便，須輔以拐棍，才勉強能行。涮羊肉大宴次日，韓燕媛父女二人辭別儲、蓋，離開先農壇蓋宅，又回永定門外。響屁爺照舊每日騎著洋馬兒，東顛西跑，滿城轉悠，時不時還是回先農壇蓋宅，檢視儲、蓋二人傷勢。

至於那香木金剛杵，則由蓋喚天攜至步軍統領衙門，面交步軍統領榮祿，全案總算就此揭過。榮祿對花子幫出死力奪回香木金剛杵，略表嘉許之意，說是花子幫出力辦事，他替內務府大臣廣順謝過云云，又對蓋喚天臂傷顯露關切，交代隨從，賞賜蓋喚天五百兩銀票。

蓋喚天久跑江湖，曉得這些官面上大人先生們，視江湖人物為草芥，不定什麼時候，說翻臉，就翻臉。因而，面見榮祿時謹言慎行，唯唯諾諾，不因榮祿嘉許之詞而面露得色，免得招來後患。

儲幼寧腿傷日漸轉好，起先須拄拐杖，後來則捨杖跛行。又過十幾日，肌肉復生，已可勉強慢步行走，但傷口尚未癒合。這段期間，他以先農壇蓋喚天宅院為居停，專心療傷，並未外出。此外，他修書一封，寄予揚州金阿根，信中詳述抵京後所遇諸事，並言及尋找兇手白鵬飛之事並不順利，須在

北京勾留較長時日。

如此這般，儲幼寧在蓋喚天先農壇宅院裡，慢慢將養腿部傷口。偶爾，他還是念及韓燕媛，但一來腿部尚未盡復舊觀，二來深怕兩人見了面，戀深情熱，卻沒法子給對方名分，因而，他始終沒再去天橋地面走動。這當中，魯定中、金牙秀才等天橋藝人，也曾到蓋家宅院探望儲幼寧。儲幼寧幾次張嘴，想向魯定中、金牙秀才詢問韓燕媛近況，但畢竟忍著沒問。

匆匆之間，過了兩個多月。這天下午，儲幼寧吃了蓋宅廚子所做菠菜豬肝湯，在院裡抬腳踢腿，活動經脈，就見蓋喚天風火雷電一般走進院中，搥胸頓足，哭爹罵娘，痛發脾氣。儲幼寧趕緊過去，拉著蓋喚天，要蓋別發脾氣，有話好講。

兩人進屋，坐於桌前，蓋喚天一拳搥於桌面，茶碗都震得老高：「這還讓不讓我活了？還給不給咱們花子幫活路了？」

儲幼寧道：「大哥息怒，有話好講，水裡來，火裡去，咱們一起商量商量，總有辦法對付過去。」

蓋喚天道：「兄弟，你還記得嗎？那時我們剛訂交，我曾對你說過，官面上不拿咱們江湖人物當人待，總是丟骯髒事，要咱們坐蠟頂缸，給他們做牛做馬。我那時說，督察院下屬南城兵馬司以及九門提督衙門，各有一件案子，套在我頭上，要咱們花子幫，出死力幫他們辦案。」

儲幼寧道：「的確，大哥當時講過這話，還說，先辦九門提督衙門所交代香木金剛杵案。之後，我竟忘了還有南城兵馬司之事。怎麼，現在有人逼你辦這事？」

蓋喚天道：「有人逼我辦這事？沒人逼我辦事，逼我辦事的，都不是人。今天上午，我帶著手下兄弟在天橋一帶轉悠，看看地面是否平靜。結果，半道上被人攔住，來人是南城兵馬司差官，要我到兵馬司官署去一趟，說是南城兵馬司指揮使，有事交代。我一聽，心裡就有數，曉得麻煩來了。」

「其實，那案子我早就知曉，南城兵馬司指揮使也早就交代，要花子幫出力辦案。不過，那時九門提督榮祿逼我追香木金剛杵，我就以此為由，擋著南城兵馬司。現下，香木金剛杵事情已了，大約南城兵馬司也聽說了，就逼我替他們辦案。」

「果不其然，到了南城兵馬司官署，那兵馬司指揮使段民貴，對我拍桌子摜板凳，說我眼睛裡只有九門提督衙門，不把他們南城兵馬司當一回事。他說，之前，有香木金剛杵之事，花子幫沒工夫替他辦事，他也忍了。現如今，金剛杵之事已了，花子幫就該緩過手來，替南城兵馬司辦案。」

「我去他大爺的，那短命鬼兵馬司指揮使段民貴，指著我鼻子，把我祖宗十八代，都罵在裡面，說是限我十天之內，把案子破了，把兇手崩了，給苦主家屬一個交代。」

聽到這兒，儲幼寧打住蓋喚天話頭道：「且慢，大哥，剛才您說，南城兵馬司指揮使要您把兇手崩了。這不對啊，應該是要您把兇手逮了，送交官府，怎麼會要你把兇手給崩了？」

蓋喚天順了順氣，喝了口茶道：「兄弟，你還真有長進，我發脾氣罵山門，你竟能從中聽出門道。沒錯，那指揮使段民貴就是這樣說，要我把兇手給崩了，給苦主一個交代。兄弟，這事情，且聽哥哥細說從頭。你聽完了，就會知道，為啥官面上九門提督衙門、南城兵馬司，都不辦這案子，非得要咱們花子幫江湖人物出手辦案。」

原來，這是樁先綁架後撕票慘案，苦主家屬不指望官府衙門追兇破案。蓋因官府衙門逮獲兇手，先得審，審完了判，即便判了死罪，還得等皇帝老兒秋天時勾決，勾到了，這才來個「秋決問斬」。

倘若沒勾到，又要再等一年。

這起先綁架後撕票慘案，苦主為八歲幼童，姓鄭，小名金兒。鄭金兒父親鄭其旺，為前門外六必居大掌櫃。這六必居為數百年老店，始於明朝，在北京城大大有名，尤其，門口那塊招牌，上頭「六必居」三個大字，相傳係明朝大奸相嚴嵩所親書。

市井小民常言，居家生活開門就有七件大事：柴、米、油、鹽、醬、醋、茶。這六必居除了不賣柴，其他六樣生活必需之物全都有得賣。因賣這六大樣生活必需之物，乃以「六必居」為店名。

至清代中葉以後，六必居以醬菜見長，不但門市販售醬菜，自家還有醬園，祕製獨家醬菜，譽滿北京城。當朝高官顯要、民間殷商鉅富之家，要吃醬菜必指名六必居，因而，每日裡生意興隆，財源鼎盛，店內熙來攘往，來客絡繹不絕。

蓋喚天講六必居，講到這百年老店，以醬菜聞名之際，儲幼寧不禁想起韓燕媛。蓋因韓燕媛曾對儲幼寧自述身世，說是自幼喪母，她爹爹在錦州醬菜園裡當長工，扛活兒維生。蓋喚天講得正起勁，卻見儲幼寧神遊太虛，心不在焉，因而彈嗽一聲道：「咳，兄弟，我這兒講著，你聽進去了嗎？怎麼心神不寧，想到哪兒去了？」

儲幼寧趕緊收神懾魄道：「沒事，沒事，大哥，您繼續講。」

蓋喚天接著往下講，敘述全案來龍去脈。原來，這六必居店東姓趙，趙家世代經營這百年老店，到了光緒年間退居幕後，店內事務則交由大掌櫃鄭其旺操持。鄭其旺這時四十上下，正是年富力強之際，他感念東家賞識，對店務戮力報效，事必躬親，店內諸事井然有序，東夥之間相處愉快。鄭其旺出死力給東主趙家賣命，趙家亦不虧待鄭掌櫃，每年花紅極豐，鄭其旺雖是夥計，家財卻頗殷實。

鄭其旺家世孤寒，三代單傳，到了他這一代，子嗣依舊單薄，只有一獨子，名為鄭金兒。既是三代單傳，又僅有一獨子，這鄭金兒起小就穿金戴玉，成了鄭家門瑰寶，並雇有長工專責陪伴。這長工叫來發，自金兒呱呱墜地，即伴隨幼主至出事為止，前後八年，猶如金兒義父。

三個多月前，鄭其旺四十大壽，鄭家在前門外正陽樓設宴，鄭府闔家上下，外帶親朋好友歡聚一堂，給鄭其旺做壽。那天壽宴，場面歡騰，菜色豐盛，水路並陳，眾人觥籌交錯，吃喝得好不熱鬧。席間，八歲寶貝鄭金兒鬧著要小解，就由長工來發陪著，到後頭找地方解手去。這一去，就沒回來。當時，場面喧鬧，事主鄭其旺也沒多在意，以為這是孩子貪玩，由長工領著，在附近轉悠。

後來，等壽宴結束，天色已晚，賀客散去，卻還是不見鄭金兒與來發，鄭家夫婦這才著急，趕忙派人四處尋找。工夫不大，就在正陽樓後頭暗巷裡找到來發屍首，腦後被重物所擊，腦殼凹陷，當場畢命。

出此大事，鄭家立刻報官，在南城兵馬司、步軍統領衙門都報了案。兩衙門協調，此事歸南城兵馬司處置。鄭金兒走失次日，鄭宅院中落一石子，石子外裹白紙。鄭家人拿起石子，解開白紙，上頭寫著黑字，說是已將鄭金兒綁走，要鄭家以五千兩銀票，至琉璃廠古玩店養心齋，購買明朝董其昌所繪山川出雲圖。信中言及，只要以五千兩之資購入山川出雲圖，則鄭金兒日內必可返家。

蓋喚天道：「這綁匪，擺明著深知鄭其旺家底。若要價五萬兩，鄭家無此家底，就算願意拿銀子贖人，也無資可出。而五千兩，大致即是鄭家家底，如將宅院抵押，加上錢莊存銀，可籌集五千兩左右，與贖金正好約略相等。」

儲幼寧問道：「綁匪為何不直接要錢？為何還要經由琉璃廠古玩店？」

蓋喚天道：「兄弟，你們南邊來的，不曉得京裡這些牛鬼蛇神，花樣有多少。就說這琉璃廠吧，多少字畫古玩店在裡面，這當中，真正規規矩矩做生意者，十不得一。琉璃廠絕大多數字畫古玩店，全是賣官鬻爵買賣地。」

繼而，蓋喚天對儲幼寧，細說琉璃廠字畫古玩店黑幕門道：「現在這起子當官的，管他是文官武官，十之八九，官位都是花銀子買來。有買，自然有賣，而買賣則須有中介經手，這字畫古玩店，就是官場交易中介。譬如說，無論京裡還是省裡，還是州府縣裡，出了個肥缺，眾人競逐，往往就進京，到了北京城，鑽門路花錢買這肥缺。」

「這裡頭，首先就要打聽清楚，上頭哪個大傢伙能說得上話，能把這位子放出來？譬如，打聽清楚了，某親王有權作主，那麼，就會請字畫古玩店派人，帶著字畫古玩到親王府邸去，託言有好字畫，好古董，請親王過目。實則是與親王講價，說是某人願出資買這肥缺，問親王要價多少？」

「這親王喊價三千兩銀子，講定價錢後，親王就從府邸裡，隨便拿件不值錢字畫，交給字畫古玩店來人攜回店裡。那字畫古玩店，就把親王府取來那不值錢字畫，擺在店裡販售，標價三千兩銀子。」

「那字畫，本來就不值錢，頂多也就是值個幾十兩銀子。如今，標價三千兩，尋常客人當然不會出資購買，而那買官之人，則帶著三千兩銀票，到這字畫古玩店，買走那幅畫。之後，字畫古玩店則將三千兩銀票交予親王府。當然，這裡頭字畫古玩店也有油水，從中抽成。至於抽成多寡？由買方抑或賣方支付？則無定規，須得由買方、賣方、字畫古玩店三方面密談。」

說完琉璃廠字畫古玩店買賣官位祕辛，蓋喚天接著道：「這六必居大掌櫃獨子被綁一案，綁匪即是師法官場賣官鬻爵手法，拿一幅仿製董其昌山川出雲圖，去到琉璃廠養心齋，說是擺在那兒寄賣，標價紋銀五千兩。養心齋見慣了這類賣官鬻爵把戲，以為這又是哪家親王、大學士、軍機大臣有肥缺待售，標價五千，等著肉頭上門出錢買畫。」

「當下，兩邊講好，轉介代價紋銀五百兩。亦即，有人上門，花五千兩銀子，買了這幅假畫，店家抽五百兩，另將四千五百兩交予賣家。尤其，那賣家交代養心齋，這四千五百兩銀子，須以一百兩一張銀票，共四十五張銀票支付。」

說到這兒，儲幼寧道：「大哥，這不結了，就從養心齋這條線追，去養心齋問明白了，是誰拿這董其昌假畫寄賣，那人就是綁匪。」

蓋喚天道：「人家綁匪不笨，豈能就讓人認出相貌。案發後，鄭家先是報案，繼而接到綁匪字條，指令鄭家以五千兩銀票，至琉璃廠養心齋買畫。待買得假畫後，鄭家根苗鄭金兒自會返家。為保肉票性命，官面上暫時不動，由著鄭其旺拿了張五千兩銀票，去了養心齋，買了那張假畫。」

「買畫之後，連過數日，仍不見鄭金兒返家，鄭家上下心急如焚，但卻無計可施。這時，鄭金兒生死未卜，官面上不能放出衙門公差，免得打草驚蛇，反而壞了肉票性命。就這樣，不死不活，拖了幾日，這才傳來噩耗，在城外豐台地面花洞子醬缸裡，找到鄭金兒屍首。」

蓋喚天繼而詳細敘說撕票案內情，說是六必居賣醬菜賣出了名，醬菜種類繁多，一年四季常川供應，不因節氣而斷了供貨。醬菜原料，是為各式菜蔬，而菜蔬種類卻因四季節氣而異，並且多數產於春夏兩季，到了隆冬臘月，沒法子買到新鮮小黃瓜、嫩筍、青豆，但六必居卻是一年到頭，都有醃黃瓜、泡嫩筍、醬青豆，絕不斷貨。

個中緣由，就是六必居在北京城南面城外豐台，自家掘了暖洞，培植春夏兩季菜蔬。晚清年代，豐台為京師花卉供應重地，該地花農手巧藝高，挖掘地庫洞穴，洞內燒火，溫暖如春，培植各式奇花異卉，每逢正月新春，北京城滴水成冰，花市卻是萬紫千紅，靠的就是豐台花洞暖房。

豐台花洞子，不僅種花也種菜，六必居即在豐台自設花洞子暖房，培植春夏菜蔬。不但培植菜蔬，還就地掘穴，埋入巨缸，醃製各類醬菜。待醬菜醃得了，再裝入不同尺寸罈、罐、瓶、盒，運回城內前門外六必居老店。

這天，六必居豐台長工揭開醬蘿蔔大缸，正打算撈起醬蘿蔔，就見醬汁裡泡著個男童死屍。長工大驚，找來管事，隨即派人進城，回報六必居老店掌櫃鄭其旺。鄭掌櫃一聽此事，就曉得大事不妙，當即趕赴豐台。待童屍撈起，鄭掌櫃一瞧，就認出這即是鄭家獨子鄭金兒。

此事關係重大，要是傳開了去，說是六必居豐台醬缸裡竟然泡了死屍，醬菜銷路必然大受斲喪。因而，鄭其旺稟報趙姓東家，當機立斷，托辭整建釀造器具，六必居關門停業月餘，將豐台醬園所有醬缸悉數清理，取出缸中醬菜，埋入土中。繼而，聘雇大量雜工，洗淨所有醬缸，重新釀造醬汁，重新投入菜蔬，從頭來過。

打從這兒起，鄭家改了態度，不指望官面上破案抓人，反而私下使了銀子，懇請南城兵馬司指揮使段民貴，另找江湖人物，以牙還牙，繞過國法，私下了結，找出元兇，制裁取命，給鄭金兒報仇。

收人錢財，與人消災，於是，段民貴找上蓋喚天，逼迫蓋喚天追兇。當其時，蓋喚天為榮祿所迫，查辦西藏喇嘛香木金剛杵一案，段民貴惹不起榮祿，只好偃旗息鼓，靜待蓋喚天先查香木金剛杵。現如今，香木金剛杵已然結案，故而段民貴逼著蓋喚天，動員花子幫上下，追查鄭金兒撕票案，並言明，要蓋喚天取兇手性命，以平家屬忿懣。

段民貴，南城兵馬司指揮使，當差巴結，行事迅捷，對南城地面彈壓甚緊。幾年來，南城一帶風平浪靜，與段民貴大有干係。只可惜，段某朝中無人，升遷無望，這南城兵馬司指揮使差使，連任多年，位子都坐得起了老繭，還是無緣調動。走正途而不可得，乃走歪道，與南城地面各大小商號、賭攤妓院、歌台舞榭、餐館飯莊勾結甚密，拿錢辦事，手段酷烈，地方上取其姓名諧音，稱之為短命鬼。

這短命鬼，私下收了鄭其旺幾百兩現銀，逼迫花子幫就範。段民貴做事把細，這日找蓋喚天前去，除重申前命，逼蓋喚天追兇外，還找來辦案衙役官差，細說從頭，一五一十，將案情、線索、追查細節面告蓋喚天，一一交代清楚。此後，南城兵馬司兩手一攤，在旁看好戲。

講到此處，蓋喚天長嘆一口氣，對儲幼寧道：「兄弟，那短命鬼辦了半天案，啥線索都沒查出來。查養心齋，查銀票，全都斷了線。」

儲幼寧道：「此話怎講？」

蓋喚天道：「照理說，鄭其旺拿五千兩銀票，交予養心齋，買了那幅假畫。事後，綁匪必然至養心齋，取回贖金。那時，短命鬼派了幾名暗樁，埋伏在養心齋外，就等著綁匪來取款，打算一旦綁匪現身，就緊跟其後，找到肉票，先救肉票，後抓綁匪。這事，連養心齋也沒知會，養心齋掌櫃的並不曉得，這董其昌偽畫買賣牽扯著綁票。後來，那綁匪果然到了養心齋，卻是布帕包頭，戴著大圓墨晶眼鏡，臉上兩頰各貼一副狗皮膏藥，嘴上也繫著條手絹，壓根就瞧不出模樣。」

「那綁匪到了養心齋，櫃檯上早遵照綁匪交代，準備好了四十五張一百兩銀票。當下，綁匪拿了四十五張銀票，翻身便走。養心齋門外，南城兵馬司幾名暗樁看得清楚，這綁匪走路而來，進門後，工夫不大，就拿了四千五百兩銀票出門。兵馬司暗樁自然跟在身後，打算探明綁匪巢穴，好派兵拿綁匪救肉票。」

「詎料，這綁匪狡獪，他走路進養心齋，卻在養心齋外安排了人力車，出了店門後火速上車，人力車拉著綁匪，快步朝前門大街跑去。兵馬司幾名暗樁一瞧，馬上也跟著開步跑，追著人力車後頭跟著一起跑。幾名暗樁邊跑邊盯著那人力車瞧，就見車上那綁匪矮了身子，把腦袋藏在車椅背後頭。如此，從後頭瞧去，只瞧得見車椅背，卻瞧不見車上綁匪。」

「三下兩下，轉到前門大街那兒，不得了，一共十餘輛人力車，長得一模一樣，先是聚於一處，繼而驀然散開，四面八方，各自朝不同方向奔去。這兵馬司暗樁愣在當場，不曉得該跟哪輛人力車。就此，斷了線索，再也找不到綁匪蹤跡。」

儲幼寧道：「全案關鍵，還是那養心齋。這字畫古玩店，居間起承轉合，媒介交易。要沒這店，綁匪也沒法子得逞，想必，事後官面上定然嚴懲養心齋。」

蓋喚天道：「非也，那養心齋一點事都沒有。要知道，這養心齋往來皆貴人，親王、軍機、尚書、侍郎、大學士、督察御史、豪門鉅富，只要是買官賣官，都指著琉璃廠這些字畫古玩店居間媒介。在琉璃廠，養心齋是數一數二大戶，多少見不得光買賣，都靠養心齋成全。這店家背後，靠山硬得很，小小南城兵馬司指揮使段民貴，怎麼惹得起養心齋？他要真不識時務，派人查封養心齋，那麼，他就名副其實，成了短命鬼了。」

儲幼寧道：「那麼，銀票呢？鄭其旺傾舉家之財，湊足五千兩，買了銀票，經養心齋轉予綁匪。

這銀票，有根有底，總能查出點名堂吧？」

蓋喚天道：「五千兩銀子，不是小數目，打成一張銀票，無論到哪兒，都引人注意。因而，那綁匪把這張五千兩銀票，給了養心齋，掉換成四千五百兩零散銀票，每張額度一百兩。這一百兩銀票，在錢莊、票號眼裡不當一回事。若有人持一百兩銀票上門兌換現銀；或者有人拿一百兩現銀，上門兌換一百兩銀票，錢莊、票號不會另外登記。因而，從銀票下手，也追不到蛛絲馬跡。」

儲幼寧皺皺眉頭道：「大哥，這樣說來，事情難辦得緊。這兒也不行，那兒也沒頭緒，咱們該怎麼下手追兇？」

蓋喚天道：「官府有官府法子，咱們江湖人物，也有江湖人物門道。此類綁匪，必定是悖入悖出，天外飛來四千五百兩橫財，絕不可能憋著不花，必然是狂嫖爛賭，大把銀票往外掏。我已廣派人手，在南城地面，盯著妓院賭場，要是有豪客出手闊綽，底下人就會回報。到時候，咱們再去探底，瞧瞧是怎麼回事。」

儲幼寧道：「大哥，這案子發作至今，已有三個多月，那綁匪四千五百兩銀子到手，理應遠走高飛，豈會還待在北京？」

蓋喚天道：「不然，我問過不少衙役差官，說是多少年來都是如此，大凡出了巨案，兇徒自以為天衣無縫，不但不會遠颺避禍，甚且還會刻意假作無辜，在案發之地盤桓勾留，一看苦主家屬反應，二看官府衙役官差辦案。我估計，那綁匪不但沒走，並且，依舊還在南城一帶晃蕩。並且，案發之初，為免引人耳目，還會刻意壓抑，有錢不敢花。等時日一久，風頭過去，這才敞開來，大花特花。」

「照這特性，案發至今三月有餘，無論南城兵馬司抑或九門提督衙門，都未再追究此事。那綁架撕票兇徒就以為事情就此揭過，去了防備之心，大把銀子敞開來花。我受兵馬司指揮使段民貴擠兌，迫我追查此事，我已廣派人手，在賭場妓院布置眼線，這幾天，說不定就有探子回報。你右腿傷勢，也差不多好全了，咱們哥兒倆，又得聯手抓賊。唉！白鵬飛之事，只好再等等了。」

又過數日，儲幼寧腿傷徹底痊癒，傷口早已收攏，就剩下殷紅疤痕。蓋喚天左臂傷口，早就結了乾痂，但因刮除腐肉，因而手臂肌肉內陷，彷彿少了一塊肉。這日午後，儲幼寧午睡才醒，聽見門外急促腳步聲，隨即，蓋喚天一陣風般捲進儲幼寧睡房，口氣振奮，高聲言道：「兄弟，派出探子有回音了，說是石頭胡同有家賭攤，近日來了豪賭闊客，一出手，就是一百兩銀票，連賭數日，已然輸了幾百兩。今天夜裡，咱們哥兒倆，就去這賭攤瞧瞧，說不定就能逮住綁票兇徒。」

儲幼寧自受傷以來，始終待在先農壇蓋喚天宅院養傷，哪兒也沒去，身心俱都憋得難受，如今聽說得以出去，自是通體舒泰。這天晚上，兩人早早吃過夜飯，安步當車，往石頭胡同而去。這石頭胡同，名列八大胡同之一，位在北京南城，地屬花子幫管事範疇，胡同內妓院輻輳，人馬雜沓。這時，天色已暗，華燈初上，歌舞昇平，到處是絲竹之聲，夾以老鴇喊客，大茶壺送客、鶯鶯燕燕吱喊言語，好不熱鬧。

蓋喚天並儲幼寧隨著花子幫探子，往胡同深處走去。這條胡同，長約一里，寬約十餘尺，諸人走到末了，進一妓院，名為怡紅院。這妓院占地不小，分前後進。諸人進入廳堂，穿越幾排小房小室，到了後院。後院別有洞天，靠牆處有間屋子，裡頭燈火通明，人聲鼎沸，忽而振奮高呼，忽而絕望浩嘆。

蓋喚天要探子在外等著，與儲幼寧推開房門，進了屋裡。這屋裡，煙霧繚繞，幾管旱菸同時抽著，氣味嗆人。旱菸味之外，還夾雜著汗酸味、狐臭味、腳臭味。諸味一齊作法，把屋子裡弄得熏蒸作嘔，蓋、儲二人聞得直皺眉頭。

屋子不小，但總共就擺了兩個賭攤，每個賭攤各一張大桌。左手邊，是西洋花牌快手戲法，桌後站倆檔手，一個管收注、賠注，另一個則是快手郎中，專管變花牌戲法。桌前，站了七、八名賭客。右手邊，則是猜枚，擲骰子猜單雙點。

蓋喚天見多識廣，見這賭屋裡一共就這兩個賭攤，賭的卻都是末微小道，既無牌九也無麻將，心下覺得奇怪。但稍微細想，就知原因。蓋因這兩種賭法最為簡單，賭注進出大，賭局時間短，賭場易於操控局面，來去自如，省得麻煩。

儲幼寧則眼神專注，審視屋內賭客，找尋闊綽豪客。然而，滿屋子賭客，嗡嗡然作響，卻都是小角色。蓋喚天拉著儲幼寧，先立於西洋花牌快手戲法賭攤前，瞧個熱鬧。

這戲法也簡單，總共就是四張西洋花牌，上頭各有數字。此時，正好開局，就見快手郎中緩緩揭開四張花牌，上頭數字分別為一、二、三、四。而賭檯上，則畫有四個方格。每個方格大小恰好可容一張花牌擺放。每個方格，各有一字，分別為「天」、「地」、「玄」、「黃」。

快手郎中撿起三號花牌，對桌前賭客道：「此處四張牌，四個數字，待會兒，在下把牌蓋好。一號牌擺在「天」格裡，二號牌擺在「地」格裡，三號牌擺在「玄」格裡、四號牌擺在「黃」格裡。之後，在下隨意移動這四張花牌，弄完了，各位猜猜，我手中這三號牌，在「天」、「地」、「玄」、「黃」哪一個格子當中。猜中數字者，一賠三。要沒猜對，各位賭注就歸咱們了。這把戲，諸位靠的是眼明，在下靠的是手快。眼明對上手快，是輸是贏，各憑本事。這裡頭，出不了老千，耍不了詐，全憑真本事。」

說到這兒，就聽賭客裡，有個尖嘴猴腮賭客道：「你們這起杆兒上的，怎麼廢話忒也多。不就是賭錢嘛，規矩大家都懂。你這套話剛才上一局已經交代過，怎麼現在又說一次？」

蓋喚天聽聞「杆兒上的」，面色微微一變，儲幼寧當即察覺，低聲問道：「大哥，怎麼了？出了什麼岔子嗎？」

蓋喚天微微搖頭，示意儲幼寧噤聲。

那收注、賠注檔手接著話碴子道：「李小七，你愛玩不玩，要嫌囉嗦，一邊涼快去，沒人拉著你，非要你站這兒。你沒見著嗎？剛才進來兩位爺兒們，人家不懂咱們這西洋花牌戲法規矩，咱們這兒才又把玩法規矩重說一遍。你又不是第一天到這兒耍錢，偏偏廢話這樣多。」

那尖嘴猴腮李小七，不依不饒，接著言道：「要說規矩，你們這規矩就不講理。你們瞧瞧，這一共是四張牌，要是四人各下注一兩銀子，各猜一個數字，翻出牌來，三人猜錯，一人猜對，你們收輸家三兩銀子，然後，一賠三，又賠贏家三兩銀子，你們賭攤等於一文錢沒賠。如此這般，贏了錢，你們有進帳。輸了錢，你們卻不必真賠，這像話嗎？真要照規矩，四張牌，猜四次才中一次，就該是一賠四，而非一賠三。」

李小七這番話，理路清楚，全講在要害上，人人聽得明白，儲幼寧也不禁微微點頭。那賭攤後頭，本來站了幾人，看守場面。這時，就走過來一人，走到賭攤前，一手揪住李小七衣襟，另一手猛搧，就聽啪地一聲，李小七右臉頰挨了一耳光，登時紅紅腫起。

這人搧完李小七耳光，對著眾人道：「莫聽李小七胡言亂語，說什麼一賠四。要知道，倘若是閉著眼睛瞎猜，四張牌猜一張，一賠四還說得過去。現下，四張牌擺在那裡，諸位靠眼明，咱們這位檔手郎中靠手快，這是眼明賭手快，看看是諸位眼睛厲害，還是咱們郎中手法厲害，能有一賠三，已經寬待諸位。」

「李小七，你要賭就賭，不賭，滾你媽的鹹鴨蛋，別在這兒，礙著攤子前這些個爺兒們發財。」

那李小七，大約在這賭房裡捐輸太過，輸脫了底，這才唧唧歪歪，挑賭攤刺兒。現如今，挨了耳光，腦袋反而醒了，摸著紅腫臉頰，不言不語，轉頭出了賭房。蓋喚天見狀，示意儲幼寧站著別動，隨即，閃身出門，招手喚來花子幫探子，要那探子緊跟李小七，探明李小七底細與住處。

隨即，蓋喚天回到屋內，見那快手郎中已然將四張西洋花牌蓋起。隨即，兩手按住兩張牌，左右移動，又按住另外兩張牌，左右移動。如此這般，這快手郎中兩手不斷在四張牌上轉來轉去。那轉速，其實不快，觀者只要屏氣凝神，兩眼用心緊盯，不難追著三號牌去路。然而，這快手郎中手法奇特，持平慢轉之間卻倏然加快，迅捷移動花牌，隨即又放慢轉速。

如此這般，很快轉完，快手郎中兩手離牌，一旁收注檔手則高聲言道：「看清楚了吧，看明白了吧，快快下注，買定離手。」

這賭攤，事前發給每位賭客四張硬紙殼，每張硬紙殼上頭各有一字，分別為天、地、玄、黃。此時，賭客紛紛把各自硬紙殼擺上賭檯，硬紙上則放置賭資。

那快手郎中移轉四張西洋花牌時，儲幼寧目不轉睛，眼隨手轉，早把那快手郎中手法看得分明。原來，這快手郎中還真有本事，轉換花牌時，多數時候都是徐徐為之，讓眾賭客眼神跟得上，但卻倏然迅捷速轉一次，隨即又回復慢轉。那速轉之際，眾賭客不但眼神無法跟上，並且，不知自己眼神沒跟上，還以為眼神依舊緊盯三號牌。

儲幼寧天賦異稟，那快手郎中轉換花牌，在儲幼寧眼中彷彿幼兒學步，踉蹌搖擺，緩步而行。自起始以迄結束，那三號花牌，始終不離儲幼寧眼神，最後落於「地」格之中。然而，眾賭客卻是一窩蜂，所擺放硬紙殼上，寫的全是「黃」字。

那收注、賠注檔手，此時喊道：「買定離手，買定離手，都擺好了嗎？擺好了，開注啦！」隨即，快手郎中一張接著一張，慢慢將四張西洋花牌翻了過來。果然，那三號牌，位於「地」格之中。這一注，七、八名賭客全數敗陣。那收注、賠注郎中，手中拿了根竹子，竹子前端彎曲如鉤。這時，他伸出那竹鉤，將檯面上所有賭資全數掃向賭檯末端，扔入身旁木桶。

看到這兒，蓋喚天輕拍儲幼寧肩膀，示意離屋講話。二人出了賭屋，站在屋外院子裡，清風明月，夜涼如水，滿天星斗，正是北京金秋時分。站在院落裡，前頭怡紅院聲浪鼎沸，後頭賭房則是呼盧喝雉，不絕於耳。

兩人站在院落裡，蓋喚天對儲幼寧道：「兄弟，看明白了嗎？我猜，那快手郎中轉換移位之術，矇得了別人，必然逃不過兄弟你法眼。」

儲幼寧笑笑答道：「是啊，大哥說得對，我要來賭，猜十次，對十次，非得把他們贏垮了不可。」

蓋喚天道：「我就等你這句話。」

儲幼寧奇道：「大哥，這話怎麼說的？難道，您要下場耍錢，發賭攤財了？」

蓋喚天道：「這話，待會兒再說。反正，這南城地面，本來是我花子幫地盤，現下，有外人闖進來了。在這兒開賭攤，照規矩，得向花子幫繳例錢。照剛才那李小七所言，這幫人，是杆兒上的。那意思是說，這幫人也是江湖人物，是另一撥門派，向來在東城發財，沒想到現在闖進南城開起賭攤了。這帳，遲早要算，到時候得仰仗兄弟你，贏他個人仰馬翻。現下，咱們還有正事要辦，得找出那豪賭客，看看是怎麼回事。」

儲幼寧道：「大哥，您啥說啥好，反正，到時候小弟出死力，助花子幫打退這些杆兒上的。」

蓋喚天道：「咱們在屋裡，也瞧得一陣子了，倘若光瞧不賭，引人注意。這樣吧，等下進去，我拿點碎銀子，你去賭兩把，有贏有輸，進出平平，反正別引人注意就是了。」

說完，兩人又復進屋，先在左手邊西洋花牌賭攤，賭了四注。儲幼寧下注，前兩次輸，第三次贏，第四次又輸，扯平了算，賭資不輸不贏。賭完這兒，移步到右手邊，細看這猜單雙賭局。

這賭局也簡單。桌上擺個青花瓷大海碗，碗口大，碗身深，碗口上頭擱著一塊薄木板。賭桌後頭也是站兩名檔手，一人管扔骰子，另一人管收注、賠注。那扔骰子檔手，左手把薄木板掀起，右手抓著三枚骰子，往大海碗裡扔。待三枚骰子擲入大海碗後，滴溜溜滾動時，這檔手立刻拿薄木板蓋住碗口。

之後，由賭客下注。桌上鋪一絨布，上頭有倆大方格，左邊方格內寫個「單」字，右邊方格內寫個「雙」字。賭客各自將賭資置於格內，猜大海碗內骰子點數，為單數抑或雙數。

待骰子落定，檔手揭開薄木板，檢視三枚骰子點數。倘若兩枚骰子點數相同，則視第三枚骰子點數為單數或雙數，決定賭徒勝負。倘若三枚骰子點數各異，沒有兩枚骰子點數相同，則重來一次，再由檔手重新擲入骰子。

大約擲個五次、六次，才碰上一次兩枚骰子同點數，以第三枚骰子點數決勝負。正因擲五次、六次，才有一次分出勝負，賭客就格外躁動不安，每次骰子落碗，眾賭客即高聲叫囂。

蓋、儲二人瞧了會子，又悄然走到屋外。儲幼寧對蓋喚天道：「大哥，裡頭那把戲，瞧不出端倪，卻聽出了底細。三顆骰子當中，有兩顆沒事，但有一顆裡頭灌了鐵。灌得不多，就丁點鐵粉在裡頭，三顆骰子落進碗裡，聲響不同。沒灌鐵的，一種聲響；灌了鐵粉的，另一種聲響。」

「每次擲下去，那檔手都操控灌鐵粉骰子，要幾點，就是幾點。剩下，就靠那兩枚乾淨骰子，擲出相同點數。骰子擲下去，是單，是雙，那檔手心裡雪亮。倘若擲的是雙數，賭客下注偏向單數，賭攤固然贏了。倘若擲了雙數，賭客下注也偏向雙數，那麼，檔手就會弄鬼出老千。」

蓋喚天狐疑道：「兄弟，真有你的，你怎麼瞧出，那擲骰子檔手弄鬼出老千？」

儲幼寧道：「大哥，那擲骰子檔手都是左手拿木板，右手擲骰子，但大哥沒注意到，那檔手左手小指頭上，套著個黑漆漆戒指。那戒指，是個磁鐵。倘若擲出雙數，而賭客多押單數，那麼，這檔手用左手掀開木蓋時，這小指頭翹得高高的，離碗身遠遠的。倘若擲了雙數，賭客卻也多押雙數，那麼，這檔手用左手掀起木蓋時，小指頭就貼著碗身。」

「小指頭貼著碗身，小指頭上那磁鐵就隔著瓷碗，將碗內灌鐵粉骰子，推得翻個身，等蓋子掀開，就變成單數了。總之，就靠小指頭上那塊磁鐵，這賭攤包贏不輸。」

第二十八章：拉交情玉面專諸洩漏底細，押花牌鄭大掌櫃踢死綁匪

儲、蓋二人在賭場裡，時而一旁觀戰，時而下小注賭錢，站了好一會兒，屋子裡烏煙瘴氣，熏得兩人站不住，只好出屋，在院子裡候著。時辰漸晚，卻仍不見什麼狂賭豪客，倒是之前奉命盯梢探子，返回怡紅院，穿過前頭廂房到得後院，稟知蓋幫主，說是已探悉李小七落腳之處。探子回報，說是李小七為前門外澡堂子安樂園修腳師傅，嗜賭，常在南城地面各賭場流竄云云。

三人正在院子裡說話，就見前頭廂房那兒，顛顛沛沛走來兩人。這兩人，步伐緊湊，兩手大幅前後搖動，腳程頗快，幾步之間就走到賭屋外，與蓋嗅天等三人擦身而過。只見這二人新刮了臉，新剃了頭，新編了辮子，身上簇新秋裝，腳下簇新緞鞋。兩人走過，身後帶起一陣薰香之氣，想必身上抹足了西洋花露水。此二人進屋前，瞧瞧儲幼寧等三人，然後推門進屋。

蓋嗅天見狀，示意探子守在外頭，他與儲幼寧翻身又進賭屋。屋裡，就見兩賭攤俱暫時收手，那倆新到賭客，正與賭屋裡管事檔頭高聲談話。這倆新賭客，左首邊那位個頭較高，銀盤瓜子臉，梳著油光大辮，油頭粉面，相貌俊秀，嘻皮笑臉；右首那位個頭較矮，臉膛較黑，濃眉大眼，不苟言笑，面帶殺氣；賭屋裡管事檔頭則是顴骨高聳，兩頰內凹，身上有

骨沒肉，腰間鼓起，應是帶有兵器。

這銀盤瓜子臉，對著管事檔頭道：「衛骷髏，前兩天咱們輸了幾百兩，想是黃曆不對，日子沒選好。今天，咱們翻了曆書，曉得今兒個是賭錢黃道吉日，故而先去澡堂子洗澡、修腳、搥背、刮臉，弄得舒舒服服，乾乾淨淨。洗完澡堂子，上飯館子，吃了頓好的。吃飽喝足，這才腰裡揣上五百兩銀票，到你這兒來。是好樣的，就把你們老本全亮出來，今兒個我和這位應老哥，要把你這攤檔吃乾抹淨，讓你們輸得哭爹喊娘。」

那賭攤管事檔頭衛骷髏道：「您這話，可別說得太滿了。您翻了黃曆，說是今兒個是賭錢黃道吉日。那曆書，你沒讀通。今兒個，當然是耍錢黃道吉日，但那是指咱們賭攤黃道吉日，而您這賭客，今天卻是大凶之日，包您今天輸脫了底。大話別說，您亮底吧，今兒個帶了幾百兩銀票來？」

銀盤瓜子臉刷地一下，自懷內摸出一疊銀票，約有五、六張，甩在賭檯上道：「這兒五張銀票，每張一百兩，共五百兩。老爺我今天每注十兩起跳，你們快給老爺兌換零碎銀票，我要十兩一張，給我五十張銀票。」

衛骷髏道：「虧你還自稱混過江湖道，自封什麼玉面小專諸，連道上規矩都不懂？賭場換錢，向例是抽取五釐過水。你拿一百兩銀票，我們這兒，只能兌給你九十五兩零散銀票。你拿五百兩大票，只能換得四百七十五兩零散銀票。這規矩，上次就對你講過，怎麼你過耳就忘？」

儲幼寧並蓋嗅天，聽衛骷髏提及「玉面小專諸」，兩人俱是心頭一震，對看一眼。

那銀盤臉玉面小專諸張口便罵：「呸，怎麼碰到兌換銀票，淨是碰到吸血鬼。上回，老子發了橫財，得了五張銀票，共是四千五百兩，拿去錢莊換一百兩銀票，被錢莊盤剝，就得手四千四百五十兩，被錢莊汙去五十兩。如今，到了賭攤要換銀票，你們這起子吸血螞蝗，又要什麼過水費。老子還沒下場，就被你們敲去二十五兩銀子。哪，這五張銀票收去，趕緊給老爺拿零散銀票來，老子今天必然鴻運大發，非敲了你們這攤檔不可。」

聽此人如此狂言，儲幼寧與蓋喚天又對看一眼，兩人都是心頭再震。二人心想，踏破鐵鞋無覓處，得來全不費工夫。看來，殺害閻桐春兇手與鄭金兒撕票兇手竟是同一人。看來，今天可以兩檔事併一檔辦。

銀盤臉玉面小專諸罵完了，伸手與賭攤兌換銀兩，五張一百兩銀票送出去，換進來大疊小額銀票。此二人，分開賭，銀盤臉玉面小專諸賭左邊西洋花牌快手戲法，黑臉膛應某，則賭右邊猜骰子單雙。

蓋喚天對儲幼寧使個眼色，兩人移步向左，也擠在西洋花牌賭攤前，向賭攤收注、賠注檔手領了四張硬紙殼。快手郎中動手移動四張花牌，弄完了，眾人下注，多數賭徒都押「黃」，獨有儲幼寧押「天」。結果，眾人皆輸，獨有儲幼寧贏錢。如此這般，連續五注，都是眾人皆輸，儲幼寧獨贏。

連贏五注，自然引起賭攤諸人注意，不但收注、賠注檔手、快手郎中多瞧儲幼寧幾眼，賭攤後頭壓陣管事檔頭衛骷髏，也察覺儲幼寧本事異常，每注都贏。然而，儲幼寧每次下注，賭資不大，儘管連贏五注，所贏銀兩仍屬有限。因而，賭攤眾檔手及管事衛骷髏雖覺奇怪，但並未尋釁找碴，依舊任由儲幼寧賭下去。

反倒是銀盤臉玉面小專諸，連輸五注，每注十兩銀子，轉眼間，就輸了五十兩。

到了第六注，快手郎中轉完花牌，兩手抽離，收注、賠注檔手，催促眾人趕快下注。眾賭徒這時才回過神來，人人束手，定眼瞧著儲幼寧。儲幼寧專心一意瞧快手郎中轉牌，這時看準了，曉得三號牌在「玄」格當中，正打算拿起寫著「玄」字厚紙殼。身旁蓋喚天拿胳臂肘頂了儲幼寧一下，儲幼寧乖覺，立刻放下硬紙殼，轉眼發現，眾賭客都瞧著自己，看看自己押哪個格子，好跟著下注。

一人獨贏，賭攤尚能容忍，倘若勾得眾人一齊下注，都押「玄」格，賭攤大輸，必會引來麻煩。儲幼寧武藝蓋世，不怕麻煩，但如此一來，就壞了誘捕殺師、撕票兇徒大計。因而，儲、蓋二人收手，暫且離場，又走到屋外。

二人前腳才走至屋外院中，就見那銀盤臉玉面小專諸，後腳就跟了出來。那花子幫探子本來守在屋外，見幫主與儲幼寧走出，後頭又跟著人，因而，這探子當下往牆根走，貼牆根站著，陰影罩身，那銀盤臉玉面小專諸一心要與儲幼寧打交道，壓根沒注意到牆根底下，還立著個花子幫探子。

這玉面小專諸，堆滿笑臉，衝著儲幼寧拱手作揖道：「請了，這位少年英雄，您必定是天賦異稟，術業有專攻，竟能看穿那快手把戲。屋裡那批蠢才也看出閣下本事，打算跟著您下注。您也乖覺，深怕得罪賭攤，故而收手不下注。」

「這樣好了，待會兒咱們一齊進去，您不下注，但幫我瞧著。我只賭一注，一傢伙下三百兩。您只要使個眼神，告訴我，該押哪一格。一賠三，待我贏了九百兩之後，與您對分，您得四百五十兩。您看，這樣可使得？」

儲幼寧尚未開口，蓋喚天接碴道：「哪兒不交朋友呢？看兄臺您一表人才，這朋友，咱們交定了。想請教兄臺，您臺甫為何，仙鄉何處？」

那銀盤臉玉面小專諸道：「草姓白，賤名鵬飛，籍隸山東德州。」

蓋喚天與白鵬飛一陣文縐縐對話，坐實此人身分，確信殺害閻桐春兇手，亦是鄭金兒撕票兇徒。

蓋喚天指著儲幼寧，對白鵬飛道：「白兄，這是我內弟，姓儲名幼寧。您也看得出，屋裡那起子管事、檔手，已然懷疑我這儲內弟。如今，您又跟著我們一起離屋，倘若儲內弟再進屋，即便不下場，那起子管事、檔手，也必然懷疑，您與我內弟勾成一處，訛詐賭攤。到時候，動起手來，他們人多勢眾，我們必然吃虧。」

「這樣好了，今天大家有緣見面，把你朋友也叫出來，咱們四人，找個地方，喝兩杯去。邊喝酒，邊談事情，說不定，咱們四人，可以找找路子，一起發財。」

蓋喚天這話，已然說得明白，意指打算偕同白鵬飛與黑臉應某，一起勾結作案。白鵬飛久在外頭奔波，曉得道上人物言語，當然明瞭蓋喚天意思。於是，白鵬飛翻身便走，進了屋去，未久，即帶著黑臉應某，一齊出屋。

四人勾成一處，齊步走出怡紅院。這時，八大胡同正是人流穿息、生意興隆之際，酒館飯鋪在所多有，四人就進了間小酒館，蓋喚天點了幾樣小菜，又要了一壺白乾。

四人離開怡紅院之際，那花子幫探子亦跟著四人，走到酒館之外。蓋喚天點得了酒菜，對白鵬飛暨黑臉應某道：「人有三急，適才在怡紅院，瞧賭攤瞧得入迷，忘了肚子裡水壓。現在這才覺得水壓逼人，我得出去，找個地方，放放水去。」

說罷，拱拱手，快步走出小館，到一旁暗處，招手喊來手下探子，附耳過去，如此如此，這般這般，交代了一大套。交代完畢，那探子轉身離去，蓋喚天也回到酒館。

儲幼寧與蓋喚天心意相通，他知曉蓋喚天之所以進酒館，請白、應二人吃喝，必然有其道理。

他不知蓋喚天舉手投足之間，已然傳話下去，要花子幫眾趕緊布置後續舉措，但他曉得，蓋喚天怎麼做，他就跟著搭配。這就好比說相聲，一個逗，一個捧，必得有深厚默契才能把相聲說好。儲幼寧結識蓋喚天已有小半年時間，日夜相處，兩人默契足，心意通，因而，這時在小酒館裡，兩人彷彿說相聲，又像作戲，勾探白、應二人底細。

所謂「君子易事而難悅，小人易悅而難事」，儲、蓋二人刻意拉攏，著實敷衍白、應二人，雙方交情即刻激升，不過幾杯酒下肚，四人就彷彿結交幾十年，交情高似山、深如海。白鵬飛提議，說是能在八大胡同賭場裡遇見儲、蓋兩人，真是天賜良緣，提議今夜就結拜為異性兄弟。儲、蓋則是有了顏色就開染坊，言語上愈加奉承白鵬飛，能有多湊興，就有多湊興。

幾杯黃湯下肚，不等蓋喚天盤問，白鵬飛即自我擺顯道：「兩位兄臺，您不知道，我白鵬飛如今可是龍陷淺水遭蝦戲，虎落平陽被犬欺啊！想當年，我一個人，一管槍，在山東大山裡掃平了一整個山賊寨子，斃掉大小賊子十餘名。現如今，卻是有家歸不得，流落北京，在賭場裡被管事檔頭、賭攤檔手，譏諷奚落。」

講到此處，白鵬飛愈發不能收止，劈里啪啦，咿哩呱喇，把當初與紅鼻子過山虎畢楚龍保著他姊姊，從江蘇清江浦，走陸路回山東德州老家，途經山東臨沂山區，以洋槍屠戮山寨眾人之事，重頭講起。這人邊講，邊丑表功，說是自己當時如何英勇神武，如何以一敵眾，殺得山寨血流成河。

白鵬飛愈說，儲幼寧心中愈怒，漸漸，面容僵硬，眼睛直勾勾瞪著白鵬飛瞧，身子微微顫抖。蓋喚天坐於儲幼寧身邊，曉得白鵬飛這樣擺顯殺害閻桐春之事，儲幼寧心中震動激盪，不定什麼時候就會翻臉。因而，蓋喚天左手輕拍儲幼寧膝頭數下，示意儲幼寧稍安勿躁，繼而，舉起酒杯，敬了白鵬飛一杯道：「兄弟，別這樣妄自菲薄，適才在那賭場，我見兄弟出手不凡，一下子就拿出幾百兩銀票。有這能耐，可不能說自己在北京混得夠嗆。」

聽蓋喚天此言，白鵬飛瞧瞧黑臉應某，對蓋喚天、儲幼寧道：「兩位兄臺，今日雖是初見，但彼此一見如故，我既然連山東臨沂山寨滅了十幾人之事，都對兩位兄臺如實表述，那麼，另有一事，也不瞞兩位。」

才說到這兒，那黑臉應某轉頭，衝著白鵬飛道：「二哥，別，這事還是別說好！」

白鵬飛答道：「別什麼，這兩位兄臺與我們一見如故，待會兒找個地方，咱們燒香拜把子去。山東的事都說了，這北京前門外的事情，也不必瞞。大家有話就說，把話講清楚，講乾淨了，彼此通透無礙，有助合力一齊幹大事。」

說到這兒，白鵬飛指著黑臉應某，對儲、蓋二人道：「知道這人是誰嗎？聽過前門外六必居嗎？」

隨即，白鵬飛細說從頭，一清二楚，將六必居大掌櫃鄭其旺獨子鄭金兒綁架、撕票之事，完完整整說予蓋喚天、儲幼寧知曉。

這黑臉膛應某，姓應名國恩，原係六必居帳房。這應國恩，十七歲即入六必居，從學徒幹起，當過跑腿小廝、送貨夥計、醬園守夜，一路往上苦熬，至四十歲上，這才出任六必居帳房，總管六必居所有銀錢、進出貨、人欠、欠人等帳目。六必居東家趙氏家族對底下人等不薄，應國恩任六必居帳房，待遇不菲，養妻育子足足有餘。無奈，此人中年沾染惡習，沉溺博奕，在賭場輸光歷年積蓄。輸光家底，只要戒掉賭癮，續留六必居，續任帳房，年頭一久，依舊能攢積可觀家財。奈何此人耽溺已深，難以回頭，一窮二白之餘，藉職務之便，營私舞弊，作假帳、吞公款。時候不長，東窗事發，為大掌櫃鄭其旺知悉，向東家揭發此事。六必居東家趙氏家族，感念應國恩在六必居報效多年，願給應某改過自新機會，但大掌櫃鄭其旺不做如是觀。

鄭其旺鞭辟入裡，向東家剖析人性，說是賭癮猶如毒癮，一旦染上，戒之不去。當事者言之鑿鑿，誓言悔改，但能貫徹如一者幾希，幾盡所有癮君子，皆是說一套，做一套，難以甩脫惡習。鄭其旺一番說理，說服東家趙氏家族，賞予應國恩紋銀兩百兩，就此革職。

應國恩得了兩百兩銀子，又去賭場，希冀就此翻本，贏回之前家財。結果，再度輸得精光。此後，應國恩拋家棄子，自暴自棄，成了孤寡光棍，在八大胡同一帶廝混，偷矇拐騙，成了下九流之人。一日，應國恩在陝西巷巧遇白鵬飛。其時，白鵬飛跟著個賣藝人，在八大胡同、前門外大街一帶，走街串巷，專唱山東鐵板快書。

應國恩碰上白鵬飛，兩人皆是蹇運當頭，走背時路，心中皆是忿懣怨毒，不滿際遇，總想發財。兩人相遇，一拍即合，擰成一股，整日裡商議著該如何如何才能發財。馬無夜草不肥，人無橫財不富，應、白二人時時合計，想方設法，要發橫財。

說來講去，就講到六必居大掌櫃鄭其旺。應國恩提及，鄭其旺中年得子，其獨子鄭金兒猶如鄭家命根。白鵬飛聞言，提議綁架鄭金兒，勒索贖金。兩人說幹就幹，白鵬飛向鐵板快書藝人辭去跟班工作。那鐵板快書藝人，早年在山東戲班子裡賣藝，而白鵬飛之母，其時亦在同一戲班唱小曲。說起來，那鐵板快書藝人，還是白鵬飛之母師兄。

如今，白鵬飛鐵了心，要謀幹綁架鄭金兒之事，乃決絕而行，斷了鐵板快書藝人關連，整天與應國恩賦在一起，商議綁架大計。應國恩雖為六必居大掌櫃鄭其旺革職，但畢竟曾於六必居任職二十餘年，六必居內上下人等，均為應國恩舊識，因而便於打探六必居大小內情。

案發前，應國恩探知，鄭其旺將在前門外正陽樓設宴，歡度四十大壽。白鵬飛斷言，壽宴當日，場面必然紊亂，人馬必然雜沓，正是動手綁架好時機。鄭其旺四十大壽當日，應國恩匿於正陽樓左近暗巷，以免為六必居故舊識出，而白鵬飛面生，六必居上下人等及鄭家上下，無人識得白鵬飛，因而，他當日於正陽樓外梭巡，望風觀色，等候機會。

酒過三巡，菜過五味，果然，鄭家獨苗鄭金兒鬧著要小解，乃由長工來發領著，出了正陽樓大門，繞到後巷。白鵬飛見狀，打手勢招來應國恩，綴著來發並鄭金兒，到了正陽樓後頭暗巷。鄭金兒小解之際，白鵬飛突襲，以鈍器敲擊長工來發腦勺，來發一聲未哼即昏死。隨後，應國恩現身，接著鄭金兒。

應國恩久在六必居供職，與大掌櫃鄭其旺家族上下皆熟，鄭金兒亦認得應國恩，稱其為應叔叔。應國恩對鄭金兒謊稱，長工來發另有要事，換由應國恩接手照顧。鄭金兒年幼，不察陰謀，乃隨應國恩、白鵬飛而去。

一起始，白、應二人籌劃綁票時，兩人各有構思。應國恩在六必居供職多年，畢竟仍有故人之情，他深恨大掌櫃鄭其旺，但主張罪不及妻小，取獲贖金後，應將鄭金兒釋回。白鵬飛則另有說法，說是鄭金兒並非三尺豎子，懵懂無知，此兒已經八歲，懂得認人，一旦被綁，必然知曉應國恩為綁匪。

因而，白鵬飛主張，綁得鄭金兒之後，隨即撕票，尋地掩埋滅跡。兩人幾經商量，白鵬飛終究說得應國恩點頭，答應撕票。那日夜裡，於正陽樓後暗巷，白鵬飛殺害長工來發，應國恩拐走鄭金兒，謊稱直接帶其歸家。鄭金兒不察，乃跟著應國恩、白鵬飛離去。

白鵬飛早在不遠處，擺放驢拉棚車一輛。三人走到棚車前，應國恩先上車，下身鑽進驢車棚子，上身仍露於外。隨即，白鵬飛舉起鄭金兒，往車上送。應國恩伸出雙手，抓住鄭金兒兩腋，使力將鄭金兒抬上驢車之際，白鵬飛又使鈍器，在鄭金兒後腦勺猛敲一記。經此一敲，鄭金兒當場昏死過去，並由應國恩抬進車棚內。

隨即，白鵬飛趕車，應國恩守著鄭金兒屍身，趁城門關閉前，往南過永定門，往豐台六必居醬園而去。應國恩久在六必居供職，對豐台醬園瞭若指掌，乃尋得一醬缸，揭開缸蓋，將鄭金兒屍身擲入。

白鵬飛口不停頓，連貫而言，將這齣綁票案說得全鬚全尾，清晰細緻。說到這兒，時辰已然不早，小酒館內酒客逐漸散去，白鵬飛、應國恩連喝多杯，此時均有酒意，說起話來，口沒遮攔，舌頭打結。蓋喚天對儲幼寧使個眼色，對白、應二人道：「兩位賢弟，天候不早了，咱們找個地方歇息歇息，明天等酒醒了，再商議大計。」

這頓酒食，蓋喚天並儲幼寧刻意少喝，卻淨是勸白、應二人多飲，因而，此時蓋、儲二人神智清楚，而白、應二人則已迷糊。儲幼寧不知蓋喚天葫蘆裡賣的是啥藥，但曉得蓋喚天必有安排，因而，也呼應蓋喚天說法。於是，四人站起身子，蓋、儲二人，架著白、應二人，出了酒館，往暗處行去。

到了轉角燈火不及之處，就見路邊站著兩名花子幫夥計。這兩名夥計，早預備下一輛牛車，車後有棚。待蓋、儲、白、應四人走過牛車之際，兩名花子幫眾突然衝出，使的還是老招數，以布帕浸潤西洋蒙汗藥歌羅芳，矇住白、應二人鼻口。這歌羅芳，是為上回蓋喚天向天橋牙攤所購，攻打內務府包衣佐領剛健宅邸時，用了一半。剩下這一半，此時派上用場。

白、應二人先是喝了酒，繼而被歌羅芳布帕蒙臉，當場被迷倒。眾人合力，將白、應二人抬入棚車內。照事前約定，花子幫拿住撕票兇徒後，須自行執法滅口，因而，必須出城才能幹這事兒。此時，時辰已晚，城門已閉，無法出城。於是，眾人即於牛車內默不出聲，靜候時辰流轉，以待城門重啟。

蓋喚天久走江湖，這時，歪著身子，小憩一番。儲幼寧，則是思潮翻騰，難以闔眼。他想到閻桐春，如今抓到白鵬飛得以報仇，自覺對得起閻桐春撫育之恩。他想到金阿根、金秀明、劉小雲，揚州那兒，畢竟有他家人，待取了白鵬飛性命後，即須告別北京，南返揚州，與家人團聚。他想到韓燕媛，心裡一陣苦楚，覺得無論如何設法，與韓燕媛均無法長相廝守。

想來想去，竟是一夜沒睡。待得五更天之際，就聽見蓋喚天言語，說是時辰已到，就此駛動牛車，出城而去。兩名幫眾坐於牛車前座，駛著牛車，往南而去。到永定門之際，天色仍是漆黑未明，過城門時，守城兵丁攔下牛車，揭開棚車布帘子，往裡探視，就見車內躺著四人，呼呼而睡。駛車幫眾解釋，此四人居於城外，夜裡於八大胡同賭場通宵聚賭，此時死睏疲憊，搭牛車回家，途中俱都睡死。

此話當然是糊弄守城兵丁，白、應二人喝酒蒙藥，固然深睡，儲、蓋二人卻是清醒裝睡。無論如何，時辰不大，牛車駛抵豐台六必居醬園，六必居大掌櫃鄭其旺已經等在當地。

鄭其旺亦有安排，這醬園最近一、兩日既無新菜蔬入缸，亦無新醬菜出缸。因而醬園並無工人，僅有一名長工住於木板茅屋，看守醬園。這木板茅屋，內有桌椅、木床，供守園長工所住。昨天夜裡，蓋喚天已派手下探子奔赴鄭宅，面見鄭其旺，告知已逮獲殺害鄭金兒兇徒，天亮後將解送六必居豐台醬園，請鄭其旺預先預備。

鄭其旺接獲訊息時，時辰尚早，城門未關。於是，匆忙在懷中揣了瓶燒刀子酒，又拿了厚厚一疊桑皮紙，離家，雇車出永定門。到了豐台醬園，告知守園長工，說是有醬園要事，須他親自至此處理，並要那守園長工搭乘來車，返回城內。

鄭其旺亦是一夜未曾闔眼，心裡想著獨子被殺，如今兇徒抓到，卻不知是何模樣。待牛車駛來，駛至木板茅屋門口，兩名花子幫眾下車，掀起棚車布帘，現出車內四人。蓋、儲二人隨即下車，向鄭其旺致意。鄭其旺再探頭細看車內沉睡二人，就見其中一人，是為六必居革職帳房應國恩。

醬園廣袤，四野無人，正是辦事好時機。兩名花子幫眾，一人抬肩，一人抬腳，先將白鵬飛自車中抬出，抬入屋內放於牆邊，靠牆坐著。繼而，如法炮製，又將應國恩也抬下車，抬入屋，放於牆邊靠牆坐著。兩名花子幫夥計隨後取來布索，將白、應兩人雙腳捆緊，又將兩人雙手置於背後，也拿布索捆住。

眾人進入屋內，鄭其旺將攜來燒酒瓶與桑皮紙，擱於桌上。

兩個多月前，蓋喚天並儲幼寧攻打內務府包衣佐領剛健宅邸時，曾用西洋蒙汗藥歌羅芳，迷倒四名看家護院武師。當時，那歌羅芳迷藥摻有西洋火酒，藥效較淺，以至於四名武師後來被廚子與屠戶喚醒。兩個多月之後，因瓶口未能封死，留有些許孔隙，瓶裡西洋火酒俱皆蒸發殆盡，僅剩下純濃歌羅芳。因而，白鵬飛、應國恩為歌羅芳迷倒後，沉睡不醒，被人抬、被人放、被人綁，全都毫無知覺。

待白、應二人手腳俱都綁實之後，蓋嗅天對兩名手下夥計道：「可以了，弄醒他們。」兩名夥計出去，未久即回，手裡各端個臉盆，盆內裝了井水。兩名夥計同時掀了臉盆，兩盆水各朝白鵬飛、應國恩當頭淋下。此時已是深秋，路滑霜濃，氣息凜冽，那井水更是冰涼。兩盆冰水各自當頭淋下，白、應二人隨即轉醒。然而，醒是醒了，卻是半醒，雖有知覺，但神智卻未能清醒。兩人醒來，哼哼哈哈，胡言亂語，文不對題，講些糊塗話，不認得人，不曉得事，懵懂至極。

儲幼寧為義父恩師閻桐春報仇，鄭其旺為獨子鄭金兒報仇，兩人此時均是怒火中燒。二人見兩盆水澆不醒白、應，不待兩名夥計動手，二人同時拿起臉盆，同時出屋。屋外不遠處有個深井，儲、鄭二人各拿臉盆，到了井邊打水上來，裝滿兩臉盆，捧回屋內，對著白、應二人，又是當頭澆下。

白、應二人各被兩盆冰水澆頭，一時間，雖已醒了，仍是怔忪迷糊，兩人渾身溼透，凍得不停打擺子。花子幫兩名徒眾，準備了簡略食物，拿進屋來，就是一疊麵餅，一盒甜麵醬，幾枝大蔥。蓋嗅天抓起張麵餅，拿起根大蔥，將大蔥蘸滿甜麵醬，裹入麵餅，邊吃邊對眾人說：「忙和了一晚上，肚子都餓了，隨便吃點。待會兒還有得忙的，先把肚子填飽了，別讓自己餓著了。」

說罷，眾人皆吃起麵餅裹甜麵醬大蔥，連鄭其旺亦壓著怒火與激情，勉力吃起食物。花子幫眾又尋著空碗，倒入井水，眾人輪流喝了。眾人吃早飯這會子工夫，白鵬飛、應國恩腦子漸漸清楚，這才真正醒了。兩人見狀，曉得著了道兒，但身上麻藥效力未退，精神委靡，無力掙扎喊叫，加上手腳俱被捆綁，只能委頓在地，默然不語。

吃早飯這工夫，儲幼寧將昨夜白鵬飛在小酒館所言，勾結應國恩，綁架、殺害鄭金兒細節，轉述告知鄭其旺。邊吃邊講，等事情講完，麵餅捲甜麵醬大蔥亦全都吃罄。吃完，蓋嗅天站起身來，對鄭其旺道：「鄭掌櫃，花子幫受南城兵馬司指揮使段民貴之託，追索令公子遭撕票之事。如今，真兇緝獲，交予鄭掌櫃處置。該怎麼處置，還請鄭掌櫃示下。」

鄭其旺指指桌上所擱燒酒瓶暨桑皮紙道：「自金兒遇難以來，我時時刻刻都想著，將來擒獲兇徒後，要如何折磨兇手。想來想去，想過各式各樣法子，結果，打定主意，開加官。」

蓋喚天闖蕩江湖幾十年，見聞頗廣，卻從未聽聞這「開加官」，因而面露狐疑詫異之色。鄭其旺道：「這也是宮裡傳出來的古法，外頭知道者不多，待會兒我親自動手，兩位就會明白，為何叫開加官。」

蓋喚天又道：「動手之前，鄭掌櫃，還有話要問嗎？」

鄭其旺道：「這應國恩是怎麼個人，是怎麼回事，我一清二楚。也不必多說了，我就只有一句話，要問問他。」

說罷，鄭其旺兩眼緊盯地上應國恩道：「我只問你，適才儲少俠所言，你勾結外人，綁架金兒，又將金兒謀害之事，是否屬實？你是否幫著外人，殺了金兒？」

應國恩眼神渙散，對鄭其旺視而不見，嘿然不語。鄭其旺轉而質問白鵬飛：「你說，儲少俠所講內情，是否屬實？」

白鵬飛神情委頓，啞著嗓子道：「要殺就殺，別那麼多廢話。」

說罷，白鵬飛瞪著蓋喚天道：「你這點子，是哪條道上的？為何設計拿下我倆？」

蓋喚天道：「你問我是誰？老爺我是京城花子幫幫主，姓蓋名喚天，這京城南城地面都歸我管。你綁架、殺害鄭掌櫃獨子，本該由官面上南城兵馬司偵緝查辦，但鄭掌櫃花錢買你命，南城兵馬司將案情轉交予我，由我將你緝拿。拿下之後，結果你倆性命。明年今天，就是你忌日。」

「你作惡多端，到處樹仇，這位小兄弟也與你有仇。幼寧，你說說吧，也讓這點子曉得，他是為何而死。」

儲幼寧站起身子，向前邁兩步，對著白鵬飛道：「山東臨沂山寨，是我生長之地，你所殺山寨人等，是我家人。我義父閻桐春喪於你洋槍之下，我自揚州到北京，就是為了找你報仇。即便你未綁架、殺害鄭金兒，也難逃我追索。今日，在這醬園子裡，取你性命，給我義父報仇。」

再兇再橫強徒，到了生死交關時辰，也難逃驚恐戒懼。這白鵬飛，向來兇橫，視人命如草芥，素行不仁不義，頗有天不管、地不收剽勁。眼下，見桌上擱著一瓶燒酒、一疊桑皮紙，不知鄭其旺要如何折騰自己性命，再加上西洋蒙汗藥歌羅芳藥效未退，因而垂頭喪氣，再無天不怕地不怕狠勁。而應國恩，則是癱軟於地，渾身顫抖，抖得如糠篩子一般。

兩人俱是一副膿包樣，儲幼寧看在眼裡，頗覺暢快，有心嚇唬白鵬飛，一洩殺害義父閻桐春之恨，因而閒閒對鄭其旺問道：「敢問大掌櫃，適才提到開加官，在下對此毫無所知，可否解說其義？」

鄭其旺道：「各位想必都瞧過戲吧?戲園子裡，每天一開戲，必然先出來個天官，滿場遊走。這天官，手上拿個條幅，上頭寫著吉祥話，有時是天官賜福，有時是加官進祿。這戲園子開場節目，就叫跳加官。那天官臉上，必然戴著個面具。」

「國有國法，家有家規，一般人犯了事，交給官府衙門處置。犯了死罪，就是一刀砍了腦袋。倘若罪大惡極，則是千刀萬剮，凌遲處死。但在宮裡，皇親國戚犯了事情，本該綁上囚車，拖往菜市口，一刀斬訖。但有時候，皇上、太后有恩旨，免於公然問斬，改以私了，要犯官回家自我了結。這，有個名堂，叫做賜死。當然，上頭也派了大員，隨同跟往犯官家，監視犯官自盡。」

「犯官回家，舉家上下哭成一片，犯官一一交代後事，與家屬告別，然後自盡。那自盡方式，花樣可多了，可上吊，可服毒。偶爾，犯官拖拖拉拉，就是不肯自盡，總想等著恩旨，說是皇上、太后會有恩旨，免去死罪。」

「那賜死，有時辰限制，必須當夜就死。倘若犯官拖拖拉拉，過了午夜還沒死成，等於當天未死，那麼，監視大員就得受處分。因而，碰到這種場面，就得拿出非常手段。既然是賜死，就不能砍殺、不能弄出傷口。於是，就有人弄出了這開加官之法。這方法也很簡單，讓受死者仰面躺下，其手腳、腰身俱都綁住，然後，拿張桑皮紙，鋪在受死者臉上。」

「繼而，喝一大口燒酒，噗地一下，將燒酒噴出，噴成酒霧，噴上桑皮紙。桑皮紙被酒霧所噴，紙身噴濕，軟軟呼呼，密實緊貼於受死者面上。此時，受死者口、鼻兩處，都為桑皮紙所封，難以呼吸，自會掙扎。這時，再鋪上第二張桑皮紙，再喝一大口燒酒，再噴出酒霧，噴濕桑皮紙，令其軟軟呼呼，密實緊貼於受死者面上。」

「如此，反覆施為，大約貼到第五張桑皮紙，受死者已無力掙扎，口鼻兩處完全封死，不得呼吸。工夫不大，受死者即一命嗚呼，奔赴黃泉。稍後，酒霧悉數蒸乾，桑皮紙轉硬。五張硬桑皮紙，黏成厚厚一張，自斷氣受死者面上揭下，那桑皮紙就是個人臉形狀，一如戲臺上跳加官者所戴面具。因而，這殺人法子，乃稱為開加官。」

說到這兒，鄭其旺呼地站起身來，走到桌旁，一手揭起一張桑皮紙，另一手拿起燒酒瓶，逕自走到應國恩身前，蹲下身子，緩緩將桑皮紙鋪於應國恩面上。應國恩手腳俱被綁住，但腰身沒捆，隨即翻轉身體，桑皮紙自面上滑落。鄭其旺拾起桑皮紙，再次鋪於應國恩面上，應國恩再度打滾，甩掉桑皮紙。

鄭其旺兩次擺放桑皮紙，都被應國恩甩掉，怒從心頭來，惡向膽邊生，驀然站直，暴起發難，舉腳猛踹應國恩頭臉、胸口、腰背。邊踹，邊踩，邊踢，邊發瘋般狂喝道：「我教你死，我教你死，我教你貼加官，你勾結外人，殺害金兒，我要你死十次，給金兒報仇！給金兒報仇！」

鄭其旺腳上穿著麻底布鞋，鞋身雖是軟布，鞋底卻是粗麻，粗麻鞋底在應國恩臉上刮來擦去，應國恩滿臉鮮血。鄭金兒死後，鄭其旺壓抑心內悲痛苦楚，每日依舊至六必居處理諸事，內心積鬱極深，卻無處宣洩。如今，總算真兇落網，鄭其旺悲憤猛然爆發，發了失心瘋，將應國恩踹出滿臉鮮血，踹斷應國恩臂骨、腿骨、胸骨，應國恩人事不知，昏死過去。

白鵬飛躺於應國恩身旁，見鄭其旺發了失心瘋，將應國恩踢踹至昏死，嚇得蜷縮身子，拚命貼向牆根。

鄭其旺踢昏了應國恩，兩眼發直，口中荷荷吼叫，轉踢白鵬飛，白鵬飛既驚又疼，慘叫連連。此時，小小木屋內，就見鄭其旺勢如瘋虎，嘶聲厲吼，聲震屋瓦，發狂猛踢白鵬飛。白鵬飛起先還慘叫連連，淒厲無比，到了後來，沒了哀號，無聲無息。這時，就聽見鄭其旺騰、騰、騰、騰，沒完沒了，使勁踢著白鵬飛。白鵬飛則已身子癱軟，毫無知覺，任由鄭其旺一腳又一腳踢著。

驀然間，鄭其旺站立不住，斜身摔倒，腦殼砰然撞地。蓋喚天定眼一瞧，鄭其旺右腿已然彎曲。鄭其旺適才發狂連踢應國恩、白鵬飛，用力過猛，已將自己腿骨踢斷。鄭其旺斜身摔倒後，腦殼猛然撞地，此時已不省人事。

事起突然，眾人誰也未預見鄭其旺發狂，未阻止鄭其旺猛踢亂踹。一陣折騰之後，屋內地上躺下三人，三人均已暈死過去。蓋喚天伸手探查三人鼻息，又以拇指探查三人頸側脈動，邊探查邊搖頭。三人鼻息微弱，脈動不顯，情況皆不妙。

這醬園，就剩下儲幼寧、蓋喚天、兩名花子幫眾，沒有其他人等。醬園看守長工，要到明日才會返來。蓋喚天沉吟片刻，對儲幼寧道：「看樣子，再過個把時辰，這三人都要斷氣。兩個兇徒倒也罷了，這位鄭掌櫃，卻比較難辦。」

蓋喚天轉頭，詢問手下探子道：「昨天你去鄭掌櫃家，有人見到你嗎？」

探子答道：「幫主，昨天我趁黑夜去鄭掌櫃家，請門房入內通報，我站在門外與鄭掌櫃談事，並無旁人瞧見。昨天，只有那門房見過我，但燈光昏暗，他應沒瞧清我面目。」

儲幼寧道：「大哥，要不要送鄭掌櫃進城，找醫館救治？」

蓋喚天又再探摸鄭其旺鼻息、脈搏，繼而搖搖頭道：「不必了，他撐不了兩個時辰，就算送進城內醫館也救不回來。十之八九，尚未送達醫館，半道上就會斷氣。這樣吧，反正明天醬園長工會回來，就把鄭掌櫃屍首留在這兒，讓守園長工處理此事。至於其他兩人，現在咱們就去外頭，找個僻靜處，挖個深坑，扔進去埋了。」

說罷，四人一齊出屋，在醬園周遭尋摸出幾柄鋤頭，又往較偏遠處行去。走到醬園外數百步之遙處，就見矮樹叢遍生，荒涼雜亂，無人會到此處。於是，四人同時動手，挖出個大坑。此地土軟，易於掘坑，挖了約莫一個時辰，已挖出一人高大坑。四人擱下鋤頭，返回茅草木屋，見屋內三人俱已氣息全無，全都死去。

兩人抬一人，四人就將應國恩、白鵬飛屍身抬往深坑。不過數百步之遠，四人卻都抬得氣喘吁吁。到了坑口，將兩具屍首扔進坑裡，四人鼓起餘力，揮舞鋤頭，將之前挖起沙土皆盡回填坑中。末了，坑口填平，卻還剩了若干沙土，於是，用鋤頭將之掃平，不露異常痕跡。

四人又返回茅草木屋，看著鄭其旺斜躺地上，地面噴滿應、白血跡，蓋喚天搖搖頭，一聲長嘆：「唷，這到底是為了啥，弄得家破人亡！」

接著又道：「走吧，這兒事物，像是燒酒、桑皮紙，就留在這兒，別管了，咱們走吧。」

儲幼寧問道：「大哥，明天守園長工發現屍體，鄭家必然要報官。大哥奉南城兵馬司指揮使之命，緝拿綁架撕票案兇徒，拿住後殺掉，替鄭掌櫃出氣報仇。如今，鄭掌櫃在此暴斃，家人報官，南城兵馬司指揮使豈不是會尋大哥晦氣，要大哥給個說法？」

蓋喚天道：「不然，一來，這兒是豐台地面，歸順天府管轄，不關北京城內南城兵馬司什麼事。二來，鄭掌櫃暴斃，兵馬司指揮使段民貴正好落得清閒，拿了鄭掌櫃銀子，不必替鄭掌櫃辦事，省了麻煩。因而，照我估計，鄭掌櫃死訊傳開後，段民貴必然裝糊塗，不會再向我囉嗦此事。反正，大家心照不宣，彼此裝糊塗，這事情就過去了。」

「走吧，快回去，咱們還有活兒要幹。」

儲幼寧奇道：「大哥，九門提督要您查香木金剛杵，南城兵馬司指揮使要您查鄭金兒綁架撕票案，您都辦完了，兩樁案子就此揭過，事情都了了。怎麼，還有活兒要幹？」

蓋喚天道：「本來沒事，但昨夜石頭胡同那賭場，卻是塊病根，得把這病根割除了去。」

第二十九章：設賭攤東城丐幫插旗南城，破騙局檔手郎中筋脈盡斷

四人回到城內先農壇蓋喚天宅院，一夜未睡，俱皆疲累，蓋喚天囑咐兩位幫眾在此歇息，今天夜裡，要再去石頭胡同怡紅院後牆賭屋。隨即，諸人各自回房，呼呼大睡。

直到午後，兩人才醒，略吃點食物，商議夜晚大計。昨夜在賭屋裡，李小七發牢騷，言及「杆兒上的」，當場蓋喚天容顏變色，儲幼寧見狀曾問緣由，蓋喚天並未答覆。此時，儲幼寧又問緣由，蓋喚天乃細說「杆兒上的」緣由背景。

兩百年前，順治皇帝帶兵入關，殺退明朝大軍，奪得花花江山。當其時，滿州部隊盡為八旗精兵。滿州八旗俱有名冊，每旗各有佐領，體制嚴明，身分清楚，在籍旗人均列冊有案，得以按時關餉。然而，滿清大軍入關血戰，除八旗精兵外，尚夾帶有各式閒雜人等，鞍前馬後，供驅策跑腿，或充作雜役，或扛負軍需。

滿州大軍南下作戰，部隊裡裏帶大量閒雜人力，有助征戰，給此輩一碗飯吃並不為過。待天下一統，征戰結束之後，文臣武將各就各位，八旗部隊就地安置，不再需要閒雜人等幫辦瑣事。然而，此輩中人沒有功勞，也有苦勞，朝廷不能就此束手不管，任其漂泊凋零。於是，朝廷簡派大員，設置機

構，名為「攢兒」，並向京城內大小商戶，募集資金，收留並供養此輩。

此輩中人，頗多雞鳴狗盜、雜毛劣賊，故而朝廷指派鐵帽子親王，統領「攢兒」，強力彈壓，既供養飲食起居，也嚴管言行舉止，管束此輩中人，不得壞了京師治安。此一機構除由皇上指派鐵帽子親王統領外，另外皇上亦賞賜雕龍紫檀木杖一根，上頭黃絨絲線纏繞。此物官名「大樑」，俗名「杆兒」，平日以明黃綢緞包裹，安置大堂之中。

如遇頑徒，兇狠刁蠻，擾亂治安，則由鐵帽子親王請出「杆兒」，處以杖責，以「杆兒」痛擊犯者背部。如此重擊，輕則傷殘，重則畢命。

年代久遠之後，當初進關時期，閒雜人等早已作古，這「攢兒」機構，就改而收留叫化子乞丐，供吃供住，免得此類人等犯事做案，危害京城治安。此時，鐵帽子親王早已不管「攢兒」，僅名目上遙受統領名目，實際上，則由王府管事出任副統領，代為招呼「攢兒」雜事。至於「攢兒」裡所豢養乞丐遊民，則一概稱為「杆兒上的」。

簡而言之，這「杆兒上的」，就是朝廷所豢養乞丐，而王府管事出任副統領，等同丐幫幫主。

光緒年間，北京城僅東城、西城各設副統領一人，管著當地「杆兒上的」乞丐遊民。北城，王府多，不准乞丐遊民流竄，不設副統領。南城，市井平民眾多，亦不設副統領。

蓋喚天解說至此，畫龍點睛道：「兄弟，說明白了，我這花子幫，與叫化子無關。他們那杆兒上的，才是十足叫化子丐幫。只不過，他們那是官家丐幫，朝廷許了他們，給了他們名目，給了他們管事頭兒，但也劃了地盤。多少年來，這批杆兒上的，在東城、西城發財，不上南城攪事。我們花子幫也只在南城混事，大家各走各路，井水不犯河水。

「現如今，他們踩過了線，到南城開賭攤，還是老千賭攤，這豈不是在咱們花子幫臉上抹稀泥？再者，咱們花子幫在南城混世，維持地面安定，南城大商號、小店舖乃至天橋藝人，都有定規，按時繳例錢，花子幫上下才能吃得上飯。這幫叫化子搶了南城地盤，咱們花子幫收不了定規，幫中上下豈不是要一起喝西北風？昨夜在怡紅院，聽那李小七所言，這批杆兒上的，是從東城竄過來的。

「也難怪，前幾天幫內弟兄就向我稟告，說是南城地面上，最近來了不少乞兒，或缺胳膊或少腿，再不然就是瞎眼爛瘡。我本以為，這是城外貧戶入城乞討，現在看來，那也是城東杆兒上的所為。」

儲幼寧自離揚州以來，在德州、在北京，經歷頗多，見識較前大有不同。聽聞蓋嗅天所言，儲幼寧道：「大哥，冤有頭債有主，您該去九門提督衙門、南城兵馬司問問，這究竟是怎麼回事？打狗也得看主人，那幫杆兒上的，背後亦有官面上頭頭為其撐腰，咱們不能貿然動手。還有，今兒一大早豐台醬園那檔事，雖在城外，歸順天府衙門管，但依我看，大哥您還是得去南城兵馬司衙門，一五一十，把全案內情說予指揮使段民貴知曉。話講清楚了，才算真正銷案，省得以後麻煩。」

蓋嗅天一拍兩腿道：「照啊，兄弟，你這幾句話，全都說在道理上。這兩天，我就去辦這事。但今天晚上，咱們還是得問問那李小七去，看看此人曉得多少內情。」

隨即，二人相偕離開先農壇，往前門大街行去，找家小館，吃了夜飯。隨後，進安樂園澡堂子，泡了個舒服澡。泡完澡，找搥背師傅，渾身捏拿搥打，通體舒泰。隨後，要夥計喊修腳師傅李小七來伺候。等了會兒，李小七提著修腳傢伙過來，給蓋嗅天修腳。蓋嗅天道：「我腳上有個雞眼，你給我慢慢磨了去。動作輕點，別弄痛了，也別刮太多，免得待會兒腳皮太薄，走起路來生疼。」

李小七道：「這位爺，您甭擔心，我幹這活兒都十幾二十年了，下手曉得輕重，包您待會兒走起路來，輕快爽至，絕不生疼。」

蓋喚天問道：「我和這位小兄弟，對這南城地面不太熟悉。今天手癢，想去賭兩把，聽人說，石頭胡同路底有家怡紅院，後頭有個賭攤，想去賭兩把，試試手氣。這賭攤，你聽說過嗎？」

李小七道：「別，兩位爺兒們想賭，上別處去，可千萬別去石頭胡同怡紅院，那地方坑人，專出老千。您要去了，說句難聽話，您兜兒裡那些銀子，全成了肉包子打狗，有去無回。」

蓋喚天道：「出老千，不至於吧？我聽人說，南城地面，有個什麼花子幫，在這地面上混世，打點治安。既然有花子幫管著地面，如何容得下賭攤出老千？」

李小七道：「兩位爺，您這就不知道了，南城的確由花子幫管事，但這怡紅院後頭賭攤，那起子混混卻是東城杆兒上的。原本，東城杆兒上那批人，歸醇王府統領。您想，諸鐵帽子親王府幾乎都在北城，離東城遠著哪，鐵帽子親王哪有閒工夫管這杆兒上的閒事。因而，都是另外委派底下人，給個副統領名義，管著這批牛鬼蛇神。」

「原本東城管事副統領，是醇王府大管家福信的內弟，叫明樂。這人作風正派，凡事照規矩來，壓著那批杆兒上的混蛋，只能在東城混世。並且，東城大小商號每月定規例錢，視進項多寡而定，富商多給點，貧商少給點，規矩嚴，眾杆兒上的，不敢亂來。」

「可上個月，不知為何，換人了，明樂被撤了職位，醇王府改從那批討飯叫化子人眾裡頭，提拔了個頭目，給個名目，叫『大拿』。這人是漢人，叫馮家慶，眾人稱他慶爺。這人手伸得長，一上來就把規矩給破了，放狗出籠，往南城鑽。這石頭胡同怡紅院後頭賭攤，就是這批人所設。」

李小七邊修著腳，邊繼續言道：「賭攤嘛，哪兒沒有呢。但既然開賭攤，就得手腳乾淨，大夥兒要錢去，有輸有贏，輸了哭，贏了笑，願賭服輸，天公地道。就算輸得脫了褲子，只怨自己手藝差，運氣背，怪不了別人。但怡紅院後頭這賭攤，我昨天才去過，規矩很差，賭攤管事、檔手擺明了就是欺負人。兩位爺兒們，要想耍錢，上別處耍，千萬別去怡紅院。」

蓋喚天自忖，數月以來，全神貫注於奪取香木金剛杵、緝拿六必居大掌櫃獨子綁架撕票案，疏於查察南城地面諸事。因而，次日一大早，即率手下在南城地面細細遊走，遍訪八大胡同、前門外、琉璃廠、大柵欄、天橋等熱鬧地面。綿密巡查之後，真切察覺若干異象，諸項徵兆擺明了，另有其他幫眾勢力竄入南城，蠶食花子幫地盤。

又過一日，蓋喚天上午赴九門提督衙門，下午轉赴南城兵馬司。在九門提督衙門，蓋喚天面見值班校尉，言明東城杆兒上丐幫侵門踏戶，滲入南城。他請值班校尉，將話回稟九門提督榮祿，請示因應之法。在南城兵馬司，他面見指揮使段民貴，先是詳述偵破六必居掌櫃鄭其旺獨子鄭金兒綁架撕票案，並拿獲兩名兇手，繼而細說豐台六必居醬園三屍慘案。

對此，段民貴表示知悉，並明確回應，說是醬園三屍慘案歸城外順天府管轄，非關京師南城兵馬司執掌，他裝作不知。倘若鄭家家人報案，他則公事公辦，派人找尋，如此而已。

至於東城丐幫入侵南城之事，段民貴則說，日前東城兵馬司指揮使曾來公事，告知此事。段民貴向蓋喚天言明，花子幫與東城杆兒上丐幫之間紛爭，事屬江湖幫派糾葛，他懶得過問。不過，兩派爭奪地盤，一不能在南城地面出人命，二不能擾及南城治安。只要不在南城出人命，地面治安穩定，南城兵馬司不會插手。

又過兩日，九門提督衙門校尉親至先農壇蓋喚天宅院傳話，說是榮祿有話傳下來：一、可打蛇身，不可打蛇頭；二、越界枯枝雜葉，可以翦除，維護南城平靜，但不准壞了東城主幹。

九門提督校尉官差來時，蓋喚天要儲幼寧走避。畢竟，儲幼寧並未入花子幫，非花子幫中人，蓋喚天不欲官差見著儲幼寧。待官差走後，蓋喚天進儲幼寧房，兩人商議此事。

蓋喚天先後將段民貴與九門提督官差所言，說與儲幼寧知曉，隨即說道：「今日夜裡，咱們再去怡紅院後頭那賭攤。這次去，攪翻這賭攤，給那幫人顏色瞧瞧。兄弟，你武藝絕世，下手得快，把那幫混蛋全給打趴了，但得注意，可傷人，但不能出人命。」

「今夜一戰，對方勢必不肯善罷甘休。沒關係，我另外約戰，到城外荒僻之處，來多少，打多少，只要打不死，留得性命，官面上就沒麻煩。咱們在外頭跑跑混江湖，過得也是刀頭舔血日子，我有心平穩度日，人家卻越界踩了我花子幫地盤。要是不趁早擋住，到了後來，花子幫連口飯，都吃不上了。」

儲幼寧道：「大哥，我雖非花子幫中人物，但和花子幫休戚與共，榮辱一體。沒得說的，我出死力，幫大哥打垮那批東城地痞。今晚夜攻怡紅院賭攤，您有何計策嗎？」

蓋喚天道：「也沒啥計策，反正就是攻垮這賭攤，把裡頭大小管事、檔手，全都弄傷，殺雞儆猴，以阻來者。」

隨即，蓋喚天找來手下，切實交代，要手下一個時辰內，找來大菸鍋子旱菸管，並找塊大磁鐵，塞進旱菸管菸鍋子內。

當天傍晚，蓋喚天也不帶手下幫眾，就拿著手下所送來大菸鍋子旱菸管，與儲幼寧又赴怡紅院賭攤。進了賭屋，見裡頭景致與數日前一樣，還是兩張賭檯子，左邊賭西洋花牌快手戲法，右邊則是賭骰子單雙。

輕車熟路，兩人又站定左首西洋花牌快手戲法賭攤前，蓋喚天掏出十兩銀子，交予儲幼寧。儲幼寧贏了一注，一賠三，賭攤賠了三十兩銀子。之後，連本帶利，儲幼寧又押了四十兩銀子，結果，第二注又贏，這回，賠了一百二十兩銀子。第三注，還是連本帶利，儲幼寧押了一百六十兩銀子，結果又贏，賭攤賠四百八十兩。

儲幼寧以十兩銀子起家，不過賭了三注，手邊銀子即多達六百四十兩。扣掉十兩本錢，淨贏賭攤六百三十兩。

此時，賭攤後頭坐鎮管事衛骷髏臉上顏色大變，站起身子，走了過來，對眾賭客道：「今兒個這快手郎中，身子不適，這攤子暫時關了。各位要想再賭，到隔壁那桌去，賭骰子單雙點。」

原來，這賭屋裡頭兩桌賭攤，只有右首猜單雙出老千，左首這西洋花牌快手，則憑的是快手郎中手藝。衛骷髏見儲幼寧連贏三注，剎時間贏走賭攤六百三十兩銀子，覺得今日事情古怪，先關了賭攤再說。他猜想，大約這儲幼寧與快手郎中勾結，快手郎中故意讓儲幼寧瞧出破綻，或快手郎中以暗號告知儲幼寧。總之，快手郎中手藝精湛，賭客絕無可能連贏三注，這裡頭，必然有鬼。唯一防杜之道，就是暫時關閉這賭攤。

儲幼寧並蓋喚天聽衛骷髏說，要關了西洋花牌快手戲法，笑笑沒說啥，就移步向右，去了猜骰子單雙點賭攤。其餘賭客則是嘟嘟囔囔，唧唧歪歪抱怨，說是開館子就不該怕大肚漢，開賭場就不該怕贏錢掃把星。隨即，賭客也往猜骰子單雙點賭攤移動。

這賭屋裡，兩個賭攤，每個賭攤各有兩名檔手。賭攤後，則是管事衛骷髏，與另一閒漢。總計，這賭屋裡，共六名丐幫徒眾。衛骷髏關了西洋花牌快手賭攤，眾賭客全湧向猜骰子單雙點賭攤，衛骷髏心裡篤定，不怕儲幼寧再顯異能神計。

這猜骰子單雙點，賭法是三顆骰子，擲入大海碗，然後拿木蓋蓋上。接著要眾賭徒下注，之後，揭開幕蓋，三顆骰子當中，如兩顆點數相同，則視第三顆骰子點數是單或雙，而決勝負。如此，概括而言，要擲六次，才出現兩顆骰子同點，才能決勝負。

因而，衛骷髏關了西洋花牌快手戲法賭攤，眾人湧向猜骰子單雙點賭攤後，儲幼寧高聲道：「剛才大家玩猜花牌正玩得順手，正玩得過癮，不想，衛骷髏卻封了這賭攤，要咱們到這兒來猜單雙。這骰子，擲來擲去，老是擲不出兩骰子同點數。這玩法，太也拖沓，讓大家等得心焦氣躁。這樣吧，何必三顆骰子一起擲？拿掉兩顆，就剩一顆。這樣，每擲一次，就分一次輸贏，是死是活，一擲定江山。」

言罷，眾賭徒起鬨，紛紛叫好。這猜骰子單雙賭法，歷來都是三顆骰子，因而，衛骷髏這賭攤，也跟著照方抓藥，也是三顆骰子。現如今，儲幼寧提議拿掉兩顆，一擲定江山，衛骷髏想想，並無不妥，反正，拿掉兩顆正常骰子，留下那灌了鐵粉骰子即是。因而，衛骷髏朝賭攤檔手點頭示意，那檔手自大海碗中取出兩顆骰子，獨留灌了鐵粉那顆。

檔手刷地擲骰子入大海碗，隨即迅捷蓋上木板，並大聲吆喝，要眾賭徒趕緊下注。這檔手擲骰子入海碗時，使了手法，讓那灌鐵粉骰子，擲出個三點。

儲幼寧凝神傾聽，待骰子停止轉動，聽出門道，曉得那灌鐵粉骰子，擲出點數為三。於是，將所有六百四十兩銀子，全押單點。

適才在西洋花牌快手戲法攤檔，儲幼寧連贏三注，已受其餘賭客矚目。因而，此時儲幼寧將六百四十兩銀子押於單點，眾賭客有樣學樣，亦把賭資押於單點。

賭攤檔手見狀，伸出左手，捏住海碗頂端木板，並且，左手小指緊貼碗身。那左手小指上，套著個磁鐵戒指，這磁鐵戒指隔著碗身，推動碗內那灌鐵粉骰子，那骰子隨即在碗內翻了個身，成了雙點。接著，檔手抓著海碗頂薄木板，就要掀開。緊要關頭之際，驀然間，橫裡伸出一根旱菸管，菸管頂端菸鍋子格外壯碩胖大。

這旱菸管，係蓋嗅天所伸出，直衝海碗而去，但在碗身前猛然止住。就聽見蓋嗅天道：「各位瞧瞧，瞧瞧我這旱菸桿所指，這青花海碗，真是好瓷器，上頭紋理清晰，質地精緻，真是好瓷器。」

這旱菸桿大菸鍋裡擱了強力磁鐵，伸到大海碗前，磁鐵發功，把海碗內那灌了鐵粉骰子，又推得翻了個身，又回復為三點。那檔手木板揭開，骰子點數果然為三，答案揭曉，單數。

於是，眾賭客歡聲雷動，七嘴八舌，吵著要檔手趕快賠注。這一注，所有賭客均追隨儲幼寧下注，賭資總數逾千兩，木板揭開後，自衛骷髏以下，所有蓋幫管事、檔手皆盡顏色大變。衛骷髏擺個手勢，要檔手暫停賠注，隨即繞過賭桌，走到桌前，指著蓋嗅天手上大旱菸桿道：「這玩意兒有鬼，裡面有磁鐵。」

說罷，伸手就抓。蓋嗅天也不閃躲，將旱菸管往前一送，遞給衛骷髏。衛骷髏抓過旱菸管，用手扒扒菸鍋子，從裡頭掏出一塊大磁鐵。衛骷髏面帶兇狠之色，厲聲道：「你在旱菸管裡裝了這磁鐵，到我這賭攤來撒野，你還要命不要？」

蓋嗅天慢條斯理，轉臉對眾人道：「各位，那的確是塊磁鐵。但我要問了，骰子是啥東西做的？骰子要嘛是木頭刻的，要嘛是石頭雕的，反正不是鐵做的。骰子要是沒鬼，外人用多大磁鐵也翻不動骰子。骰子有鬼，灌了鐵粉，賭攤這才怕賭客拿磁鐵搗亂。再者，要說磁鐵，你們那檔手，左手小拇指上那黑戒指，不是磁鐵，是什麼？」

「你們在骰子裡灌了鐵粉，又在檔手小拇指上套了磁鐵，就許州官放火，不許百姓點燈。各位評評道理，有這樣開賭攤的嗎？」

此話一說，眾賭客更是喧譁叫囂，都說這賭屋出老千，這幾日以來，已經騙了眾人不知多少銀兩，要賭攤全數賠償。

場面亂烘烘之際，就聽騰地一聲，只見衛骷髏出腳踹倒猜骰子單雙點賭桌，自桌下抓起一柄單刀，對著眾人揮舞道：「哪個不要命的，就往前走幾步，試試老子這把利刀。」

眾賭客嘴裡開罵，卻無人敢向前。儲幼寧瞥見地上躺了根竹鉤子，三尺多長，後頭是根長柄，前端則彎曲如鉤。這玩意兒，是賭攤收注、賠注檔手所用。每注賭完，檔手就拿這竹鉤子，在賭桌上縱橫來去，將賭輸者賭注，鉤回檔手跟前，然後，又將賠注推出，賠與賭贏者。

儲幼寧瞧瞧衛骷髏，又瞧瞧地上那竹鉤子，算準了，這竹鉤子長度搆得著衛骷髏手中單刀。於是，儲幼寧緩緩蹲下身去，拾起那竹鉤子。這時，場面亂，聲響大，眾人七嘴八舌，罵罵咧咧，衛骷髏也沒注意儲幼寧動作。儲幼寧拾得了竹鉤子，緩緩站起，將竹鉤子貼身藏著，拿手抓著竹柄末端，稍停片刻，倏地揮舞而出，直奔衛骷髏右手腕。

衛骷髏冷不提防，突然飛來根竹鉤子，措手不及，正打算閃避，已然失了先機，不及閃躲。當下，竹鉤子鉤中衛骷髏右手腕子，衛骷髏手中單刀脫手而飛。眾人見單刀飛來，皆盡驚駭，正要閃躲，儲幼寧已搶先一步，伸手將單刀接住，正好握住刀柄。

單刀入手，儲幼寧如虎添翼，殺奔衛骷髏身旁其他五名「杆兒上的」丐幫幫眾。這賭屋，本來就不大，現下，地上還翻了張桌子，眾賭客又人馬雜沓，場面紛亂。儲幼寧卻是氣定神閒，進步連環，刷刷刷刷刷，揮出五刀，每一刀都由不同方位，攻向一名丐幫幫眾。每一刀，都是位置精確，力道恰好，削斷了五名丐幫幫眾手筋。

這刀，鋒利無比，稍微觸及，就能拉出個大口子，鮮血迸發。然而，儲幼寧卻如庖丁解牛，切得淺，割得準，將五人右手筋脈切斷，但傷口不大，血流不多。五刀揮過，收刀反揮，呼地一聲，刀尖直逼衛骷髏咽喉。

儲幼寧執刀點住衛骷髏咽喉，隨即扯著嗓子，高聲喝道：「諸位朋友，這屋裡兩賭攤後頭，各有一木桶，桶子裡裝得有銀兩、銀票。各位，這賭攤出老千，剛才背入，現在就該背出，大家把木桶裡銀子分了吧。咱們在這兒，和這位衛老兒還有帳要算。各位拿了銀子，就此散了吧。」

說罷，眾人發一聲喊，衝往兩木桶，搶了桶子，就往外奔。之後，就聽院子裡你爭我奪，搶著兩具木桶裡銀兩、銀票。這屋裡，五名受傷幫眾，右手筋脈切斷，這輩子右手就算廢了。尤其那西洋花牌快手郎中，靠兩手手藝吃飯，現在右手廢掉，以後難再操此營生。蓋喚天對這五人道：「你們本來在東城混世，如今跑到南城來，搶了我們花子幫飯碗，如今斷你等筋脈，已是手下留情，就此滾吧，別再到南城來丟人現眼。」

蓋喚天言罷，那五人或拿左手摀著右手傷口，或用左手撕下衣物包紮右手腕，俱都低頭不語，黯然離去。

之後，屋裡就剩蓋喚天、儲幼寧、衛骷髏三人。蓋喚天使個眼色，儲幼寧倏地一下，將快刀自衛骷髏頸項抽回，隨即倒轉刀身，刀背朝下，一刀背敲在衛骷髏左腿膝蓋上。衛骷髏左腿膝蓋吃了這麼一傢伙，登時聽得他哎喲一聲，眼淚都疼了出來，兩腿一軟，癱瘓於地。蓋喚天向前兩步，一腳踩上衛骷髏左膝蓋，疼得衛骷髏連連喊道：「別，別，別，有話好說，別這樣折騰人。」

蓋喚天鬆了腳，自儲幼寧手中接過單刀，拿刀頭指著衛骷髏腦袋道：「大家喊你衛骷髏，想必是你渾身有骨無肉，活脫脫就像個骷髏。你姓衛，本名呢？本名叫啥？」

衛骷髏道：「名字，不過是個標記，我本名是啥無關緊要，反正，大家都喊我衛骷髏。你們，是花子幫的？我怎麼沒聽說花子幫找了好手助拳？咱們到南城踩盤子，事前都打聽了，花子幫大師兄花花閻王張超，在永定門外樹林野地裡，被盛京三霸給殺了；二師兄花花太歲管漢超，在天橋為人使彈弓，擊碎膝蓋骨，成了廢物。」

「花子幫沒人了，就剩一個幫主蓋喚天。瞧著，應該閣下就是蓋喚天。我瞧你也沒多大本事，不曉得從哪兒請來這麼個好手，幫你撐著。要不是這人，你花子幫遲早被咱們杆兒上的給全滅了。」

儲幼寧聽衛骷髏語帶離間之意，起腳往衛骷髏喉頭踢去。這一腳力道不大，但認位精準，衛骷髏閃避不及，喉頭那兒挨了一下，聲音就此啞了。這一手，儲幼寧也對內務府包衣佐領剛健使過，也就是敲擊喉頭，擠壓頸項內發聲肉塊，把那肉塊擠得變形，聲音跟著就啞了。

衛骷髏喉頭挨了儲幼寧一腳，不禁連番猛咳：「咳，咳，咳，你們要殺就殺，老子我爛命一條，既然出來闖江湖，早就把腦袋提溜在手上，隨時都準備掉腦袋。」

蓋嗅天大聲笑道：「哈哈，我要你這骷髏腦袋幹麼？老實對你說了吧，官面上幾個衙門都有話傳下來，鬥毆可以，殺人不行。今天咱們到這兒來踢館，官面上全知道，只是壓著我們不許出人命。故而，我們不會取你性命，但你死罪雖免，活罪難逃。至於要受多少活罪，你自己看著辦。我問你事，你乾脆點，老實回答，就少受活罪。否則，要是還死鴨子嘴硬，沒得說的，非給點活罪受不可。」

說罷，蓋嗅天手起刀落，左上右下，右上左下，在衛骷髏臉上劃了兩刀。這兩刀，下手不重，傷口不深，也就是在衛骷髏臉上割出兩條交叉線，衛骷髏因而大破相，弄出兩條血痕。衛骷髏也硬氣，臉上挨了兩刀，卻並不吭氣，哼也未哼一聲。

蓋嗅天道：「你們東城丐幫新來了個頭頭，官銜叫大拿，這人叫馮家慶，人稱慶爺。這人，是個啥路數？」

衛骷髏啞著聲音道：「慶爺嘛，可是人中之龍。以前杆兒上管事的，都是親王府裡從上頭往底下派，和咱們心不連心，肉不連肉。慶爺可不一樣，他是從底下往上冒出頭來，曉得咱們杆兒上兄弟們日子清苦，這才打破多少年來臭規矩，從東城到南城討生活。東城，沒多少營生，入息有限。南城就不一樣了，八大胡同、大柵欄、琉璃廠、天橋，可熱鬧了，生意興隆通四海，財源茂盛達三江。」

蓋嗅天道：「所以，你們這幫臭叫化子，現如今打算拿下南城，滅了咱們花子幫？」

衛骷髏道：「成王敗寇，自古已然，老祖先傳下來的規矩，打贏了，自然得天下。你們這花子幫，二當家、三當家都沒了，就靠你一個大當家撐著，底下再也沒有能人幫你頂事。要滅了花子幫，易如反掌。」

儲幼寧接著話碴子道：「是啊，成王敗寇，說得有理。但你瞧瞧，現在是誰勝誰敗？誰要當王？

誰又當寇？你喉頭已啞，講起話來喑啞氣虛，臉上又被刀劃了個大叉，你還是個花臉啞寇。」

衛骷髏厲聲道：「你們有種殺了我，看慶爺如何替我報仇。」

蓋喚天皺皺眉頭，對儲幼寧道：「兄弟，這點子真是根硬刺，很不好弄。剛才你敲了他膝蓋，我踩他膝蓋，他疼得求饒，說什麼有話好說，別折騰他。現在，他又是另外一副嘴臉，這人真是難搞。有沒有什麼辦法，叫他永遠閉嘴，卻不傷他性命？」

儲幼寧道：「這簡單，我三兩下，就讓他變成廢人。」

說罷，儲幼寧進步向前，繞到衛骷髏背後，俯下身子，自衛骷髏背後，兩手交叉，拿胳膊使勁勒住衛骷髏脖子。衛骷髏拚命掙扎，舉起兩手，用力扳住儲幼寧兩手，拿出吃奶力氣，打算掰開儲幼寧兩手。而其身體，則大力扭動，左右翻騰。蓋喚天見狀，掉轉刀身，拿刀背對著衛骷髏，啪啪啪啪四下，在衛骷髏兩條腿膝蓋，兩個手肘子，各狠敲一記。這四刀背敲下去，衛骷髏手腳再也使不出勁。儲幼寧兩臂收緊，兩手緊勒衛骷髏頸項，就覺得衛骷髏反抗之力逐漸消退，身子慢慢癱軟。再勒下去，衛骷髏即將畢命。此時，儲幼寧鬆開兩手，衛骷髏倒臥地面，面如金紙，但呼吸猶存。

蓋喚天見狀，問儲幼寧道：「兄弟，這點子會死嗎？」

儲幼寧道：「要是再多勒一會兒，就死定了。現在，提早鬆手，留他性命。不過，他被我勒住之際，氣息窒礙，血不上腦，神智已喪，這輩子將成癡呆之人。他再多躺會兒，就會轉醒。醒來後，連自己是誰，都不會曉得，後半輩子癡癡呆呆，渾渾噩噩，成了傻子。」

蓋喚天道：「此等酷烈手段，兄弟，你哪兒學來的？」

儲幼寧道：「我自八歲起，就跟著恩師閻桐春閻夫子，在山寨外頭密林裡學習武藝。閻夫子並無絲毫武藝，但他博覽群籍，學問深厚，是他教授我各種殺敵致勝法寶。這裡頭，就有這背後勒頸絕招，勒長了，自然是個死；勒短了，則是滅人心智，癡呆傻愣。」

蓋喚天道：「只要這點子別死，咱們就沒事。官面上早說了，不准出人命。只要不死人，江湖人物鬥毆，沒傷及無辜百姓，衙門也不會多事。今兒個這一頓臭打，可出了氣了。走吧，天色不早了，回去早早睡覺，明天，咱們還要商量後計呢。」

怡紅院一戰，蓋、儲二人大破杆兒上的東城丐幫，保全花子幫地盤。次日起，南城地面乞丐遊民大減，東城丐幫吃了大虧，自南城縮手抽身。表面上，此事已然揭過，花子幫壓倒丐幫，打退杆兒上的。骨子裡，蓋喚天並儲幼寧俱知曉，事情並非如此簡單，丐幫大拿馮家慶暫時把丐幫拳頭縮回去，將來必然重整旗鼓，捲土重來。然而，蓋喚天、儲幼寧公然不懼，等著馮家慶出招，反正，屆時就是來一個打一個，來兩個打一雙。

花子幫怡紅院大破丐幫賭攤之事，經眾在場賭客四面八方宣揚，江湖上沸沸揚揚，廣為周知，蓋喚天並儲幼寧聲譽鵲起，連洋神甫饗屁爺都聽聞此事，特意騎著洋馬兒，到了先農壇蓋喚天宅邸，探問此事。

第三十章：當中介武老太監細說閹割，伸援手響屁教士庇護逃犯

響屁爺一進蓋喚天宅院就大驚小怪，大呼小叫，說什麼錯過好景致，沒瞧見儲幼寧痛打賭攤老千云云。蓋喚天並儲幼寧聞聲，走到院子裡，接著響屁爺。響屁爺先瞧瞧蓋喚天手臂，又看看儲幼寧腿腳，接著道：「好啊，我這比利時響屁爺醫術精湛，把你倆這中華大俠客，手上、腿上傷勢全給治好了。難怪，你們腿腳傷全好了，就背著我去外頭打架，也不帶上我，讓我瞧熱鬧去。」

儲幼寧奇道：「響屁爺，你不是天主教神甫嗎？你該去蓋教堂、傳洋教，拉人入你天主教，進教堂念洋經、拜洋佛。出家人，就該是慈悲為懷，普渡眾生，怎麼，你還愛看打打殺殺？這是何緣故？」

響屁爺道：「所以說囉，你們這些江湖人物不學無術，不曉得咱們西洋出家人，會的東西可多啦！我們傳教、傳天父福音，但絕非爛好人，碰到不公不義之事照樣會出手，該殺就殺，該打就打。你們中國人不是說嗎，棒頭之下出孝子，又說不打不成器。天主教神甫裡頭，使劍高手、使洋槍神槍手多的是。像我，就會點西洋拳法。」

說罷，響屁爺拉開架式，兩手握拳，舉在臉前，兩腳快速遊走，忽而出拳，忽而收拳。響屁爺比

劃兩下子，儲幼寧瞧著，果然有點名堂。

嚮屁爺道：「咱們天主教，傳福音、辦學校教育孩子，辦粥廠賙濟貧困百姓，建教堂撫慰人心，這都是做好事。可有一樣，要是有人擋著天主教傳教，天主教在義大利也有個皇帝，照樣會興兵動武，遠征殺敵。」

嚮屁爺雖是洋人，卻講得一口京腔京調京片子，能說會道，說得蓋喚天、儲幼寧聽說書一般，悠然神往。嚮屁爺道：「大概八百多年前吧，咱們天主教皇帝，召集手下莊稼漢子、小手藝人、商號夥計、江湖豪客，成立大軍，一路往東邊殺將過去。這教皇大軍，人人戰衣胸口上，畫了個大十字架，所以，此事就稱十字軍東征。

「這十字軍東征，主要就是打回回，那時，回回在幾千里外，占了天主教聖地，所以，天主教皇帝就籌組大軍，弄十字軍東征去打回回。這仗，一共打了兩百多年哪，東征了不知道多少次。」

儲幼寧聞言道：「嚮屁爺，要是你早生個七、八百年，豈不是你也騎著馬，胸前畫個十字，拿刀帶槍，跟著隊伍去打回回？」

嚮屁爺道：「是啊，我若生在那年代，定然會成了十字軍。」

蓋喚天道：「出家人講究慈悲為懷，怎麼你們天主教，沒事拉起隊伍，向東邊殺去幾千里？那不是血流成河，死人無數嗎？」

嚮屁爺道：「莫說天主教，佛教不是一樣有十三棍僧嗎？」

蓋喚天道：「什麼十三棍僧？」

天主教傳教大業，深謀遠慮，旗下教士全都術業有專攻，這比利時神甫尚皮耶除專精醫術、土木建築外，因被派往北京傳教，故而又熟讀中國歷史。此時，講完西洋十字軍東征，又轉回頭來，講起中國唐代古事。

響屁爺道：「哎，你們中華佛教大事，你們竟然不知道。這事情可久遠了，一千二百年前吧，你們中國正是隋朝末年，天下大亂，民不聊生，盜賊蜂起。那時，有流賊近萬人，覬覦少林寺家大業大，把少林寺給圍了。寺裡大小和尚俱都驚恐，打算四散奔逃。結果，裡頭有個老頭陀，拿了根短棍，往賊眾衝鋒而去。」

「老和尚那短棍啊，使得可是出神入化，所向披靡，賊人擋者必亡。老和尚不知道敲破了多少賊腦袋，把那近萬賊人，殺得屁滾尿流，不敢攻進少林寺。少林寺方丈老和尚，這才曉得，寺裡能人輩出，竟然有這老頭陀，自己竟不知道。方丈怕賊人去而復返，因此，挑出壯碩精壯僧人百名，要這老頭陀親授棍法。」

「這下子，少林寺可發了，少林棍法闖出名號。後來，唐太宗李世民還沒當皇帝前，四面打天下，碰到個硬角色，叫王世充。王世充是塊硬骨頭，很不好啃。於是，李世民派出少林棍僧，一群少林和尚，使棍攻敵，破了王世充守勢。事後，李世民論功行賞，挑出十三人，給予首功嘉獎。」

響屁爺說故事，聽得蓋喚天並儲幼寧一愣一愣地，聽得悠然神往。響屁爺順著桿兒爬，見蓋喚天聽故事，聽入了神，就道：「蓋幫主，我說了半天故事，說得口乾唇焦，怎麼樣，有好酒沒有？拿出來讓我潤潤嗓子眼？」

蓋喚天笑罵道：「洋和尚，就是貪酒，一天不喝，肚子裡酒蟲作怪，讓你癢得難受。」

於是，要手下入廚房，搬出酒壺，又端出幾盤粗劣小菜，擺在院中木台子上，三人就站在院落裡，就著木台子吃喝起來。儲幼寧不善飲，只稍稍略喝幾口，蓋喚天能飲，但此時天色尚早，不是飲酒時候，因而也是略飲幾口。唯獨那響屁爺，吱兒一口酒，叭噠一口菜，吃得十分來勁。

此時，已是深秋時節，北京城秋高氣爽，三人在蓋喚天先農壇宅院裡，就著金色陽光，閒談扯淡。蓋喚天言及，幾個月來惡戰不停，經歷繁複，為免後患，早就派人緊盯相關人等。譬如，盯緊東城杆兒上丐幫動向，說是那天夜裡怡紅院賭屋一戰，五名丐幫徒眾右手經脈被截，回到東城後，丐幫大拿馮家慶暴怒，將五人自名籍簿中銷帳除名。

這「杆兒上的」列有名籍簿，自順治皇帝至今，兩百多年，代代相傳。名籍簿上列了名才是丐幫幫內人物，一旦除名，劃清界線，再也不是丐幫中人。

至於那衛骷髏，後來在怡紅院賭屋裡醒來，心智已失，成了癡人。這人後來為丐幫尋獲，大拿馮家慶念在此人過去情分，將此人養在幫裡，成了活死人。

而東城十條胡同內務府包衣佐領剛健那兒，蓋喚天亦派手下接續打聽，說是剛健家宅一切如常，換了新廚子與護院武師。尤其，剛健嗓門洪亮，話音清楚，顯見那天夜裡，儲幼寧兩次拿手指戳傷剛健頸項裡發音肉墊，下手頗輕，只讓剛健暫時沙啞，日後盡復舊觀。

更讓蓋喚天詫異者，是花子幫手下連番打聽，竟知悉剛健寵妾姊姊，那匹配對食太監，竟已自內務府慎刑司釋放而出，並回到大內皇宮，換個地點繼續當太監，與剛健寵妾姊姊團圓，續當對食夫妻。

花子幫徒眾頗費心思，與剛健府邸內人等結交，打聽內情，說是剛健本人亦不知為何會有此完滿結局，因而更加謹慎當差，在內務府廣結善緣。

其實，此事真正內情，無論剛健抑或花子幫上下，均無能打聽清楚。此事個中關鍵，厥為步軍統領，也就是九門提督榮祿。榮攻於心計，但頗識大局，該緊則緊，該鬆則鬆。該緊時，殺人不眨眼；該鬆時，大發善心。香木金剛杵之事，就其源頭，是內務府大臣廣順。西藏喇嘛貢葛寧波切，帶著香木金剛杵逃至北京，走了內務府門路，廣順答應喇嘛，只要獻上香木金剛杵，就可換得在京喇嘛職位。

廣順打算拿香木金剛杵，轉贈總管太監李蓮英，相機在慈禧太后前進言，將光緒皇帝大婚代辦事項，從工部名下抽出若干，改由內務府應承，好藉此大撈油水。詎料，喇嘛中了仙人跳，香木金剛杵被人取走，因而，廣順託榮祿，壓著花子幫蓋喚天查辦此案。後來，蓋喚天破案，將相關人等陳三發子、張六子、綠珠等三人，送交九門提督衙門，並轉告榮祿，香木金剛杵為內務府包衣佐領剛健取去。

蓋喚天以為事情已了，剩下的，就是榮祿自己去查辦剛健，取回香木金剛杵。詎料，榮祿另有盤算，認為這趟渾水蹚得愈少愈好。因而，一方面殺了陳三發子、張六子、綠珠等三人；二方面，又把燙手山芋扔回給蓋喚天，要蓋喚天去奪回香木金剛杵；三方面，則派人打探剛健底細，探明剛健愛妾親姊姊在宮內當宮女，其對食相好太監，因得罪慈禧太后，發配在內務府慎刑司坐監。剛健奪走香木金剛杵，為的是孝敬李蓮英，換得李蓮英勸得慈禧點頭，放對食太監回宮當差。

探明所有關節後，榮祿定了宗旨，要敉平糾葛，化去餘緒。因而，蓋喚天繳回香木金剛杵之後，榮祿親持香木金剛杵，面見內務府大臣廣順。廣順見寶物失而復得，光緒皇帝大婚工程內務府承攬有望，白花花金山銀海就在眼前，自然心中大樂。榮祿趁勢進言，說是受人所託，有個太監發在內務府慎刑司，希望能使這太監脫離苦海，仍舊回宮當差。

這兩檔事，廣順皆是委請李蓮英進言。李蓮英收了香木金剛杵，拿人寶物，與人消災，一諾無辭，應承幫忙。更改大婚工程之事比較難措手，得多費時機、多費唇舌；而饒恕太監之事，則是輕易可辦，李蓮英挑慈禧太后飯後繞彎散步，心情甚佳時節，約略提到此事，說是懲罰已夠，如能赦免，更顯太后天威。對此，慈禧點頭，於是，剛健愛妾親姐對食太監乃放了出來，依舊入宮，換個地點，繼續當差，對食夫妻就此團圓。

除去東城丐幫、內務府包衣佐領剛健兩方面，蓋喚天派人切實打探、注意之外，花子幫探子亦受蓋喚天指使，打探護軍校尉肅庭與順天三霸老三德富下落。打探結果，兩人杳無音訊，顯係早就離京他去。肅庭，在北京原來有家有業，永定門南張家塘子密林惡戰之後，肅庭回到北京家裡，收拾細軟，撇下家人，獨個離京，逃命去了。

蓋喚天、儲幼寧、響屁爺，三人在蓋宅庭院，就著北京深秋金陽，喝酒吃菜，談談講講，好不爽快。講著，講著，響屁爺突然想到一事，乃對蓋喚天道：「剛才幫主說，什麼內務府剛健家，有個什麼女人姊姊，有個什麼太監丈夫放了出來。我這兩天，天主教堂裡也有件事兒，與太監有關。」

蓋喚天奇道：「響屁爺，你們天主教洋人，管的也太寬了吧？竟然還扯上了太監。說來聽，這是怎麼回事？」

響屁爺道：「我堂區裡有戶教友，姓牛，老家直隸河間府。他老家有個侄子，叫牛雙喜，十七歲，上賭場和人卯上，打了一架，把對頭打死。闖禍後，家裡給了點銀子，跑到北京來投靠叔叔，打算走門路，割去子孫堂，入宮當太監。不過，卻沒門路可尋。牛教友見我這洋人，北京三教九流、五行八作，人頭都熟，就問計於我，問我能否找到宮內關係，給他侄子引薦。」

「剛才，聽兩位講起太監，讓我想起這事，故而在此問上一問。」

蓋喚天道：「河間府？河間府出的太監可多了，前明末年有名大太監魏忠賢，本朝慈禧老佛爺先後用的總管大太監安德海、李蓮英，都是河間府人。他們河間府老家，當太監的多的是，要找太監引薦入宮，在河間府隨便找找都能找得到，為何要到京城裡頭來找？」

響屁爺道：「蓋幫主，你耳朵是怎麼長的？我不是都說了嘛，這牛雙喜在河間府老家打死了人，在家鄉待不住了，這才跑到北京。他要是能待在家鄉，也不會想當太監。要知道，無論犯了多大事情，只要到北京來，找到了宮內關係，有人引薦，割去那話兒，入宮當太監，就能免罪，官府不能再追究。」

儲幼寧道：「大哥，使得，咱們寫封信，就用大哥花子幫幫主名義，寫給剛健。信裡，寫客氣話，就說花子幫替九門提督衙門辦事，日前聽九門提督榮祿說，內務府慎刑司放出太監，回宮當差，而這太監是剛健寵妾姊夫。現如今，有人想入宮，希望能見見這位太監，瞧瞧是否能引薦云云。」

蓋喚天道：「兄弟，這樣可行？要不要咱們親自上門拜訪去？」

儲幼寧道：「別，大哥，咱們那天晚上攻進去，雖然拿帕子蒙了臉，但恐怕剛健認得出咱們聲音。再者，找個太監出來見人，不是什麼大事，只是要他傳句話。這剛健最近災星剛退，想必做事小心謹慎，你信上說，替榮祿大人辦事，都把九門提督抬出來了，剛健不會不賣帳。」

蓋喚天低頭想想，兩手拍腿，望著響屁爺道：「說定了，咱們幫這忙，替你教友侄兒牛雙喜，把宮內太監約出來。響屁爺，你醫術高明，我這左手臂，本來爛肉一堆，都要報廢了，是你請了大肥蛆上我身，把這手臂給治好了。我欠你一條手臂，也該還還這人情了。」

說完，蓋喚天看著儲幼寧道：「寫信這檔事，不是你我所能操辦。這樣吧，咱們三人這就上天橋去，找金牙秀才去。」

儲幼寧一聽天橋，又想到韓燕媛，不知韓家父女近日如何。上回，夜戰剛健宅院，自己身受重傷，昏迷三天，全賴韓燕媛照護。醒來之後，韓家父女次日即告離開，都幾個月了，沒有音訊，他心中始終掛著韓燕媛音容。

響屁爺推著洋馬兒，與蓋喚天、儲幼寧並肩而行，來到天橋，尋著金牙秀才。自永定門南張家塘子密林，花子幫幫主、大師兄惡戰順天三霸之後，天橋藝人與花子幫關係較前大不相同。之前，花子幫維持地面，向藝人收定規例錢，管束藝人。如今，藝人仍是繳交例錢，但雙方關係猶如家人。尤其，花子幫幫主蓋喚天到天橋拔牙之事，更在天橋廣為流傳，藝人都說，幫主沒架子。

三人找到金牙秀才，蓋喚天道明來意，金牙秀才收了生意，另外找了紙筆，收束心神，中規中矩，寫了封信。隨即，蓋喚天派手下持信前往東城十條胡同，投予剛健門房，並靜待剛健回音。

辦完正事，三人在天橋地面閒逛，儲幼寧心神不寧，東張西望，蓋喚天瞧在眼裡，曉得儲幼寧這是情關難過。於是，蓋喚天也沒說什麼，就拉著兩人，找家小館子，吃了夜飯。

次日，蓋幫探子回報，說是已將信件送進剛健府邸，剛健隨即有話傳出來，說是願意玉成其事，但太監出宮須辦手續，要花子幫兩天後派人再去，會有回音。

兩日後，響屁爺騎洋馬兒，到了先農壇蓋宅，等候花子幫探子回報。是日，花子幫探子再去剛健宅邸，有了回音，說是三天後，上午巳時，派車到剛健府邸大門口把人接走，午後未時，派車把人送回剛健府邸門口。響屁爺得知訊息，回去教堂，約定時間，三天後將牛雙喜、牛雙喜叔嬸，帶到蓋喚天宅院，與宮裡太監會面。

到了是日，蓋喚天派了棚車，到東城十條胡同剛健宅院大門口等候。果然，巳時一到，大門開啟，裡頭走出一人。這人，年紀四十上下，面貌黝黑，身軀枯瘦，低著頭，上了棚車，一路去了先農壇蓋喚天宅院。

之前，響屁爺亦帶著牛雙喜、牛雙喜叔嬸到了蓋宅。蓋喚天要廚房做了桌菜，擺開大方桌，待太監棚車到了之後，眾人圍桌而坐。眾人坐定，枯瘦太監、牛雙喜、雙喜叔嬸俱是生人，垂首低眉，不言不語。因而，蓋喚天起個頭，彈嗽一聲道：「眾位到此，雖是初會，但既來我家，就是我家客人，今日主要就是請這位公公，講述入宮前因後果，講給這位小兄弟牛雙喜聽聽。大家先進點酒菜，酒入肚腸，身子熱了，話自然就多。」

響屁爺生性詼諧，語帶滑稽，很快即化去生人怯意，教太監與牛家叔嬸侄安心。因而，場面慢慢熱絡，眾人話也漸漸變多。

那太監先講自己姓名暨出身：「我姓武，名朝貴，直隸河間府人，八歲淨身進宮，到如今，都三十多個年頭了。」

之後，武朝貴絮絮叨叨，講起自己入宮之事，元元本本，細說太監這行當。自前明起，直隸河間、武清一帶成了太監出產之地，明清兩代，宮中太監，幾乎均出自這兩地。多數太監，都是幼年即淨身入宮。貧苦人家，家裡貪圖富貴，子弟七歲、八歲之際，懵不知事，就被家人送到北京，淨身入宮。亦有十五、十六歲半大小子，指望入宮服事天家貴人，飛黃騰達，自願淨身入宮。

再有，即是殺人越貨，獲罪在身，為逃官府追索，淨身入宮。譬如當朝第一太監李蓮英，少年時期以硝皮為業，拿硝浸泡皮革，皮革經硝處置，可製為柔軟物件。後因出事，為官府追索，這才淨身入宮。因入宮前幹過硝皮行當，手巧心細，給慈禧梳頭，梳出了前程。

武朝貴說到此處，牛雙喜兩眼放光，對叔嬸道：「我就說嘛，李大總管也是外頭犯了事，逃到宮裡當公公，當出了錦繡前程。他能，我也能，我願受疼吃苦，也走這條路。」

聽牛雙喜天真言語，武朝貴嘆了口氣，邊吃飯，邊繼續往下講述太監生涯。

武朝貴八歲那年，直隸大旱，民不聊生，日子實在過不下去，他爹娘就慫恿他入宮當太監，說是當太監天天能吃飽飯，能走到皇上跟前，倘若上人見喜，受皇上重用，後半輩子就有好日子過。武朝貴年幼，聽爹娘如此說，也就信了，滿心歡喜，願意入宮。那次大旱，武朝貴老家村子裡，一共五個孩子，同時淨身入宮。

河間府，專有退休老太監媒介此事，派人帶著五個孩子，到了北京拜見一位首領太監。之後，由這首領太監領著，進了紫禁城，住進南三所。才住進去，就來了「勸善太監」，開始說事。淨身之事，一旦動刀，後半輩子就絕了男女之事，成了閹人，身心兩皆殘缺。這勸善太監，就專為此而來，把話反覆說，說過來，說過去，就是要勸得這些孩子回心轉意。

勸善太監實話實說，好壞兩方面都照顧到。往好處說，當了太監，衣食無憂，倘若上人見喜，還能大富大貴。往壞處說，一旦動刀，終究還是個殘廢，並且是終生殘廢，有去無回，切下來之物，再也無法裝回去。如此翻來覆去勸解，還真有十四、十五歲半大小子，被勸得改了主意，絕了當太監意念。

武朝貴說，當時他才八歲，懵懂孩子一個，孤身離開父母，到了北京，深怕倘若改了主意，還要一個人回河間府，回去後，還是大旱沒飯吃。因而，他別無所選，只能留下來，淨身入宮。勸善太監把道理講完，武朝貴與其他四個孩子，鐵了心，不改主意。到了後來，勸善太監離去，換成「老古拉」入室，再拿同樣話，再勸說一次。

這老古拉，是滿州語，漢話就是刀兒匠，亦即動刀閹割師傅。刀兒匠雖歸內務府管轄，但宮裡大小太監對其特別客氣，用滿州話尊稱為古拉。刀兒匠為心口相傳師徒制行業，徒兒經過三年見習，待心領神會之後，師父才肯授刀，正式操作。

待老古拉勸說過後，仍不改心意者，則由刀兒匠會同乾清門侍衛送出宮去，送回住所養息。倘若當事者之前犯案，官府衙門極可能派有衙役官差，守在宮外，見人出宮，就上前抓捕歸案。故而，要請乾清門侍衛護送回住處，以防官府衙役官差半道捕人。

武朝貴併同其他四位同村男童，由宮裡人送回在京住所，並備妥豐盛飲食，五人因此大樂。宮裡太監有分子公款，每月自餉錢裡，些微扣下少許，聚集而成公積之款。武朝貴等五幼童所吃豐盛飲食，即由此分子公款支應。不但飲食豐盛，還有補氣健身藥品，以使幼童體力充沛，以耐手術痛苦，以利閹割後復原。

趨近閹割之日，飲食內容逐漸變易，流質之物逐漸減少，最後兩天，完全禁絕茶水湯汁，只供給乾糧。蓋因閹割手術後，應避免小解，倘若解溲頻仍，將延緩傷口癒合時間。

講到緊要關頭，武朝貴眉頭緊皺，一手抓著筷子，一手捧著飯碗，兩眼盯著牛雙喜道：「自古皆然，閹割之事，最怕有風，須在密不透風暗室而為。我們五個孩子，分批進宮，一天一人，輪流挨刀。在宮牆那一片角落地方，有間屋子，沒有窗子，門也摀得嚴實，全然不透光，只些微透點氣。屋裡擺著床，牆上掛著十幾盞油燈，遍室光亮。刀兒匠要我躺在那床上，手腳俱都緊緊綁住，然後，在我下身那地方塗上麻藥。」

「塗好了麻藥，拿根細繩把我那器具兜住，緊緊綁好。綁實了，拉起來，細繩往上拉，拉到屋樑上，那兒有個轆轤。刀兒匠把細繩那頭，綁在轆轤上，繼而，轉動轆轤，把細繩繃得極緊，把我那器具都繃得吊了起來。刀兒匠有個助手，就緊緊抓著轆轤把兒。最後，刀兒匠相準了位子，在我那器具根部，拿利刀用力一劃，那助手使勁轉轆轤把兒，刷地一下，我那器具連跟切除，被絲線吊了上去，吊到轆轤那兒去了。」

「這時候，我疼得昏死過去。雖說事前上過麻藥，但只麻外層皮肉，不麻內層肌里，根本管不了大用，利刀一割，簡直是痛到心肺裡去。等我醒來，刀兒匠已經在我傷口撒了藥麵子，並在我尿眼兒當中，插進一根藥捻子。就這樣，我成了閹人。動完刀，送我進溫房，房裡頭密不透風，溫熱溫熱的。我半昏半醒，連著幾天，不吃不喝，痛苦至極。」

「幾天後，刀兒匠來了，把我尿眼裡所插那根藥捻子，給起了下來。起下藥捻子之後，要我趕緊小解。太監小解，也是站著，但隨身帶著根竹筒，拿竹筒貼著尿眼，撒出尿水，順著竹筒流下去。我運氣好，躺了多日，那天刀兒匠給我起下藥捻子，要我起身，站著尿尿。躺了多日，起身之際，頭昏腦脹，但年紀小，復原快，尿水順利解出。」

「我運氣好，另兩個孩子運氣就差了，藥捻子起下來之後，尿眼長了肉芽，封死了尿眼，尿不出來，後來都沒活過來。同村子一共五個孩子，三個活了下來，兩個死了。」

牛雙喜問道：「那您切下來的器具呢？扔了嗎？還是收哪兒去了？」

武朝貴道：「切下來之物，雖然離了身子，但還是得保存著。每個太監，閹割之後，宮裡都準備一只楠木匣子，上頭寫著太監姓名、籍貫、年歲、淨身時日、哪位古拉操刀、引介太監為誰。那楠木匣子裡，擺置了乳香、墨藥一類防腐事物，太監割下來的器具，就放進楠木匣子裡。宮裡有個地方，叫「懷安堂」，就專門放置這些楠木匣子。要是太監亡故，家屬可向懷安堂領回這殘軀器具，連同木匣，一起下葬。」

武朝貴看看牛雙喜，嘆了口氣道：「唔，你這孩子，真是天堂有路你不走，地獄無門你投來。咱們老祖宗有句話，說是吃得苦中苦，方為人上人。當太監的，則是一輩子都要吃得苦中苦，卻永世注定做人下人，直到死，都沒翻身時日。像安德海、李蓮英、崔玉貴這些大公公，千中不可得一。就算苦了幾十年，爬到首領太監位置，人家還是不拿你當人看。」

「在宮裡，哪怕是小小護軍兵卒，哪怕是跑腿雜役，見了我們都沒好臉色。我們哪，就是個閹人，是怪物，半人半鬼，不人不鬼。這裡頭的辛酸，非外人所能體會。像我吧，在宮裡三十年，當差謹慎，才能到老佛爺跟前伺候，誰知道，只不過說錯一句話，就被打得半死，送到內務府慎刑司關押好久，要不是碰到貴人，恐怕要在黑牢裡待到亡故。」

「你說，你在老家河間府闖禍殺人，為逃官府追索，打算淨身入宮。我看，你不如換個地方逃命去，何必非入宮不可？」

武朝貴這番話，說得在情在理，聽得牛雙喜叔嬸神情凝重，直勸牛雙喜打消念頭。牛雙喜原本興頭頗大，如今聽武朝貴這番言語，心思亦有活動，不似剛才那樣，鐵齒鋼唇，非要淨身入宮不可。

霎時間，眾人皆盡沉默不語。末了，還是響屁爺開了口，細問牛雙喜在河間府所犯何事。牛雙喜細細敘說其間經過，總之，牛雙喜本質不惡，但在鄉里無所事事，常在賭場廝混。某次聚賭，牛雙喜手氣極佳，收穫頗豐。嗣後，賭場不認帳，拒予賠付，雙方爭執，繼而扭打，牛雙喜激憤，竟失手殺人。因而，無法在家鄉河間府存身，又因河間府出太監，故而有了淨身入宮念頭。

現如今，聽武朝貴講述太監生涯，竟是如此悽苦悲愴，牛雙喜入宮念頭當然動搖，但不投此路，並無他路可走，因而面露苦惱之色，竟不知該何去何從。

響屁爺見狀，語重心長道：「雙喜，你打算進宮當太監，除了逃避官府追索外，還有什麼打算沒有？」

牛雙喜道：「神甫，我哪還能有什麼打算？要是不進宮，被官府逮住了，欠債還錢，殺人償命，肯定是個死罪。只要能進宮，在皇上宮裡當差，吃苦受累，那是一定，只要能保住小命，自然是在宮裡安分守己，一天天過日子。只不過，如今聽武公公說，當太監竟然一輩子當人下人，再怎麼吃苦受罪，都沒熬出頭一天，我又覺得，一點指望都沒了。」

響屁爺道：「聽你這言語，就是打算安安分分，守著一件差使，好生過日子，不惹是非，不招麻煩是嗎？」

牛雙喜道：「當然是這樣，只要能保住小命，安安穩穩活下去，我哪敢再招是非、再惹麻煩？要是老天爺能把時日往回轉，回到那日，我在賭場裡贏了錢，人家不給，我也不會強要，扭頭就走，後來就不會殺人。那樣，我還能在家鄉待著，安安穩穩過太平日子，何至於像現在這樣，顛沛流離，跑到北京來，求爺爺，告奶奶，鑽門路，託關係，讓我挨刀閹割，入宮當太監？」

響屁爺聽牛雙喜言語，已然悔悟之前所為，願意安分過日子，乃雙掌互擊，啪地一聲道：「好，你真要有心悔改，我就成全你。我問你，倘若有個地方給你去，幹的是體力活兒，當的是雜役小廝，但免閹割，不必挨刀，不必進宮當太監，官府也不追索，你願不願？」

聽響屁爺如此說，牛雙喜並其叔嬸，俱都兩眼放光，急切問道：「哪兒有這等好事？哪兒可以既免閹割當太監，又能保命？」

牛雙喜高聲喊道：「只要能保命，又免閹割當太監，我做牛做馬，都心甘情願。」

響屁爺看著牛雙喜答道：「我是比利時人，天主教神甫，耶穌會教士。天主教教士各國都有，但同歸義大利教皇統管，各地教會、教堂同枝連氣，互有聯絡。在天津，紫竹林法蘭西租界裡，有個天主教教堂，叫聖路易堂。那堂口神甫，是個法蘭西人。我們比利時人，有一半講荷蘭語，另一半講法蘭西語。剛巧，我就是講法蘭西語，因而，與天津紫竹林那聖路易堂神甫有點交情。」

「這樣好了，我寫封信去天津，問問紫竹林聖路易天主堂，需不需要雜役小廝。在他回信之前，你先跟我回西什庫，那兒正蓋著大教堂。大教堂還沒蓋好，旁邊先暫時弄了個小教堂，我就在那小教堂裡當神甫，一邊傳教，一邊幫著監造西什庫大教堂。你先隨我去，住在小教堂裡，幫我做些雜事。只要你不離開教堂，官面上衙門差役，不會進教堂抓你。」

「我那教堂裡還有其他神甫，我在那兒作不了主，你只能暫時住一陣子。北京不是你久留之地，你還是去天津比較好。」

此話說畢，牛雙喜當即站起，倏地跪下，對著響屁爺直磕頭喊道：「謝謝神甫，謝謝神甫，您真是我救命恩人！」

眾人一旁看著，俱都感動。武朝貴更是哽咽道：「要是我八歲，直隸大旱，沒飯吃之際，有天主教教堂肯收留我，我何至於閹割淨身，進宮受這活罪？」

第三十一章：掀屋瓦紫衣忍者深夜行刺，帶洋槍響屁神甫伸出援手

一陣秋雨，一陣寒，時序走入十月底，北京冬日近在眼前。儲幼寧大仇已報，早該離京南歸，回揚州金家，但他依舊於北京盤桓。其間，曾寄長信至揚州金家，說是已尋獲殺害閻桐春兇徒，並已報仇雪恨。信中並詳述花子幫與「東城杆兒上的」丐幫糾葛，言及將在北京逗留若干時日，以防東城丐幫反撲云云。

牛雙喜之事，響屁爺言而有信，將之引介至西什庫，在天主堂裡打雜幫閒。此外，也去信天津紫竹林聖路易天主堂，為牛雙喜先容引路。儲幼寧仍住於蓋喚天先農壇宅院，每日裡與蓋喚天形影不離，但依舊婉拒加入花子幫，並不介入花子幫事務。偶爾，他伴隨蓋喚天巡視地面，到天橋走動，見到韓燕媛父女。

攻打內務府包衣佐領剛健宅邸之役，儲幼寧受傷，昏迷數日，韓燕媛衣不解帶，服侍儲幼寧。待儲清醒後，韓家父女即飄然而去。在那之後，像是斷了線的風箏，兩方面再無親近接觸。情到濃處方知苦，儲幼寧也曉得，再糾纏下去於兩人均無好處。因而，就算見到韓燕媛，儲幼寧也只能忍著苦楚，泛泛寒暄，應酬幾句而已。

眼看著，秋日將盡，初冬敲門，東城杆兒上的丐幫人等，一直沒啥動靜。對此，蓋喚天頗為不解。蓋喚天以為，江湖人有江湖氣，照著江湖習性，做江湖事。花子幫大破怡紅院賭攤，傷了丐幫六人，五人右手筋脈斷喪，一人失智而為廢人，照江湖心法，丐幫必將報仇雪恨。但幾個月來，蓋喚天持續派人緊盯東城丐幫，對方始終默然無語，一切如舊，絲毫未顯尋仇徵兆。

蓋喚天久跑江湖，卻始終瞧不出個中門道，時間一久，也就失了警覺，以為東城丐幫就此認命，不會再有復仇之舉。因而，儲幼寧也訂了歸期，幾日來到處走動，一方面採買北京土產，俾便攜回揚州，致贈親友；二方面，也與北京各路朋友餐敘話別，將場面交代過去。

這天，蓋、儲二人在外夜飯，與人應酬，多喝了幾杯，兩人回到先農壇蓋宅，均已不勝酒力，匆匆回房睡覺。這天夜裡，月明星燦，四下隱約間有點銀晃晃，蓋喚天宅院內，撒著一片月光。儲幼寧起先因酒力發威，頭昏腦脹，手腳疲軟，倒床就睡。一陣昏眠之後，驀然而醒，適才水酒飲多，這時腹內水壓上來，乃勉力起身。夜已深沉，外頭冒著寒氣，儲幼寧走到屋外，上茅房解手。

解手已畢，循原路回房，倒頭又睡。儲幼寧身子仰躺，臉面朝上，正似睡非睡，將睡著，未睡著之際，就覺得室內氣息流轉有變。其時，室內無風，但儲幼寧就是覺得，氣息流轉忽而不同，因而，睜開眼睛。這時，就見屋頂上，瓦片已被揭開，兩顆人頭正對著他俯視。屋裡黑，屋外亮，屋頂倆人頭，以天際為背景，儲幼寧睜眼，自下往上仰視，看得分明。而屋頂兩人，向下俯視，卻瞧不見儲幼寧睜眼。

儲幼寧眼睜身不動，凝神細看，就見房上兩人，放下一根細線，線頭綁著小鉛塊，直直垂下，正對著自己嘴唇。一股濃汁順著這細線，由上而下，流往自己嘴唇。這濃汁來勢頗快，眼看著，就要流到小鉛塊，然後，從小鉛塊上滴往自己唇上。說時遲，那時快，儲幼寧順手抓起身上所蓋被褥，揑著被子，揪住那細線，用力往下拉扯。這一拉扯，屋頂上兩人曉得儲幼寧已醒。兩人鬆手放線，隨即兩人皆雙手下揮，儲幼寧就見四道銀光，朝自己面門疾飛而來。

儲幼寧當下不及細想，順手抓起腦下枕頭，向上朝四道銀光擲去，隨即翻身滾下床。就聽啵、啵、啵、啵四響，那枕頭遭四支銀色飛鏢釘於床板之上。四道銀光之後，接著又有漆黑物件往下激射，儲幼寧大為驚嚇，連忙側身，緊貼牆壁，就聽見禿、禿、禿三聲，又是三支飛箭射中床板。儲幼寧自出道以來，與人對陣無數，每次均是永居上風，占盡便宜，摧枯拉朽，克敵致勝。這次不一樣，一上來，就被殺得手忙腳亂，慌忙逃命。

儲幼寧貼著牆壁，抬頭仰望，見屋頂無瓦處，兩顆人頭已然不見，想必是即將落地，殺進房來。因而，趕緊飛身衝至桌旁，拿起彈弓、彈袋，繼而一輪猛射，十幾顆石彈子由下往上，悉數砸向屋瓦。隨即，屋頂瓦片被彈子打得碎片紛飛。彈子結棍，彈弓力猛，石彈觸及屋瓦，立時將瓦片砸碎。

一陣猛射，屋頂瓦片紛紛癱落，屋頂上兩人存不住腳，隨著瓦片也落於屋中。透著月光，這兩人打扮古怪，渾身俱是紫色，紫色上衣、紫色紮腳束褲、紫色紮腕巾、紫色頭巾、紫色面罩、紫色護手、紫色快鞋。全身僅露出兩眼，其餘部分俱由紫色衣物包裹緊實。這兩人，一高一矮，高者壯碩，矮者纖細。

兩人落地後，隨即抽出銀色雪亮倭刀，一左一右，朝儲幼寧殺來。這兩人，動作對稱，左右一致，右邊那人，倭刀由右上而左下，朝儲幼寧斜劈過來；左邊那人，倭刀由左上而右下，朝儲幼寧斜劈過來。兩人動作一致，左右對稱，彷彿套好了招，鬧得儲幼寧左支右絀。儲幼寧天賦異稟，眼神精準，飛速運行之物，在他眼裡，如徐風緩吹，能預知事物行徑，能預測事物方位。

饒是儲幼寧有此神技，這天夜裡，遇上這兩位紫衣刺客，僅僅只能避禍而已，僅僅只能在間不容髮之際，以些微之差，躲過倭刀刀刃。

這房間不大，屋內一木床，一木桌，木桌旁，一張靠背木椅，一條短板凳，儲幼寧常與蓋喚天在此議事。如今，屋頂眾瓦為儲幼寧以彈子擊碎，滿地破瓦片，再加上一床、一桌、一椅、一凳，還擠著儲幼寧與兩名紫衣刺客，雙方動起手來，形格勢禁，極不趁手。尤其，倭刀細長，須有揮灑空間才能湊效，因而，兩紫衣刺客同時鬆手，將細長倭刀擲至牆角，二人又同時自腰間拔出短刀，近身猛攻。

儲幼寧見機亦快，二紫衣刺客扔長刀，拔短刃之際，儲幼寧腿勾手拿，已將那短板凳攫在手中。他幼年隨閻桐春在臨沂山寨密林學武，閻桐春所授為武技心法，而非武技招數，因而，儲幼寧隨身從不帶兵器，亦從不使固定兵器。實戰之際，拿到啥物，啥物就是兵器。如今，板凳入手，就成了兵器。

儘管兵器入手，卻仍有一事令儲幼寧屈居下風。打從雙方動手以來，對打激烈，毫無歇息，儲幼寧倉皇間滾下床去，壓根沒工夫穿上鞋，這時還是赤腳。而室內地面則是遍布瓦礫碎片，儲幼寧不停閃躲，不停移動，兩腳被瓦礫扎出無數小傷口。足底板這一堆小傷儘管無礙，但卻頗疼痛，讓儲幼寧每移動一步，都受疼痛牽扯分心。

饒是如此，儲幼寧依舊屏氣凝神，兩手不停運轉那短板凳，抵禦兩名紫衣人兩把短刀迅雷飛閃般進襲。板凳分量較沉，使起來不如刀棍輕盈，儲幼寧只能小幅擺弄，守住門戶，無法大開大闔，強勢攻敵。就見兩名紫衣人交互出手，套招一般，配合出擊，一招一式都有模有樣。倘若不是生死相搏，而是街頭賣藝，這兩人必然能搏得觀者喝采，贏得大量賞金。

就聽見禿、禿、禿、禿之聲不絕於耳，兩名紫衣人短刀如狂風暴雨，交相猛攻，或劈，或砍，或切，或刺，或撩，但每次進擊，皆為儲幼寧手中短板凳所抵擋阻絕。兩名紫衣人邊猛攻，邊低聲呼喝，兼而彼此短言交談。兩人言語古怪，儲幼寧從未聽聞此種語言，聞之不似中土語言。尤其，那矮小纖瘦刺客語音尖細，似為女子，但聽不真切，難斷究竟。

驀然間，儲幼寧想起，幼年時每次集中心思，凝神冥想兩眉當中眉心，則眉心就出現似暈非暈感覺。繼而，耳目隨即異常靈敏，耳異常聰，目異常明。年歲漸長後，這感覺即消逝，即便刻意凝神冥想兩眉當中眉心，眉心也無法出現似暈非暈感覺。並且，成年後，儲幼寧已達時時耳聰目明境地，無須再仰賴刻意凝神冥想兩眉當中眉心。

此刻，儲幼寧福至心靈，心想，如再刻意凝神冥想兩眉當中眉心，可能更加激發耳目感應。因而，他兩手依舊舞動板凳，抵擋雙刀攻勢，兩腳依舊趨退跳動，閃躲雙刀，心中卻重施故法，冥想兩眉當中眉心。霎時間，儲幼寧猛然覺得，兩紫衣人刀勢轉慢，腳步、身法愈發分明。

其實，兩紫衣人攻勢依舊迅猛，刀法依舊如狂風暴雨，兩柄短刀交織出一片銀色光幕，籠罩儲幼寧身前並兩側。只因儲幼寧凝神冥想，令其耳目較前更加聰敏，以致，紫衣人揮刀依舊，而儲幼寧卻頓覺兩人攻勢轉緩。因而，儲幼寧更是好整以暇，小幅舞動板凳，封死倆紫衣人刀勢，待瞧出其中破綻後，再倏然出擊。

這當口，矮紫衣人嘰哩咕嚕，講了句短語，就見倆紫衣人迅捷連番碎步後退，拉長與儲幼寧距離。隨即，高紫衣人左手揮出，一件黑越越事物，朝儲幼寧飛來。儲幼寧見那事物飛來，以為是暗器，於是側身偏頭躲過。那暗器，沒砸中儲幼寧，而擊中儲身後床板，就聽見砰地一聲，猛然爆出白豔豔閃亮火焰，隨即身後傳來熾熱高溫，逼得儲幼寧邁步撲向牆壁，貼牆站著。

那火焰彈爆發之際，極亮，一瞬間，儲幼寧瞥見兩紫衣人皆閉上雙目。火焰彈爆發，烈焰瞬間即逝，室內又恢復黑暗。此時，儲幼寧兩眼為烈焰白灼光亮所眩，無法於暗室中視物，短暫眼盲。幸而，眼盲而耳仍聰，聽音辨位神技仍在，就聽見兩紫衣人分頭殺到，並且，二人刻意放慢攻勢，無論腳法或刀法，均較前遲滯，緩速而為，生怕發出聲響。

饒是如此，儲幼寧捨眼靠耳，依舊守住門戶，依舊是禿、禿、禿、禿，板凳抵住短刀，儲幼寧並未吃虧。這時，就聽見屋門口蓋喚天高聲問道：「兄弟，怎麼回事？剛才怎麼好像有火焰？」

原來，兩名紫衣人與儲幼寧對戰之際，雙方均未弄出大聲響。儲幼寧心裡明白，蓋喚天武藝有限，絕不是此二人對手，倘若高聲呼喝，驚醒蓋喚天，蓋喚天趕來助戰，反而有生命之危。現如今，紫衣人扔出烈焰彈，爆出大聲響，又有白豔豔亮光，驚醒蓋喚天，因而過來。

儲幼寧高聲喊道：「大哥，有刺客，別過來！」

話還沒說完，儲幼寧就聽見右側高紫衣人，呼地射出暗器，繼而聽見蓋喚天一聲驚呼：「哎呀，扎著了！」

儲幼寧心中一驚，不知蓋喚天哪兒中招，邊抵擋短刀，邊連忙又問：「大哥，射中哪兒了？別進來，兩個點子都是硬手，您先守住房門口，別讓兩點子逃了。」

蓋喚天道：「我去你大爺的，暗中射飛鏢，這是哪路混蛋？都給我出來！兄弟，不礙事，就是肩膀挨了一傢伙，扎得不算深，不礙事。」

紫衣人見來了援手，更加緊催動攻勢，雙刀舞得更為綿密。這時，儲幼寧兩眼已回過神來，適應室內光線，回復精準靈敏。這當兒，見兩紫衣人又連番碎步後退，繼而，那矮紫衣人，左手揮動，又是一模一樣黑越越物件，朝儲幼寧飛來。這回，儲幼寧不再閃躲，而是飛身上前，迎向那烈焰彈。儲幼寧飛身上前，拉近與兩紫衣人距離，並舉起板凳，對著那猛飛而來烈焰彈，出死力回砸。

板凳砸中烈焰彈，轟然一聲，那烈焰彈爆開，無數細碎焰火顆粒，反向朝兩紫衣人噴去。那高紫衣人見機極快，立即朝側面閃躲，但矮紫衣人反應稍慢，被無數細小碎裂焰火顆粒，噴得滿頭滿身。前一顆烈焰彈，擊中床板而爆裂，細碎焰火顆粒噴滿床板，但因床板較厚，焰火顆粒只是在床板上灼出無數黑色燒痕，並未引燃床板。

這第二枚烈焰彈，被儲幼寧板凳砸爆，無數細碎焰火顆粒裹上矮紫衣人頭臉，立刻將衣物化為火苗。那矮紫衣人慘叫一聲，隨即倒地，在地上翻滾，壓滅火苗。儲幼寧聽聞矮紫衣人慘叫，心中一驚：「這人果然是個女子！」

那女紫衣人雖將身上火苗壓滅，但頭臉已為烈焰顆粒燒灼成傷，尤其，極細微火焰顆粒噴入雙目，兩眼已然被灼盲，疼得在地上打滾，連連嬌聲慘叫，喊著古怪言語。

那高紫衣人雖躲過烈焰彈，但身上還是略微沾上烈焰顆粒，此時趕忙右手舉刀向前防護，左手不停拍打身上幾處小火苗，同時，厲聲以番言詢問地上女紫衣人傷勢。

只有儲幼寧，板凳角度揮灑得當，整個烈焰彈完全向前噴發，絲毫未波及板凳後儲幼寧。

此時，就聽見門外又有人喊叫。原來，蓋喚天宅院內花子幫夥計、廚子、雜役人等，這時也都驚醒，各執兵器，趕到門外。就聽見眾人喊道：「幫主，幫主，您醒醒。」

儲幼寧拿板凳守住高紫衣人，高聲喊道：「都在外面守住了，別進來，你們幫主怎麼了？」

雜役回道：「儲少俠，我們幫主右邊肩膀插著暗器，已然昏死過去。」

屋外，星月皆已消失，天色已濛濛轉亮。屋內，那女紫衣人依舊躺於地上，哀號聲漸減，兩手護住兩眼，不住喘息。那高紫衣人，猛衝猛打之餘，體力已衰頹，加上受烈焰彈波及，此時靠著牆壁，舉刀向前，護住面前，採守勢休息，亦是不停喘氣。直到此時，儲幼寧才緩過氣來，拿右腳腳底板，在左腳褲腿上磨磨蹭蹭，擦掉腳底板砂石雜物，套上鞋子。繼而，左腳也如法炮製，套上鞋子。

兩腳都穿上了鞋，氣勢立即不同，儲幼寧還是舉著板凳，慢步向前。邊走，邊舉腳將地上牆角女紫衣人所抛長倭刀、短刀，使勁踢往後方牆角。隨即，將手中短板凳也向後用力抛擲，並火速彎腰，拾取地上高紫衣人所扔長倭刀，並高聲對地上紫衣女子言道：「妳兩眼已盲，無法視物，切勿再施暗器，否則，可能誤傷妳同伴。」

言畢，儲幼寧兩手舉著倭刀，略走幾步，到了高紫衣人跟前，晃動手中長倭刀，刀頭指著高紫衣人道：「你二人聯手互動，招招皆有套路，須雙人同使才能殺敵致勝。適才，你二人天衣無縫，聯手搏擊，都被我擋住。如今，你同伴受重傷，你受輕傷，你還要打嗎？我看，棄刀投降吧！我說話算話，絕不殺降。」

話才說完，那高紫衣人厲吼一聲，舉其短刀，飛身前撲，一副玉石俱焚、同歸於盡打法，極為悍勇。這一擊，對儲幼寧而言，卻是徹頭徹尾不堪一擊。儲幼寧稍微閃身，反向舉起倭刀，拿刀底部刀柄，朝高紫衣人面門上一擊，那人鼻頭受擊，當場暈厥。倒地後，鼻腔才流出兩股鮮血。

惡戰至此，儲幼寧這才突感疲憊，當場支撐不住，疲軟坐下，並出言道：「去拿繩子，把屋裡頭兩人都捆上了。有誰知道西什庫天主堂嗎？派個人，去那兒，找比利時洋神甫響屁爺，找他回來，救你們幫主。」

那西什庫，距先農壇，說近不近，說遠也不遠，大約就是個八、九里地。當下，就有人在屋外答應，隨即碎步跑遠，想辦法赴西什庫搬救兵去了。隨即，廚子與夥計進屋，拿麻繩將兩名紫衣人緊緊捆住。儲幼寧疲憊不堪，累得站不起身，還是癱坐室內地上道：「麻煩，誰過來一下，先把我架起來，再弄點什麼吃的來。」

那花子幫夥計過來，將儲幼寧扶起架到屋外，弄張椅子，扶儲幼寧坐了。儲幼寧轉頭，見蓋嗅天躺在地上，右肩膀上，插了件暗器。那暗器，彷彿是個圓輪，但又不是圓輪，而是圓形物，周邊長出四根銳利尖角。蓋嗅天所挨暗器，三根尖角還露在外頭，第四根尖角則插入蓋嗅天肩膀。因暗器還插在肩膀上，故而流血不多，蓋嗅天面色如常，呼吸如常，有如深睡，手下搖晃，蓋嗅天均無反應。

廚子手腳麻俐，沒多大工夫，就端來一碗酒釀甜湯，裡面擱了糯米湯圓，也打了個水煮蛋。儲幼寧體力耗損過鉅，這時手腳還癱軟，只能勉力舉著湯匙，一口一口，慢慢啜著滾燙甜湯，間而吃幾個湯糰。熱湯下肚，甜分發功，儲幼寧總算緩過氣來，精力復生，覺得再世為人。待一碗酒釀湯圓全下了肚，儲幼寧拍拍肚子，總算站起身來，行至蓋嗅天身旁，俯下身去，伸手探摸蓋嗅天鼻息，就覺進氣、出氣穩定，並無危殆徵兆。

那兩紫衣人，高者挨了儲幼寧一記倭刀刀柄，短時昏厥，這時已然甦醒。那女紫衣人，頭罩與面罩被火焰顆粒燒灼得斑斑點點，臉上亦燒得黝黑脫皮，兩眼更是一片狼藉，此時兩眼緊閉，不能睜開。

天色已然大亮，日頭冒了出來，陽光斜斜灑進蓋宅院內。此時，蓋喚天仍迷睡不醒，饗屁爺尚無音訊，兩名紫衣人手腳並身軀皆被捆綁，嘿然不語。廚子、雜役等人，皆佇立一旁，看守兩名紫衣人。

儲幼寧腦筋飛快運轉，從寬料想，驀然間，他這才想到：「不好，這兩紫衣人到此行刺，都天色大亮，太陽照屁股了，兩人還沒回去，對方主兒一定派人暗中打探。」

於是，他招手，要雜役附耳過來，低聲言道：「趕快到門口去，透著大門縫隙，瞧瞧外頭有沒有什麼異常之人，守在那兒，觀察咱們這宅院？」

那雜役扭身就走，工夫不大，就見這雜役奔回，附耳對儲幼寧道：「報知儲少俠，果然如您所料，剛才，我透著門縫，定眼往外細看，就見對過牆角那兒，站著個閒漢，直勾勾瞧著我們這兒。後來，我在院子角落擺個架子，爬上架子，身子趴在牆頭上，藉著樹枝遮蔽，再往外細看。不只一個，一共是仨，分開了，不在一處，各自分散站著，但都盯著咱們這兒瞧。」

蓋喚天昏迷不醒，儲幼寧當家，腦子不停轉，總想著下一步該如何出招。他招來那雜役問道：「連你在內，現在這宅院裡，還有幾人？」

雜役道：「回儲少俠的話，連我在內，一共就是三人，一個廚子，一個幫裡夥計。」

儲幼寧將三人都招到眼前，先對雜役道：「幹活兒的，就是你，你從後頭圍牆爬出去，爬到外頭。繞遠點，繞到大門外那三人後頭，那三人盯著咱們宅院動靜，你就盯著那三人動靜。千萬別讓他們發現了，他們要是撤了，你跟著走，盯著他們，查明他們去向。」

繼而，儲幼寧對著廚子道：「你，廚子，你拿把傢伙，到前門去，躲在大門後，朝外頭張望，守著大門。有事別慌張，也別開門出去，就是守在門內。對了，待會兒洋神甫響屁爺來了，你得幫著開門。」

之後，儲幼寧對著那花子幫夥計道：「你也從後頭爬牆出去，到了外頭，死命跑，到南城地面，把花子幫夥計們都招來，有多少招多少。就說幫主家出事，大家趕緊來幫忙，要是手腳慢了，幫主這兒垮了，大家全都砸飯碗，以後吃飯的地方都沒了。」

雜役、夥計、廚子得令，拔腳就奔，分頭辦事去了。

轉眼間，偌大宅院，就剩儲幼寧一人，其他，就是蓋喚天地上躺著，不省人事；兩名紫衣人，委頓於地，嘿然不語。儲幼寧點手，指著那男紫衣人問道：「你們哪兒來的？會說漢語嗎？是不是東城丐幫馮家慶指使你們到此？」

那紫衣男人拒不回答，反而與那紫衣女唧唧咕咕，講起番話。儲幼寧見二人俱都受傷，尤其紫衣女子，兩眼被焰火灼盲，心裡略有惻隱之心，也就不為已甚，不再追問。隨即，他心裡有了計較，生出一計。

這時，就聽見遠處大門外響屁爺高聲喊叫：「開門啊，開門啊，援手到了，快開門。」

就聽見廚子拔了門閂，開了大門，隨即，又關上大門。之後，就聽見馬蹄聲滴滴答答，響屁爺這洋神甫手筆畢竟不一樣，人家用牛車、驢車，他卻親自駕著馬車而來。那馬車不大，響屁爺跨著車轅，親自持轡駕車駛進蓋家宅院。車後頭棚子裡，坐著花子幫報信探子。車停後，響屁爺一骨碌跳下車來，走到車後，比個手勢，那車棚裡花子幫探子，兩手抱著一包物件，交給車下響屁爺。

那包物件分量挺沉，響屁爺抱起來，彎腰駝背，兩手下垂，趕緊把這包物件放在地上。那物件由油布包裹，好大一捆。響屁爺慢條斯理，解開油布，裡頭赫然是八桿洋槍。響屁爺抬頭挺胸，趾高氣昂道：「八桿快槍，全是我們比利時列日兵工廠所造。」

隨即，那探子自馬車後車廂爬下，手中抱著一包事物，將之送交響屁爺。響屁爺舉起這包事物，衝著儲幼寧道：「四百發子藥，分配予八桿快槍，每桿槍分得五十枚子藥。莫說江湖幫派，就算把皇上跟前驍騎營調來，一樣殺得屁滾尿流，屍橫遍野！」

儲幼寧道：「先別吹牛了，趕緊過來，瞧瞧蓋幫主，怎麼昏睡不醒。」

響屁爺過去，蹲下，仔細探視蓋喚天，摸摸那四角暗器。之後，響屁爺起身，開了馬車上醫藥箱，一手拿把鑷子，一手拿塊棉花。響屁爺回到蓋喚天身邊，拿鑷子夾緊那暗器，稍一用力，那暗器即被起下。暗器起下之後，響屁爺隨即用棉花堵住傷口。那暗器，是圓形邊緣，外加四根尖刺，因而刺入蓋喚天皮肉有限。倘若是飛鏢或飛刀，則刺入必深，傷勢必重。

暗器起出後，蓋喚天仍沉睡不醒。響屁爺將那暗器放到鼻下聞聞，又用舌頭稍微舔舔，立即動容驚嘆道：「巴比丘瑞，巴比丘瑞，好傢伙，這暗器下了大本錢，竟然用巴比丘瑞浸泡過！」

儲幼寧喝道：「響屁爺，你又發什麼失心瘋了？喊什麼剝皮臭蕊？」

響屁爺道：「那是洋文，讀起來，就是巴比丘瑞。歌羅芳知道吧？你們用過多次，上回攻打剛健宅院，你們就用了歌羅芳。蓋幫主上回去天橋拔牙，那牙攤販子，也拿歌羅芳混事情。告訴你，那歌羅芳是舊款麻藥。這巴比丘瑞卻是新款麻藥，才發明問世沒幾年，價錢比歌羅芳貴多了。這倆人，瞧著不像中土之人，觀其衣著應是日本忍者，沒想到，其暗器居然用巴比秋瑞麻藥浸泡過。」

說到這兒，響屁爺有點大舌頭，話語咬字變得些許模糊道：「你瞧瞧，我只不過用舌頭舔了那暗器一下，現在，我舌頭都麻了。這巴比丘瑞，可厲害了，藥性比歌羅芳強不知多少倍。你們蓋幫主躺在地上，睡死了，怎麼也喊不醒。沒關係，我有法寶。」

言罷，響屁爺從口袋裡掏出個小琉璃瓶，瓶裡不知裝著啥子物件。就見響屁爺扭開那琉璃瓶瓶蓋，拿瓶口對著蓋喚天鼻子，稍微晃幾下，就聽見蓋喚天猛打噴嚏，倏而轉醒。響屁爺笑笑，收起琉璃瓶，對儲幼寧做個鬼臉道：「洋把戲，洋戲法，洋魔術，喚醒了中華花子幫幫主。」

儲幼寧問道：「響屁爺，那是啥物件？不是說那什麼剝皮臭蕊是最新、最厲害洋蒙汗藥，都把蓋幫主蒙得睡死了，怎麼你晃晃這琉璃瓶，幫主就醒了？」

響屁爺道：「這玩意兒，叫嗅鹽，專門讓迷糊之人清醒。凡是中了麻藥之人，拿嗅鹽放在鼻子前，吸進鼻腔，就能把人弄醒。不過，這玩意兒也不是好東西，有毒，能不碰，最好就不碰。這是沒辦法了，非得把蓋幫主弄醒，我才要他聞這毒物。」

蓋喚天醒來後，掙扎坐起，一時間，尚未完全清醒，先是怔忡發呆，繼而捏著喉嚨作嘔，乾嘔數次，嘔出一堆膽汁，嘔得兩眼紅通通，這才回過神來。響屁爺伸手，將蓋喚天拉起，擺了張椅子要蓋喚天坐下。蓋喚天見地上兩紫衣人，面露狐疑之色，瞧著儲幼寧。儲幼寧就把紫衣人夜襲之事，說了個全鬚全尾。蓋喚天聽完，大讚儲幼寧道：「兄弟，有你的，處置得宜，顧慮周全，你可以挑大樑單幹了。」

儲幼寧道：「大哥，這倆紫衣點子，我問不出什麼名堂來。我猜，這必然是東城丐幫馮家慶所為。尤其，外頭還有三個探子，在那兒鬼鬼祟祟，探頭探腦。我有個計較，我想，把這三人都逮進來，必然能問出個子丑寅卯。」

蓋喚天道：「那當然，現在人手不夠，等待會兒幫內眾人到了，我們就動手。」

繼而，蓋喚天轉頭，對響屁爺道：「我說，你這洋神甫，還真有本事，竟然能弄來八桿洋槍，四百發子藥。你們這些開教堂洋人，怎麼有這些個火器，要造反嗎？」

響屁爺道：「聽過沒有，天津教案？二十年前老事情了，天津那兒，暴民殺害天主教神甫、修女。在那之後，許多天主教教堂私下都置放了火器，萬一要是有事，關了教堂門，爬到鐘樓上，居高臨下，拿快槍打，一槍一個，殺光暴民。」

蓋喚天道：「好傢伙，你們天主教可厲害了，比我花子幫還厲害。來啊，弄點吃的來，煮一大鍋熱湯麵好了，再看看有沒有酒，賞幾盅酒，給咱們比利時洋神甫響屁爺喝喝。」

廚子還在守大門，探子前去，換了位置，要廚子回來，下廚弄吃的去。飯菜還沒弄得，外頭有人打門，進來七、八名花子幫眾。蓋喚天見援手到了，精神大振，調兵遣將，加上宅院裡原有人手，全都上陣。這批人，緩緩走到大門後，等大門一開，一夥人分作三股，往外就衝，將門外遠處鬼鬼祟祟三名探子，全揪進了宅院。

那三人，當然不依不饒，又喊又叫，不願就範。花子幫人多，三、四個伺候一個，將對方三人，又推又拉又架，全弄進大門裡。

進了門後，花子幫眾人如狼似虎，一陣臭揍，將這三人打趴在地，隨即捆上。蓋喚天親自問話，儲幼寧並響屁爺陪審。蓋喚天先不言語，要幫眾去廚房，向廚子要一塊帶皮豬肉。幫眾將豬肉送到，肥多瘦少，連皮五花肉，四四方方一塊。蓋喚天又向響屁爺使使眼色，要響屁爺拿出一枚洋槍子藥，用鑷子將子藥彈頭拔除，將彈殼裡所盛槍藥粉，倒於豬肉皮上。

繼而，蓋喚天派徒眾進他臥房，拿出一盒洋取燈小棍兒，擦著了，就著豬皮上點燃了槍藥粉，就聽見轟地一聲，那豬皮燒得焦黑，飄出一股焦臭味。蓋喚天瞧瞧地上躺著這三名探子，一人年紀較大，眼神狡詐，眼珠子咕嚕嚕直轉；第二人，則是瞧著篤實木訥；第三人，則還是個半大小子，了不起十五、六歲。

蓋喚天又使手勢、眼色，要響屁爺再拿出一枚子藥，又是拔去彈頭。繼而，響屁爺將彈殼交予蓋喚天，蓋喚天拿著那彈殼，蹲下身去，對著那半大小子，將槍藥粉全都倒於這半大小子胸口大褂上。那孩子拚命擺動身子，想將藥粉甩脫。無奈，他手腳被綁，槍藥粉又已陷入大褂布料，難以甩脫。

蓋喚天倒完槍藥粉，慢條斯理，從洋取燈盒中，捻出一根洋取燈小木棍，將棍頭上那火藥頭，按在地面一片破瓦上。眼看著，只要蓋喚天在瓦片上一劃，洋取燈小木棍就將著火。這半大小子看在眼裡，身子抖個不停，不待蓋喚天問話，就自顧自結結巴巴招供了：「別、別，別燒，爺、爺、爺兒，我招、我招，別燒我、別燒我。我們都、都、都是東城杆、杆、杆、杆兒上的。」

蓋喚天等三人聞言，彼此對看一眼，心中皆想：「原來如此，之前多方探聽，東城丐幫俱是不哼不哈，不響不動，好像認栽。原來，竟是多方準備，謀定後動。」

儲幼寧跟著幫腔，對蓋喚天道：「幫主，這小子還是個孩子，怕成這樣，算了，給他鬆了綁，賞一碗熱湯麵吃吃吧？」

蓋喚天點頭，隨即幫眾解開這半大小子身上繩子。此時，廚子亦已煮得了一大鍋熱湯麵，分置各式大小碗、盆、碟內，由幫眾端到院內，大夥兒一人一份，稀里呼嚕，吃得熱鬧。此外，又端出一壺酒，響屁爺喝得過癮，不住咂嘴，嘖嘖作響。

響屁爺吃喝過癮之際，歪著腦袋，瞧著地上那對紫衣男女，對儲幼寧、蓋喚天言道：「好事作到底，送佛上西天，既然把小探子身上繩索解了，也把這倆紫衣人給鬆綁吧？我瞧這倆寶貨，十成性命已經去了七成，蔫成這樣，都快沒氣了。要是再綁下去，綁久了，血脈窒礙，難以流通，全身上下都得廢了。」

蓋喚天拿過一柄單刀，連揮數下，割斷紫衣男女身上繩索。隨即，又把刀遞給儲幼寧，指著地上那年紀較大狡詐探子道：「賢弟，這刀拿過去。我問他話，他要是不答，或是亂答，你就把這刀橫著往上拋。刀拋上去，往下落，可能刀刃朝下，可能刀背朝下，也可能刀側身朝下。無論刀刃抑或刀背、刀身，都會落於這賊子肚皮上。是刀背、刀身，還是刀刃，就全憑老天爺作主了。」

說罷，蓋喚天抓過一碗熱湯麵，吸兩口麵湯，吃幾口麵條。之後，蓋喚天指著地上兩名紫衣人，對那年紀較大探子問道：「這倆人，是啥來頭？哪家哪派的？」

那探子還是眼珠子咕嚕嚕轉，拿不定主意，到底該不該答，該如何答。蓋喚天見狀，邊吃熱湯麵，邊朝儲幼寧撇撇嘴，儲幼寧隨即將單刀橫向上拋。儲幼寧技法精湛，到底是刀刃朝下，抑或刀背朝下，存乎他一念之間。他見蓋喚天眼色，曉得這是要嚇唬那狡詐探子，因而，儲幼寧刻意危言聳聽道：「大哥，我沒把握，要是刀刃朝下，這刀掉下來，非把這小子肚子開了不可。到時候，什麼胃囊子、大腸頭、小腸管，全都破肚而出，把你這院子都弄髒了。」

說罷，手一使勁，那單刀橫向高高拋起，繼而落下，刀身不斷旋轉，壓根瞧不清楚是刀刃朝下，還是刀背朝下。就聽見那探子高聲哀號，繼而，噗地一聲，那人糞門鬆脫，嚇得屎尿齊飛，之後，單刀落下，刀背朝下，砸在那人肚皮上。

瞬然間，院裡臭烘烘，屎味四處亂飄。那人嚇壞了，自顧自報起軍情：「我說，我說，那倆人，俱是朝鮮人。我聽幫內管事的說，這倆人祖上是山東人，逃荒，過海去了朝鮮，安家落戶，生了這倆人，兄妹。兩人講朝鮮話，但勉強也懂咱們漢話。後來，這兩兄妹去了日本，學什麼忍術，刀術好，善夜戰。我們幫在南城怡紅院開賭場，吃了大虧，去了六人，五人斷了腕脈，管事衛骷髏成了癡呆廢人。」

「大拿馮家慶，慶爺，動了怒氣，特別花了大錢，從東瀛請回這兩人。之前幾天，慶爺已經派人，到這兒來，把盤子都踩清楚了，曉得就只有一個姓儲的本事大，就要這倆人，先攻姓儲的房間，把姓儲的殺了，之後，其他事情就好辦了。我就知道這麼多，全是實話，全說了。」

儲幼寧若有所思，想起一事，翻身便走，回到自己房間。房內滿地破瓦片，火焰彈焦黑痕跡處處都是。儲幼寧定了定神，先撿起彈弓，繼而仔細蒐羅彈子，找回之前擊碎屋瓦所有彈子。將彈弓、彈子收妥後，儲幼寧繼續在房內仔細蒐羅，終於找到要找之物：末端吊著小鉛塊細線。

那細線，落於地上，沾染塵埃，但線身上，那濃濁汁液依稀還在。儲幼寧取了這細線，用手捲捲，將細線捲成一盤。捲好，用手指捏捏，將濃濁汁液聚到一處，約略還有一兩滴之量。

儲幼寧舉著這盤細線，走出屋子，到蓋喚天那兒，拿了單刀，又走到歪坐地上那高紫衣人跟前。儲幼寧一腳踏住那人肩膀，那人體力未復，又饑又渴，經儲幼寧這麼一踏，身子歪倒，仰臥地上。儲幼寧蹲下身去，右手拿刀尖抵住這人咽喉，左手拿著細線圈，對這人問道：「我知道，你講朝鮮話，但也曉得你還是能說漢話。我問，你答，你要不答，我就把這細線塞你嘴裡。」

那高紫衣人，果然通漢話，聽完儲幼寧此言，臉色大變，以古怪腔調講漢話道：「別弄，別弄，很毒，沾到嘴巴就死。」

儲幼寧見高紫衣人臉色大變，直呼有毒，不禁打了個寒顫，心想，真是鬼使神差，老天有眼，半夜裡睜開了眼睛。當時，這細線已經垂到眼前，濃稠毒汁順著細線往下滾，要是沒睜開眼睛，毒汁馬上就滾到自己嘴邊。即便沒滾到嘴裡，只要沾上了嘴唇，自己無意間必然用舌去舔，只要舔著了，現在躺在這兒的，就是自己，而非紫衣人。

想到此處，不禁怒火中燒，順手扔了細線圈，單刀離了那紫衣人咽喉，飛速往下剁去。儲幼寧算得精準，這一刀由上而下，直直剁下去，恰好把那紫衣男人右手中指，連根切下。就聽那人悶哼一聲，左手抓住右手，兩手紅通通，沾滿鮮血。響屁爺喝了幾盅，見狀放了酒杯，拿著藥箱過來，給那人止血包紮。

儲幼寧問那人道：「那是什麼毒？」

紫衣人腔調古怪回道：「鶴頂紅。」

儲幼寧不知這是啥物，瞧瞧響屁爺，又瞧瞧蓋喚天，響屁爺接碴道：「就是你們中醫所說砒霜，毒物，中這毒必死。」

儲幼寧揮揮單刀，指著地上那紫衣人說：「你和那女的，爬到屋頂上，揭了屋瓦，對我下這毒手。照理說，把你倆剮了都不為過，如今她瞎了兩眼，你斷去一指，這都算便宜的了。給我實話實說，你們是怎麼回事？什麼個來頭？」

那紫衣男子以古怪腔調漢語，斷斷續續，講了自己來歷。原來，這兩兄妹都是漢人底子，祖籍山東，只知道祖上姓高，兩人只有朝鮮名字，沒有漢名。兩人生於朝鮮，家貧，被家人賣到東瀛，自幼習忍術。之前，日本幕府時代，藩鎮林立，各藩藩主豢養武力，彼此攻伐不歇。除軍隊、武士外，亦各有刺客養成學堂，傳授忍者祕技，培植忍者刺客。

高氏兩兄妹自朝鮮賣至日本之際，幕府時代已然結束，明治天皇繼位。當其時，中國大清朝朝廷為同治皇帝主政。中國同治皇帝，日本明治天皇，皆推西化運動，中國稱「自強運動」，日本稱「明治維新」。

明治天皇繼位，幕府時代閉幕，日本天下歸於一統，藩鎮煙飛灰滅，藩主無須再畜養武士、忍者。因而，不肖武士轉為浪人，而忍者亦淪為暗殺刺客。這高家兄妹，在日本習忍術，學成後入浪人幫，待價而沽，由浪人幫中介，為銀錢賣藝，以狙殺為業。日前，接獲北京傳訊，聘兩人西去，搭快船至天津上岸，輾轉至北京。不想，出師不利，為儲幼寧所擒。

講到此處，紫衣男子潸然淚下，定眼瞧著紫衣女子。這兩人，自幼際遇殘酷，只能相依為命。兩人同習忍術，同為刺客，如出手刺敵，亦是兩人作伴同行。兩人自幼過慣冷酷生涯，生性亦冷酷，僅兄妹間有情有義，有手足之愛，對其餘人等，則是該殺就殺，該打就打。現如今，一人雙眼皆盲，另一人右手斷去中指，此身再難以忍術謀生。

想到悲愴之處，紫衣男人嘰哩咕嚕，對紫衣女子講了幾句番言，女子兩眼緊閉，點頭示意。隨即，兩人各自一揮，自腰際拔出把精鋼匕首，繼而使勁朝心臟刺入。儲幼寧一時失察，轉頭正與響屁爺對話，等回過頭來，高氏紫衣兄妹刺客已胸前深插短刀，氣絕而亡。

出了人命，事情麻煩。所幸者，此二人並非中土之人，而係東瀛忍者刺客，並且，並非他殺而係自殺，如此牽連較小。蓋喚天當即分派人手，或搭驢車，或上牛車，搭上三名探子俘虜，並兩具紫衣人屍首，殺奔東廠胡同而去。那「杆兒上的」丐幫治事之所，位於東城東廠胡同。

之前，九門提督榮祿曾命手下校尉傳話，告知蓋喚天，對付東城丐幫，可打蛇身，不可打蛇頭；越界枯枝雜葉，可以翦除，維持南城平靜，但不准壞了東城主幹。這話，蓋喚天清楚記得，但彼一時，此一時，形勢大不相同，東城丐幫已經殺上門來，花子幫自然不能坐視，須得痛下殺手，盪平東城丐幫老營。至於榮祿那兒，等事情辦完了，再想辦法疏通。

花子幫諸人殺氣騰騰，都說丐幫欺人太甚，非去打個落花流水不可。蓋喚天交代接戰心法：可傷人，不可殺人，其他，則是砸爛丐幫治事公堂。

眾人義氣昂揚，個個面帶殺氣，好似充足了氣大皮球，又蹦又跳，摩拳擦掌，就等著幫主下令開門，殺奔而出。這當口，蓋喚天對響屁爺揮揮手道：「洋神甫，您請吧，我們打架去了，您是神甫，回教堂去吧，這兒沒您的事了。」

響屁爺道：「蓋幫主，你這就外行了。聽過普法戰爭嗎？歐洲有兩大國，一個叫法蘭西，一個叫普魯士，十幾年前，就是大清朝鬧太平天國那幾年，歐洲這兩國打仗。這兩國，動員逾五十萬部隊，激烈對打，死人無數。知道嗎？這兩國都信羅馬天主教，兩國交兵，部隊裡都有天主教教士跟著走。這些教士，為部隊祈禱，激勵部隊人心，培養殺氣，人人都在天主上帝庇護之下，克敵致勝，殲滅強敵。」

「天主教教士上戰場，很尋常啦！聽著，我跟著你們去東廠胡同，我不幫忙，我已經把八桿洋槍、四百枚子藥，全都收回，放回馬車裡。我愛瞧熱鬧，跟著你們去，純粹瞧你們打架。我用膝蓋想都知道，儲幼寧武術天下無敵，連日本忍者都拿下了，東廠胡同那群乞丐，不會是他對手。我就是想瞧瞧儲幼寧打架，太好看了，沒見過武術如此高明之人。」

蓋喚天聞言大奇道：「慢點，慢點，你剛才說什麼？你再說一次。你剛才是不是說，歐洲有倆國家，都信奉羅馬天主教，拜同一個天主上帝，用同一本聖經，蓋一樣教堂，由一樣教士宣教。然後，打仗了，兩邊教士都出動，跟著隊伍上戰場，讀經念咒，要同一個上帝，把對方全給殺光光？你是這意思嗎？」

響屁爺道：「蓋幫主，你別大驚小怪，你們中國不也一樣？南北朝時殺成一團，交戰雙方，不都是信奉佛教嗎？還有，十幾年前鬧太平天國，髮匪說是拜上帝，喊著什麼『天父加天兄，一定平咸豐』。後來，英吉利、美利堅等信上帝國家，還不是組了洋槍隊，幫著朝廷在上海打髮匪。你不能這樣胡攪，誰說信同一個教，拜同一個神，就不能互動干戈，彼此打仗？」

「再者，我告訴你，我跟著你們去，對你們有好處。要知道，那東城杆兒上的，是皇家丐幫，主事大拿是醇王府所派。丐幫是狗，醇王府是狗主人，就算醇王府事前不知丐幫胡攪，你要去打丐幫這條狗，問過狗主人了嗎？稟知醇王府了嗎？你打丐幫，足足有餘，但別忘了，人家背後有醇王府，到時候醇王府動了公事，調派九門提督衙門或東城兵馬司，派了衙役兵丁把你們圍住，你們敢回手嗎？到時候，把你們一鍋端，全抓進牢去。」

「我要跟著，就不一樣了。我是洋人，你們大清朝各衙門裡當官兒的，從朝廷總理各國事務衙門，到地方總督、巡撫衙門，到州府縣衙門，全一個樣，見了洋人就怕。我跟著你，就是花子幫門神。我不摻和，也不介入，純粹就是中立瞧熱鬧。這樣，我不壞你大事，你可以拿我當門神，擋住衙門官兒，你說如何？」

響屁爺這一大套講完，蓋喚天回罵道：「響屁爺，你改行算了，別幹這勞什子神甫了。改明天，你到天橋去，和金牙秀才、魯定中搭夥說相聲去，保證每天能賺幾百制錢。屁放完了嗎？要是放完了，就跟著走。記著，我們只是牛車、驢車，沒你那馬車快，你得緩著點，別跑過了頭。」

第三十二章：撒魚網花子幫眾悉數被俘，關保險七桿洋槍一聲不響

幫眾分頭辦事，有人去後頭畜欄，牽出驢子、黃牛，套上車轅。蓋喚天與儲幼寧夥同幫眾，將三名丐幫探子俘虜，外帶兩具紫衣人屍首放置車上，眾人陸續上車。三名丐幫探子裡，有個之前被嚇得屎尿齊流，臭不可聞。這時候，拿麻袋裝了，稍微隔絕臭氣。人多，車擠，剩下幾個幫眾就發配給響屁爺，上了馬車。大門開處，驢車、牛車魚貫而出，響屁爺那馬車跟在後頭。

才到外頭，就見對面有人探頭探腦。儲幼寧對蓋喚天道：「大哥，半夜裡來了紫衣刺客，被我拿住，久久不回，丐幫就派了三名探子，到此探頭探腦，結果又被我們拿住。現下，丐幫見三名探子沒了訊息，又往這兒續派探子，要不要也拿下了？」

蓋喚天笑道：「賢弟，你這樣，來三個，拿三個。再來幾個，再拿下，我這車沒地方裝啊！算了，隨他們去，反正，待會兒就到東廠胡同，這回，可是大白天硬攻。老哥哥我，還是有請賢弟一上來就出狠招數，辣手把丐幫硬點子都弄傷，這樣，把場面鎮住，才有戲唱。」

儲幼寧亦笑道：「曉得，反正一起手，就把那馮家慶給廢了。」

三輛車迂迂迴迴，先向東，繼而向北，去了東廠胡同。丐幫那治事之所，位於東廠胡同深處，到

了大門口，對方顯已得知訊息，開了大門迎賓。大門開處，只見「杆兒上的」丐幫徒眾，兩旁肅立。領頭的，是個頦下蓄鼠鬚中年人，此人面色焦黃，眼下露白，中等個頭，倒背著兩手，對著三輛大車頷首微笑。

蓋嗅天對儲幼寧言道：「這，想必就是大拿馮家慶了。」

儲幼寧道：「小心點，大哥，我義父閻桐春曾說，眼下露白，心思難猜。你瞧瞧，這人眼眶裡，黑眼珠最底下，還露著眼白。一般人，黑眼珠下頭，就是眼皮，這人黑眼珠下頭，還有眼白。這就叫眼下露白，我義父說，這類人剛愎自負，十分難纏。」

蓋嗅天道：「管他的，照剛才講定，等下別和他囉唆，趕緊出手，制住這人。」

這時，就聽馮家慶高聲喊道：「貴客光臨，蓬蓽生輝，敝處狹隘，請諸貴客在門外下車，車留門外，人進門內。」

這宅院大門的確略窄，車難行入，因而，三輛車上眾人紛紛下車。響屁爺惦記著他那八桿洋槍擺在車上，沒人照護，因而，三下兩下，將八桿洋槍裹於油布之內，兩手使勁，奮力抱著，隨眾人往大門裡走。

那馮家慶上身微傾，兩手手心向上，手指朝向院內，做恭迎貴客狀。眾人悉數進了大門，連帶丐幫被俘三名探子、兩名紫衣忍者刺客屍身，亦都入了大門。

進門後，蓋嗅天這才發現，這院落有點古怪，竟然還搭著天棚。在北京，一般大戶人家，夏天均請棚舖子派工搭起天棚，遮蔽烈日，以收涼爽之效。到了秋風吹起時節，棚舖派人到府拆了天棚。那天棚，一般均以涼席為頂，涼席用了一夏，難免腐朽。那腐朽涼席，則轉賣予各路商舖小販，作為過冬燃料。

譬如，到了冬天，北京城處處可見糖炒天津栗子，而炒栗子燃料，往往即用拆下來涼棚蓆子。

這時候，都已初冬，這東廠胡同丐幫治事大院，院子裡卻還支著涼棚，蓋喚天見狀，心中大奇，不禁抬頭，審視這涼棚棚頂。一瞧之下，當下發覺古怪，這棚頂，蓆子底下，還掛著魚網。轉念間，蓋喚天曉得，中計了，因而大喊一聲：「小心，有埋伏。」

說時遲，那時快，就見兩旁列隊迎客丐幫徒眾，倏地四面散開，衝向涼棚柱子，解開魚網繩索。呼地一下，整張大魚網往下墜落。這魚網，大而沉，落下之後，將花子幫所有來人罩於網中。饒是儲幼寧耳聰目明，也措手不及，被魚網罩住，還未掙扎，就覺得腦袋上挨了一記，暈了過去。

待儲幼寧甦醒，就覺得頭暈腦漲，俯臥地上，手腳被嚴實捆住，腦袋頂門溼漉漉，想必腦袋開花，血流而出。

原來，馮家慶城府深沉，計謀多端，頗有運籌帷幄能耐，遇事總是多方策劃，對策不只一端。怡紅院賭攤被砸，六名徒眾，五人右手腕脈斲斷，一人成為癡呆，東城丐幫，南城鎩羽，馮家慶大受震動。之後，馮嚴厲部勒所屬，不得輕舉妄動，低調龜縮，僅在東城活動，嚴禁踏足南城。

花子幫幫主蓋喚天，原估測馮家慶必然反撲，詎料，長期偵伺，仍無動靜，因而，誤判形勢，以為馮家慶認栽，摸摸鼻子了事。

實則馮家慶謀定後動，先潛行蟄伏，隱忍不出，繼而尋覓管道，通往日本，重金聘得高氏紫衣忍者兄妹刺客。好比賭錢，善賭者動輒擺設多道賭注，東邊不亮，西邊亮，頭道賭注輸脫，還可指望二道賭注。馮家慶本此心法，除紫衣刺客外，還在蓋宅外頭，埋伏探子。頭批探子被執，立刻由二批探子遞補。

因而，南城先農壇蓋喚天宅院情勢，不斷有探子報回軍情。而為防二道賭注亦輸，馮家慶早早延請工匠，在東廠胡同丐幫治事院落搭建天棚，上頭敷設魚網，設置機關。果然，紫衣刺客被俘殉命，而探子也被花子幫所執，對方聲勢浩大，攻至東廠胡同。這第三道賭注，魚網陷阱卻是立了奇功，將花子幫上下，併同儲幼寧、響屁爺全都罩於網下，繼而捆上。

東城丐幫早就知曉，這裡頭只有儲幼寧武藝高強，最是難搞，因而，敲昏儲幼寧後，幾道麻繩，結結實實捆了個「寒鴨浮水」。亦即，趁儲幼寧昏沉未醒之際，將其放倒，面朝下，背朝上，兩手向後拉，兩腳向上提，將四肢捆成一處。此種捆法，最是傷身，被捆者全身緊繃，毫無使力之處。不僅於此，丐幫徒眾還在儲幼寧嘴中，塞上一顆麻核，阻其喊叫。

也是儲幼寧命不該絕，受敲之處位於腦門，而非腦後。腦門受擊，頭破血流，昏沉不醒，但後來終究轉醒，不失神智。倘若後腦勺被重擊，十之八九，小命玩完。

儲幼寧之外，其餘人等，則是手捆手，腳捆腳，令其坐於地上。

蓋喚天一臉懊惱，見儲幼寧五花大綁，俯置於地，不禁喊道：「兄弟，你沒事吧？」

儲幼寧嘴中含了麻核，根本無法言語，只能喉頭哼哼哈哈，以為回應。

倒是響屁爺，遭了難，還不改詼諧本性，對蓋喚天道：「他都綁成那樣了，怎麼會沒事？你這樣問他，不是廢話嘛！」

此時，就見馮家慶手裡提了根蠟桿槍，拿槍頭撥開響屁爺身旁那油布包裹，露出內裡八桿洋槍，得意洋洋道：「這筆買賣划算，不但把花子幫大檔頭給逮住了，還巴巴地有洋人上門，送來八桿洋槍。咦，這兒有槍沒彈。來啊，到門外去，搜搜那三輛大車，找找洋槍子藥去！」

須臾，手下抱回子藥布包，打開一看，幾百發洋槍子藥，俱在其中。

蓋喚天見儲幼寧被綁了個寒鴨浮水，曉得大勢已去，今日大約難逃活命，就算卑躬屈膝討饒，馮家慶也不會放眾人一條生路。因而，蓋喚天挺了挺身子，講話挺硬氣：「姓馮的，你淨使陰毒手法，先派刺客，後裝機關，看樣子，今天你要開殺戒。你滅了花子幫，也得不到好處，這南城地面，還是輪不到你。」

「花子幫管南城，那是督察院南城兵馬司指揮所，並同步軍統領衙門，兩家官府所共同指派。南城兵馬司倒也罷了，步軍統領衙門，你惹得起嗎？步軍統領榮祿榮大人，是當今太后老佛爺跟前紅人，真要鬧出事來，榮大人向上頭回報，到太后面前講理，你背後那醇王府，未必壓得住步軍統領衙門。」

馮家慶陰惻惻回道：「死鴨子還嘴硬，你這花子幫幫主，外加這助拳的外路小子，全落我手裡，外帶繞上個金毛鬼子，今天送你們歸位。別拿九門提督唬我，你們這幾條賤命，九門提督還看不在眼裡。等我把你們辦完了，回稟王爺，就說你們裏通外國，拿了八桿洋槍，到這兒來圖謀不軌。」

「你不說太后還好，既然你說了太后，你可曉得，太后老佛爺最恨什麼？她老人家最恨的，不是洋鬼子，不是大毛子，而是最恨你們這班假洋鬼子，這班二毛子，抱著洋人大腿，對自己同胞耍狠。就憑這金毛洋人，外帶八桿洋槍，咱們醇王爺在西太后面前講理，就不落下風。」

金毛洋人轡屁爺，聽馮家慶言語，竟把自己扯了進去，不禁靈機一動，操著京片子對馮家慶道：「那什麼，你說，要向太后老佛爺告狀，說什麼裏通外國，圖謀不軌。我問你，你聽過治外法權嗎？」

馮家慶道：「什麼治外法權，治內法權，老子我管你什麼權，都沒老子鐵拳厲害。你再囉嗦，老子把你一頓臭揍，揍完了，你要是還有口氣，再對我說什麼法權。」

響屁爺道：「好吧，我心懷慈悲，有心搭救你，是你自己執迷不悟。等醇王爺把你綁上，背後插根草標，推到菜市口斬腦袋，你再後悔沒聽我講治外法權，也太晚了。」

說到這兒，蓋喚天跟著起鬨道：「死洋和尚，別告訴他，別對他說，讓他去，讓他闖禍去，瞧以後醇王爺怎麼收拾他。」

兩人一搭一唱，馮家慶心裡不禁犯起了嘀咕。自道光皇帝以降，到現在光緒皇帝，大清朝一百年來沒少吃洋人虧。朝廷與英吉利國、法蘭西國打過好幾仗，每仗皆輸，甚至，兩國聯軍還攻入北京，燒了圓明園，把咸豐皇帝攆到熱河去。朝廷一方面恨死洋人，另方面，卻怕死洋人，到底，該處置如何眼前這洋和尚，委實是道難題。

朝「恨洋人」方向想，殺了這洋人，就能邀得上賞。朝「怕洋人」方向想，要是殺了這洋人，恐怕自己就得抵命。到底殺是不殺，委實難決，豁然間，馮家慶頓悟個中道理：現在殺了，以後要後悔，人死不能復生，救都沒得救；現在不殺，以後如須殺，以後再殺。

想到此處，馮家慶臉上殺氣盡去，面色轉和，響屁爺見狀，曉得危機已過，於是，說單口相聲一般，哩哩哇啦，講了一大套：「這治外法權，就是洋人在中國犯了事，得交給洋人政府去處置，中國政府不得過問。要是過問，就違犯兩國條約，得查辦失職官兒，並賠償銀兩，還派大臣去洋人國家謝罪。這事情，你知道嗎？」

「什麼賠償銀兩，什麼派大臣出洋謝罪，與你無關。不過，這查辦失職官兒，恐怕就會要了你小命。你想，你要把我怎麼樣了，比利時政府向大清朝朝廷抗議，朝廷必定追究責任，你歸醇王府管，就是追究醇王責任。到時候，你想想，醇王會拿你如何？」

馮家慶聞言，背後嚇出冷汗，心想，剛才幸好沒莽撞，一槍戳死這洋鬼子，否則，現在麻煩大了。念及此處，他揮揮手道：「來啊，把這洋人鬆綁放了。」

響屁爺手腳活動活動，嘴巴繼續說著：「哪，馮管事放了我，我無以為報。這樣好了，這八桿洋槍，就算是一點小意思，報效予東城丐幫。不過，貴幫上下大約還不會使這洋槍，我先打一槍，示範示範，你們跟著我，好好學著點。」

馮家慶道：「慢著，你要用洋槍？你和這花子幫一道過來，我怎知道，你這是不是詭計，假借示範，背後打我一槍？」

響屁爺道：「哎呀，您不知道啊？歐西國家有個規矩，叫中立。這中立，就是說，兩邊交戰，第三方可到戰場觀看兩邊交鋒，但誰也不幫。我雖跟著花子幫來，但我卻是中立，誰也不幫。您也瞧見了，我這八桿洋槍，都是我自己抱著，那一包槍子藥，也放在車上。我要是幫著花子幫，壓根可以事前就把八桿洋槍分給他們，把幾百發子藥也分給他們。」

「那樣，適才你們一開大門，這花子幫就八桿洋槍齊發，你們還有命嗎？正因為我是中立，兩邊不幫，這才把洋槍、槍子藥，都另外存放。這道理，你懂嗎？」

馮家慶想想，也有道理，但為求保險，乃對響屁爺道：「八桿洋槍，你先拿七桿，裝上子藥，給我手下。剩下一桿，你自己拿著，示範如何射洋槍。」

響屁爺道：「妙哉，妙哉，此計大妙。」

於是，響屁爺將八桿洋槍，一一裝上子藥，又將其中七桿，交給七名東城丐幫徒眾。眾人雖沒使過洋槍，但沒吃過豬肉，也見過豬走路，早見過朝廷各衙門兵丁扛洋槍過市，曉得只要扣了槍舌，即能擊發。

響屁爺鄭重其事，告誡諸丐幫幫眾道：「各位，你們不妨拿槍指著我，但手指頭千萬離那槍舌遠點，只要碰了槍舌，這槍就發射，子藥衝我而來。我死了不要緊，要命的是，我背後比利時政府，就會追究這事，行文貴國總理事務衙門，追問這響屁爺是如何死的？到時候，查明白了，是東城丐幫打死的，那麼，你們丐幫上下，包括管事大拿馮家慶，全都會被醇王砍腦袋。」

這番話，說得馮家慶警惕之心大起，多方交代手下，只能拿槍指著響屁爺，手指頭不能碰槍舌頭。

繼而，響屁爺要起洋槍，有模有樣，指著幾十步開外，一塊圓形石頭道：「馮管事，我打一槍，隔著幾十步，能打中遠處那圓石頭。不過，打槍前，有一事懇請馮管事答應。」

說到此處，響屁爺指指地上儲幼寧道：「這人，我知道，今天必死無疑，但他早就想瞧我射槍。我想，讓他死前，瞧瞧我打槍模樣兒。現在，他俯躺地上，被綁成這樣，根本瞧不成。懇請馮管事，把他翻過來，綁還是綁，但不要這樣趴著綁。」

馮家慶心想，這是自家宅院，手下手裡有七桿洋槍，其餘人等手裡皆有刀槍，就算把儲幼寧翻過來，也無所懼。因而，使個眼色，對手下道：「把手腳分開，各自綁，讓他坐起。嘴裡那麻核，也給他拿掉。」

待儲幼寧坐起，響屁爺又東拉西扯，大講西洋軍火犀利特性。蓋喚天瞧在眼裡，曉得響屁爺這是拖延時間，好讓儲幼寧緩過氣來，活動血脈。然而，蓋喚天也不知響屁爺葫蘆裏，賣的是何膏藥。

響屁爺東拉西扯，總算扯完。繼而，對馮家慶道：「馮管事，我這就要射槍，為了讓這小子瞧我射槍，我採坐姿，坐在這小子身前射槍。跟您說，您站在那兒，看不真切，您最好移步，朝右邊走十幾步。這樣，角度才對，您才能瞧得真切。」

馮家慶想想有理，就依響屁爺建言，朝右走了十幾步。如此，響屁爺依傍著儲幼寧，是為一點；遠處圓石頭，是為第二點；右邊馮家慶，是為第三點。此三點，恰好呈三角之狀。

儲幼寧原先亦不知響屁爺是何打算，待響屁爺要馮家慶移步向右時，儲幼寧豁然而通，曉得響屁爺要搞什麼鬼。

響屁爺坐下，恰好坐在儲幼寧身前。繼而，響屁爺左手端起槍脖子，右手抓著槍腰，端起了洋槍，將槍屁股頂緊了右肩窩，然後低頭，將右臉頰貼緊了洋槍左屁股。就見響屁爺兩膝併攏而坐，兩臂胳肢窩穩穩置於兩膝膝蓋頭上，躬著腰，身軀前傾，左眼緊閉，右眼圓睜，順著槍身，朝前方圓石瞧去。

響屁爺身後頭，儲幼寧也是緊閉左眼，右眼忽而瞧瞧圓石，忽而瞧瞧右邊馮家慶，似是估測兩者距離。就聽見響屁爺問道：「彎曲夠了嗎？」

儲幼寧則道：「彎曲太過，彎過頭了，往左偏一點。不行，不行，移動太多，往左偏過頭了，這樣就彎曲太少。所以，再朝右邊偏一點，慢慢，慢慢，好了，現在彎曲剛好。」

就聽見轟然一聲，槍子朝前方大圓石飛去。擊中大圓石後，槍子倏地反彈，彎曲轉向，朝右偏移，飛向馮家慶。這一切，有如電光石火，瞬間而過。轟隆之後，就聽見馮家慶慘叫一聲，翻倒於地，滿臉是血。

眾東城丐幫徒眾，見響屁爺槍子竟然會轉彎，傷了丐幫管事大拿馮家慶，無不大驚，舉刀挺槍，朝響屁爺直攻過來。七名丐幫徒眾手中均有洋槍，當即舉槍對著響屁爺，拿手指頭去扣那槍舌，打算將響屁爺斃於槍下。詎料，七人都沒法將槍扣響。這響屁爺，毫不含糊，一手奪下一把洋槍，順手一揮，拿洋槍槍屁股，敲在那丐幫徒眾下巴上，將之敲昏。

繼而，響屁爺右手持槍，左手在槍身左側推一下，然後舉槍，對準舉刀挺槍攻過來徒眾腿部，射出一槍。當場，一名丐幫徒眾腿部中槍，軟腿倒地。其餘六名持洋槍幫眾還在搗弄那洋槍，卻是怎麼也打不響，響屁爺搶過第二把洋槍，又是順手一揮，將持槍徒眾打倒在地，接著摸一下槍身，然後發射，又射倒一名攻過來徒眾。

如此這般，響屁爺一而再，再而三，三而四，連番炮製，連續搶下七桿洋槍，用槍屁股打昏七名持槍徒眾，又拿槍射倒七名持刀舉槍攻過來徒眾。工夫不大，響屁爺單身一人，就射翻丐幫管事大拿馮家慶，又撂倒十四名丐幫幫眾。

這下子，剩餘丐幫徒眾皆以為這金毛洋人會變仙法，皆不敢過來。於是，響屁爺慢條斯理，地上撿起一把單刀，將儲幼寧、蓋喚天等人身上繩索盡數割斷，蓋喚天又去割除花子幫幫眾身上繩索。時候不大，這東城東廠胡同丐幫治事大院裡，主客形勢易位，響屁爺立大功，救了花子幫上下諸人並儲幼寧性命。

蓋喚天心中感激，但嘴上仍是不依不饒，依舊與響屁爺抬槓：「你這洋人，變什麼戲法，怎麼槍在他們手裡不響，到你手裡，卻打響傷人？」

響屁爺道：「每把槍，無論長槍、短槍，俱都有鎖。我們管這叫保險。我把七桿洋槍交予他們之際，動了手腳，關了保險，等於把鎖全給鎖上。我奪回長槍後，左手往槍身那兒一切，就開保險，等於開了鎖，就這麼簡單。」

這時，丐幫幫眾潰散，貼著大院邊，遠遠瞧著花子幫諸人。丐幫管事大拿馮家慶已為人扶起，此時，他臉上血流漸止，但見血肉模糊，人也疼得半昏半醒，神智有點糊塗，但並未不省人事。

院內場面，已由花子幫鎮住，丐幫諸人乍經巨變，此時尚未回過神來，也就是遠遠瞧著。響屁爺翻身便走，到了大門外馬車上，取下藥箱，救治八名中槍丐幫。這裡頭，三名丐幫徒眾腿上中槍部位，恰好切斷大血脈，失血太過，臉上蒼白，毫無血色，已然失了神智。響屁爺見了，搖搖頭，嘆口氣，接著往下瞧。其他四名腿部中槍幫眾，或傷筋，或傷骨，或僅傷皮肉。這四人，有些將成殘廢，有些則無大礙，但均性命無妨。

響屁爺敷藥急救，要其餘幫眾取來乾淨衣物，撕成布條，裹紮傷口。繼而，響屁爺趨前探視馮家慶。馮家慶傷勢古怪，那跳彈飛向馮家慶，恰恰自馮右臉頰入，貫穿嘴部，再穿透左臉頰而出。彈丸飛速旋轉，在馮家慶嘴內，擊碎馮多顆大牙。大牙被擊粉碎，碎牙片在馮嘴內亂竄，扎入舌、喉、鼻、顎，但並未切斷大血脈，故而血流一陣之後，流勢漸減。

響屁爺揮揮手，要丐幫幫眾抬起馮家慶，抬到院中，又要人戳破天棚，讓耀眼陽光揮灑而下。繼而，響屁爺蹲在地上，就著陽光，掰開馮家慶嘴巴，拿鑷子慢慢鉗出馮嘴內碎牙片。

響屁爺忙著搗弄馮家慶嘴內碎牙片，蓋喚天則心裡打著草稿，想著該如何出言震懾丐幫剩餘徒眾。先前為響屁爺用洋槍屁股，所擊昏七名丐幫幫眾亦都甦醒。響屁爺忙著施行手術，蓋喚天則將丐幫剩餘徒眾聚攏，邊說理，邊威嚇，將東城「杆兒上的」丐幫，與南城花子幫之間過節，詳詳細細，說了分明。

蓋喚天道：「大家都是跑江湖混飯吃，你走你的陽關道，我過我的獨木橋，大家井水不犯河水，丐幫在東城發財，我們花子幫在南城混世，大家本來就相安無事。之前，丐幫管事者腦袋清楚，守著本分，一點事都沒有。現在，這大拿馮家慶，不是好人，犯了渾，竟然到南城來撒野。各位想想，要是南城花子幫到東城闖天下，侵門踏戶，你們丐幫會如何處置？當然會誓死反擊，把花子幫打出去，是不是？同樣，丐幫從東城到南城，搶花子幫地盤，花子幫當然要拚死反抗。」

「就這樣，兩邊殺上了，誰本事大，誰就贏，成王敗寇，就這道理。怡紅院賭攤傷了貴幫六人，那也是命。你們丐幫找了日本忍者，昨天夜裡到我家行刺，幸虧我有高手幫忙，否則，現在早死了。你們這兒設下魚網大陣，擺明了就要置上門花子幫諸人死地。現如今，花子幫反敗為勝，你們又死了三位弟兄，剩下五人，四人腿傷，你們管事大拿，則是嘴巴中槍。這，也是命，闖江湖，就是刀頭舔血。眼下，總共八人，死三人，傷五人，都舔了血。」

「剩下來，你們這群人要還是想嚐嚐舔血味道，我們奉陪，殺到你們全趴下為止。要不想舔血，我花子幫得饒人處也會饒人，大家就此算了。你們這群人裡頭，總有腦袋清楚、口齒便給之人，之後去醇王府，把這事情從頭到尾，向醇王稟報清楚。」

「我再說一次，今天這事，是你們丐幫設陷阱，存心要滅絕花子幫。這洋人，也沒拿槍對著你們管事大拿，那是槍子兒自己轉彎，恰好打中馮管事臉上。至於其他七人，腿部被這洋人打傷，還死了其中三人，那是這些人舉刀執槍，要取這洋人性命。這洋人這是為了保命，所以才開槍，而且，都是朝腿上開，沒朝身上打。七人腿上中槍，三人運氣不好，被打斷腿上大血脈，那也是命該如此。」

「總之，這事情要是報官，鬧上衙門，就牽扯到一個叫比利時歐西洋國。各位也知道，咱們北京城二十幾年前，都被洋人攻進來，害得咸豐皇帝逃到熱河去保命。在那之後，朝廷只要碰到洋人事情，總是又害怕，又吃虧。因而，眼前這事情可大可小，要是報了官，衙門偏袒洋人，反而治你們丐幫之罪。到如今，你們本來沒事，倘若把事情鬧大，衙門反而會將你等拿下，關進牢裡。這裡頭道理，你們想想，可別犯糊塗。」

說到這兒，那響屁爺蹲在地上，邊給馮家慶夾牙碎片，邊大聲嚷嚷道：「好個蓋幫主，真是能言善道，貴國總理各國事務衙門沒請你去當客卿，是他們瞎了眼睛。」

響屁爺足足搗弄了一個時辰，才把馮家慶嘴裡碎牙片給清理乾淨。這時，馮家慶嘴裡血流已然止住，神智也恢復清醒，但因流血頗多，加上嘴受槍擊，此時精神委頓，癱於地面。響屁爺收拾收拾療傷器具，對馮家慶說：「你臉頰為槍子兒所穿，皮肉傷無大礙，找漢醫郎中，往下治療就可收口痊癒。問題是，你碎牙在嘴裡亂竄，傷了你舌根，也傷了你咽喉。」

「舌頭受重創，加上碎了一堆牙，日後你言語含混，咬字不清，話是講不明白了。咽喉受傷，那兒有塊軟骨，本來靈活運轉，你嚥下飲食時，那軟骨遮蔽氣管，讓飲食進入食管。反之，你吸氣、吐氣時，那軟骨遮蔽食管，好讓氣息進出氣管。現如今，你這軟骨被碎牙所傷，活動窒礙，以後吃飯喝水得小心，免得飯菜落入氣管，咳得你眼冒金星。因而，以後飲食之際，要心神專注，切忌邊吃喝，邊與人講話。」

這一仗，連儲幼寧都吃了癟，要不是響屁爺那八桿洋槍，眾人現在早就被馮家慶宰了，早埋到地裡去了。儲幼寧手腳被綁過久，這時還沒恢復過來，此時，聽響屁爺對馮家慶如此交代事情，不禁奇道：「響屁爺，你這是怎麼回事？你是洋和尚，卻拿了槍殺人。既然殺人，殺完了，事後又救治。要嘛，既然當和尚，就別殺生。要嘛，既然殺了，殺完就別治。」

響屁爺回道：「這你們就不懂了，天主教拜上帝爺，這上帝爺，可不是爛好人，上帝爺可不吃素。你們是沒瞧過聖經，上帝爺黑白分明，該好的時候好，該殺的時候，整座城池屠個精光，一個都不饒。更何況，今兒個這事，放在歐西國家法律，我這叫自我防衛，亦即是保護我自己。剛才蓋幫主已然說了，我拿槍打石頭，槍子兒不長眼睛，被石頭碰飛，這才擊中馮管事臉頰。誰知道，馮管事手下七人拿洋槍射我，另一堆人持刀舉槍要殺我，說不得，我只好自衛傷人。」

「至於說，殺了人之後，又給醫治，這就是西洋騎士道。這東西，你們東方人不懂。」

響屁爺這話，讓儲幼寧想起，在揚州時，與英吉利洋人義律往還，還一起攻打崇明島，收復金家漁場。當時，義律即幾度強調騎士道，明明和美利堅人阿柏斯達持短洋槍對決，義律槍傷阿柏斯達腿部。打完了，卻是又摟又抱，兄弟一般護著阿柏斯達，替阿柏斯達找船，吩咐水手飛速航向上海，找醫生療傷。此類事體，在大清朝絕不可能發生。

東城東廠胡同這一仗，靠著比利時洋神甫尚皮耶先使詭計，重創馮家慶，繼而又使詭計，讓丐幫洋槍打不響，這才讓花子幫上下死裡逃生，進而扭轉局面，反敗為勝。眾人回到先農壇蓋嗅天宅邸，蓋嗅天要廚子趕緊外出採買，隨後整治豐盛宴席，眾人有桌坐桌，無桌席地，哄然吃喝，慶賀重生。

次日，蓋嗅天獨自外出，又去步軍統領衙門，這回，不再請值班校尉傳話，而是指名要見步軍統領榮祿。

前日東廠胡同惡戰，又與永定門外張家塘子密林比武不同。張家塘子畢竟在北京城外，人煙稀少，就算比武弄出人命，就地埋了，外頭未必知曉。東廠胡同則不同，位於北京城內，又是皇家所豢養丐幫治事之地，一場惡戰，槍聲不絕，三死五傷，事關重大。步軍統領衙門耳目眾多，步軍統領榮祿當天晚上即已知曉，原本就打算傳蓋喚天來問話。

如今，蓋喚天自己過來，榮祿獲悉，自然立即召見。

榮祿掌管京師地面治安，出了如此大事，攸關自己腦袋上烏紗帽，倘若不能尋得歸罪對象，自己這九門提督寶位，恐怕難以穩坐。因而，見到蓋喚天後，榮祿震怒，一陣毒罵，眼看著就要拿禍首罪名，套在蓋喚天腦袋上。蓋喚天則是不慌不忙，細說從頭，一路往下講，講到高氏紫衣忍者刺客，特地自東瀛至北京，夜探蓋宅，欲行刺儲幼寧之際，榮祿眉頭終於舒展，臉上殺氣瞬間抹去。

江湖人物是生是死，榮祿全不掛心，更不在乎。他所在乎者，在於醇親王。「杆兒上的」在東城、西城各設有治事之所，各由不同家臣掌管，如同兩撥丐幫。這兩撥丐幫，都由醇王府打理。西城丐幫，平靜無事，東城丐幫，卻受南城花子幫重創。而南城花子幫，則為九門提督榮祿螟蛉寵物。此事，自然令醇王不快。榮祿這九門提督在京城裡威震庶民，然若論地位等級，不及鐵帽子親王遠矣。

故而榮祿初聞東廠胡同之事，心中頗有涼水澆頭，懷裡抱冰之感。如今，聽蓋喚天言及，東城丐幫竟然重金禮聘日本忍者刺客，到北京行刺，榮祿心裡，這才把大石頭放了下來。要知道，咸豐皇帝歸天後，繼而由同治皇帝繼位，皇帝年幼，由母后慈禧垂簾聽政。同治之後則是光緒，亦是由太后老佛爺主政。同、光年間，大清國推「自強運動」，學習歐西國家，也追尋船堅炮利。

在此同時，日本出了明治天皇，登基時日較同治皇帝晚五年，也厲行「明治維新」，清、日兩國皆走西化路線，兩邊較勁，卻是日本遠勝中國。對此，太后老佛爺心中積怨甚深，這一點，榮祿深切明瞭。如今，醇王府所管轄東城丐幫，竟然重金禮聘日本忍者刺客，到北京殺人，此事若傳入太后老佛爺耳中，定然重責主事者醇王。

個中厲害，榮祿明白，醇王也深知。因而，醇王定然摸摸鼻子，自認倒楣，絕不敢拿這事尋榮祿晦氣。醇王明白，如就東廠胡同卯上榮祿，榮祿只要透過總管太監李連英吹耳旁風，在太后飯後繞彎散步時，將此事說趣事一般說予太后，太后必然震怒，醇王必然遭殃。

念及此處，榮祿釋懷，未有責罰蓋喚天，僅諭知蓋喚天，日後做事要小心謹慎，看好南城地面治安。

至此，東廠胡同風暴，就此全然揭過。

第三十三章：遞名刺護軍首領登門求情，進克食冒牌太監真相畢露

時光易苒，匆匆之間，時序已近臘月。東廠胡同惡戰早已了結，儲幼寧早該南歸，但他就是磨磨蹭蹭，每日裡總有各色閒雜瑣事，讓他分不開身，亦始終沒訂下離京南歸時程。為何如此，儲幼寧自己也說不上來，反正，就彷彿是蒙童進學，貪玩忘我，總也不願拿起書本。

當局者迷，旁觀者清，這一日，洋神甫響屁爺又到蓋宅串門，見儲幼寧在宅院內四處晃蕩，就閒閒言言道：「你不是幾個月前就準備好了，要離開北京，回揚州去？後來，為了打東城丐幫，你分不開身，沒有走成。現下，咱們早就打服了東城丐幫，你都沒事了，還在北京晃蕩什麼？」

蓋喚天道：「他心裡那點事，我清楚，不就是為了天橋唱戲的韓丫頭嘛！」

聽蓋喚天如此剝皮見肉，一刀見血說法，儲幼寧尷尬言道：「都臘月了，兼程趕路，不方便，等開了春再走。」

蓋喚天道：「前幾日，揚州又有電報來，催他回家，他哼哼哈哈，也沒句確實話，含含混混，也回了封電報，就說要年後才能南行。」

「兄弟，你死了心吧，韓家丫頭不是你能娶的。郎有情，妹有意，無奈，她雖不是羅敷有夫，你

卻是使君有婦。你南方媳婦，還有媳婦背後一大家子姓金的，不會讓你如願再娶韓家丫頭。」

這話，儲幼寧聽了心煩，他亦曉得蓋喚天所言屬實，但聽在耳裡，卻是格外刺耳，因而接碴道：「說了年後走，就是年後走，大哥別再說了。」

響屁爺道：「對啦，年後開春再走。既然這樣，我有一事託你。還記得吧？那個想當太監，結果沒當成的牛雙喜？當初我就說了，我寫封信去天津，問問紫竹林聖路易天主堂，需不需要雜役小廝。對方回信之前，牛雙喜先跟我回西什庫，那兒正蓋著大教堂。大教堂還沒蓋好，旁邊先暫時弄了個小教堂，我就在那小教堂裡當神甫，一邊傳教，一邊幫著監造西什庫大教堂。牛雙喜先隨我去，住在小教堂裡，幫我做些雜事。只要他不離開教堂，官面上衙門差役，不會進教堂抓他。」

「但我那教堂裡，還有其他神甫，我在那兒做不了主，所以，牛雙喜只能暫時住一陣子。北京不是他久留之地，他還是去天津比較好。如今，天津聖路易堂那法蘭西神甫寫了回信，說是那兒還有雜役缺額，答應讓牛雙喜前去。這樣好了，等過了年，就請儲幼寧帶著牛雙喜，去天津聖路易教堂好了。等到了天津，把人交接了，儲幼寧再從天津搭海船，到上海。然後，從上海搭江輪，溯長江回揚州。」

蓋喚天道：「此計大妙，就這樣了。兄弟，北京是好地方，我也盼著你在北京。你雖未入我花子幫，但等同我花子幫人，救了花子幫上下不知多少次，咱們共同出生入死，東城十條胡同剛健宅院搶金剛杵那一仗，東廠胡同打丐幫那一仗，兩仗打下來，咱們都是過命交情。」

儲幼寧接著蓋喚天話碴子道：「大哥，要不說這兩仗倒還罷了，說起這兩仗，還是全仗著響屁爺幫忙。頭一仗，咱們倆受重傷，您那胳膊，眼看著就保不住了，全靠響屁爺茅房坑裡出仙著，弄出白蛆法寶，這才保住大哥那條臂膀。東廠胡同更別說了，要不是這金毛洋人助拳，我們十九層地獄都逛一遍了。」

蓋喚天道：「對了，說到東廠胡同，這兩天底下探子回報，說是醇王府又把王府大管家福信內弟，那叫明樂的傢伙給招了回去，要他官復原職，還是他當東城「杆兒上的」管事副統領。他原本就幹著這職位，後來不知為何把他踢下去，換了馮家慶，才攪出那麼許多事來。聽說，馮家慶嘴傷痊癒之後，講話成了大舌頭，咿哩呱喇，話都講不清楚。他被醇王府攆了出去，還在東城一帶混世，只是愈混愈回去了。」

三人正亂言談話，門口雜役來報，手中拿了張一尺來長名刺，說是門外有護軍首領，名為毓明者，求見蓋喚天。蓋喚天接過那一尺來長名刺，上頭寫著「禁城護軍首領毓明頓首」。

蓋喚天覺得奇怪，當即要廚房準備茶點，並將大廳稍事整理，隨即延請毓明入屋。

蓋喚天為江湖人物，宅院雖大，卻失於打理，平日裡多是在住屋、院落等地活動，宅子裡雖有廳堂，但雖設而常關。今日，竟有禁軍首領持名刺求見，自然慎重，請客人到廳堂說話。當下，儲幼寧、響屁爺也隨蓋喚天進至廳堂，會見毓明。

這毓明，沒穿護軍官服，反而是長袍馬褂罩身，頭戴瓜皮帽，帽上正中鑲著碧玉，手上戴著扳指，腰上繫著荷包，一副旗人作派。毓明禮數頗恭，舉手投足、言談話語，都禮敬蓋喚天，恭維話說起來沒完。

毓明與蓋喚天素昧生平，如今突然跑到蓋宅來，迷糊湯一碗一碗灌，蓋喚天也覺奇怪。然而，伸手不打笑臉人，既然毓明敬蓋喚天一尺，蓋喚天只好回敬毓明一丈。就這樣，兩方面客氣話拋來拋去，不著邊際。末了，洋神甫饗屁爺看不過去，打岔道：「你們有完沒完？恭維話你拋來，我甩去，客氣個沒完。客氣過了頭，就是虛偽，這位爺兒們，有話快說，有屁快放。」

毓明依舊謙遜，低聲下氣言道：「小可冒昧直闖蓋幫主府上，實是有要事相求。」

繼而，毓明細說分明，講了來訪原委。原來，這毓明竟是為了肅庭而來。那肅庭在香木金剛杵一案裡，為剛健所攬，假扮驍騎營都統，衝入西藏喇嘛貢葛寧波切宅院，假意揭露姦情，實則奪走香木金剛杵。後來，肅庭又媒介盛京三霸，圖謀篡奪花子幫南城地盤。結果，永定門外張家塘子密林惡戰，盛京三霸兩死一殘，花子幫則是二當家殉命。

當時，蓋喚天、儲幼寧將肅庭綁於樹上，嚴詞審問，問出香木金剛杵下落，末了，饒了肅庭一命，威嚇他就此遠走高飛，否則，下次見了，必然擊殺。

毓明言辭懇切，語氣恭順道：「幾位爺，在下雖然在禁城護軍當著首領，其實當初還是靠肅爺提拔，這才有今天。那香木金剛杵之事，幾位爺們也知道，後來無論是內務府大臣廣順，抑或九門提督榮祿，兩位大人都不追究此事。兩位爺瞧瞧，那香木金剛杵案，始作俑者內務府包衣佐領剛健，現在好端端地，繼續當他的包衣佐領。相較之下，肅庭肅爺卻是有家歸不得，還在外地浪蕩。」

「兩位爺，肅爺當初倉皇逃離北京，為的是兩樁事。其一，是盜取香木金剛杵。其二，則是盛京三霸硬踩花子幫地盤。現如今，香木金剛杵一案，已然揭過，不會追究，就剩下花子幫這兒。未知，蓋幫主能否高抬貴手，也揭過盛京三霸之事？倘若蓋幫主大人大量，不再計較此事，那麼，等於賞了肅爺一條活路。實話實說，禁城護軍還有校尉缺額，等著肅庭肅爺回來。蓋幫主一句話，肅爺就能倦鳥歸巢，重回北京，再當禁軍校尉。未知，蓋幫主能否玉成其事？」

蓋喚天聞言，長嘆一聲道：「唉，江湖生涯，全是刀頭舔血勾當。這一年時間裡，我花子幫二當家花花閻王張超、三當家花花太歲管漢超，一個膝蓋碎裂，終生殘廢；另一個力戰而死，命喪張家塘子。」

說到這兒，儲幼寧起身，對蓋喚天歉然道：「大哥，都是我不好，當初就顧著揚名聲顯威風，下辣手，廢了花子幫三當家以下諸多兄弟。」

蓋喚天正色道：「兄弟，你救花子幫上下性命不只一回，花子幫全體幫眾欠你不曉得多少條人命。」

說罷，蓋喚天轉過頭來，對著毓明道：「毓爺，花花轎子人人抬，既然您說官府衙門已放過肅庭，我這兒也作順水人情，就此了帳。你要他回來吧，過去的事情，我就不再追究了。咳，回頭想想，這真是所為何來？好好日子不過，從盛京跑到北京來，硬踩花子幫地盤，結果鬧得三兄弟兩死一殘，也賠上我花子幫二當家。這事，是怎麼說呢？」

說到此處，蓋喚天眼角略略泛起淚光。毓明見狀，一揖到地道：「蓋幫主大人大量，在下此處代肅庭肅爺謝過。為報答蓋幫主恢弘雅量，小可斗膽作主，安排蓋幫主與這位儲少俠，悄然進宮，與護軍同僚一起享用克食。」

之後，毓明細說從頭，解釋這「克食」之事。此事源頭是真是假，莫可究詰，緣由真假，無人能斷，但橫豎留下了規矩。

傳說清太祖努爾哈赤年輕時，在關外打天下，率滿州雄兵與明朝大軍鏖戰。其間，老哈河之役，努爾哈赤所部中了明軍埋伏，滿州部隊落入陷阱，全軍盡歿，主帥努爾哈赤孤身竄逃，明軍窮追不捨。從白天追到黑夜，努爾哈赤落荒而逃，狼狽非常。堪堪逃至一荒村，遠遠瞧著有燈光，奔至近處一看，是個草棚子，裡頭擺著個石磨，一對老夫妻，正在那兒磨豆漿，做豆腐。

努爾哈赤渾身髒臭，滿臉疲憊，老頭、老太一瞧，就曉得這是員滿州逃將，背後必有明軍追索。於是，老太指指石磨後頭草堆，努爾哈赤乃鑽了進去。隨後，明軍追兵趕到，兩老裝聾作啞，甚至誤指他方，引導明軍去追。

待努爾哈赤打得天下，成事之後，回頭再想報磨豆汁老頭、老太之恩，卻是一不記得地點，二不記得人名，有心報恩，卻無處可報。於是，就在紫禁城中軸北端，靠近護城河那兒，神武門之內，順貞門之外，亦即紫禁城神武門與順貞門之間，蓋一小廟，祭祀磨豆汁兩老。

努爾哈赤領軍鏖戰老哈河之際，時為明萬曆年間，故而將此廟名為「萬曆媽媽廟」。普天之下，寺、廟、庵、觀等修行之地，皆由和尚、尼姑、道士、喇嘛主持，唯有這紫禁城內「萬曆媽媽廟」，卻是由大內御花園真武殿值年太監所負責。這「萬曆媽媽廟」，每日必然以全豬一隻上供。即便禁屠、齋戒之日，「萬曆媽媽廟」全豬供應，依舊不斷。

每日一豬，日日如此，擺供之後，撤掉供品，那口豬，自然便宜了宮內宮女、雜役蘇拉、侍衛、護軍等。護軍守護紫禁城外圍門戶，侍衛則守護宮內，兩方面執掌分明。每日一大清早，天色依舊漆黑之際，「萬曆媽媽廟」祭祀已畢，那口供豬即交由相關人等享用。然而，因此豬係供品，因而，有其吃肉規矩。吃這「萬曆媽媽廟」供品豬，就叫「進克食」。

蓋喚天大人大量，不計前嫌，鬆口同意不再追殺肅庭，禁軍首領毓明感念蓋喚天恩澤，竟允諾攜行蓋、儲二人，混進禁宮，享用克食。儲幼寧、蓋喚天聞言，自然高興，因這紫禁皇城素為禁地，外人壓根不能進，如今能夜探紫禁城，二人自然興奮。肉好不好吃倒是其次，主要是能進禁宮。然而，金毛洋人響屁爺沉不住氣，說是他也要去，而且是非要去不可。

蓋喚天變臉發作道：「你也要去，你怎麼去？你一身金毛，金髮金鬍子金汗毛，眼睛凹鼻子凸，長相都不一樣，你怎麼混進去？」

響屁爺道：「大不了我全刮了去，剃個光頭，再買條假辮子，接在腦袋後頭。我把眉毛、眼毛、手腳汗毛，全給剃光，這總行了吧？」

儲幼寧接碴道：「不行，不行，你樣子就不一樣，個頭高人一等，肩膀寬，肚子大，中國人沒你這身量。大家都差不多高，就你一個，高出一整個腦袋，太顯眼了，誰見了都怪。」

蓋、儲二人，一頓搶白，響屁爺像鬥敗了的公雞，垂頭喪氣，一臉沮喪。末了，還是毓明上道，特為表示：「這位洋人實在不宜進宮，這樣好了，我另外預備一份克食，兩位吃完了，就把這份克食給帶出宮，轉交給這位洋人。」

於是，就此講定，今日夜裡二更天，蓋喚天、儲幼寧到皇城北面神武門外，自有護軍接著，悄然帶入護軍歇息之處吃一頓克食，天亮前，悄然原路送出去。

毓明走後，響屁爺負氣，氣虎虎也要離去。蓋喚天道：「明天一早趕過來，給你留了克食，好歹嘗嘗。別怪我們，要怪，怪你長相不同，要真帶你去，定然砸鍋，莫說你吃不到克食，連我們也一鍋煮，定然被人拿下，關進牢去。」

響屁爺走後，儲幼寧、蓋喚天趕緊更衣，換掉寬鬆袍掛，穿上緊身衣靠，做武人打扮。之前毓明說了，護軍夜裡巡走警戒，有人穿官服，有人著便服，因而，打算拿蓋、儲當便衣護軍，混進護軍營房。

神武門位在禁宮北端，距蓋喚天南城先農壇住宅頗遠，因而，二人早早出門，搭乘手下所駕驢車，由南而北，繞過禁宮，二更天左右，到了北面神武門附近，二人下車。蓋喚天囑咐手下，在景山山腳偏僻處，停好驢車，靜候天明，接回蓋、儲。

神武門守門禁軍，早由護軍首領毓明交代，悄然將儲、蓋二人，領進宮內，進入護軍營房。紫禁城北面，進了神武門沒多遠，就是順貞門。要進了順貞門，這才是真正要緊之地。而護軍營房，就在神武門、順貞門之間。亦即，護軍也就是守著紫禁城最外圍門戶，以北面而言，也就是神武門到順貞門之間，這一小段地方。正因如此，毓明才膽敢讓蓋喚天、儲幼寧混進禁宮。

因為，二人雖混進禁宮，但也就是待在神武門內、順貞門外。進不了順貞門，礙不了事，算不了進入真正大內。二人進了神武門，在順貞門外，就見一排高台階屋子，坐北朝南，此即是護軍營房。護軍守衛紫禁城，日夜不停，值勤分日班、夜班，俾便夜以繼日，日以繼夜，日夜不停，守護門禁。因而，這護軍營房，時時都有人在內休息。

日間，夜班休息；夜間，日班休息。儲、蓋二人進了護軍屋宇，就見屋裡朝南有一排大炕，有蘇拉雜役伺候茶水。炕桌上，擺有細瓷茶壺茶碗，炕上兩頭長條櫃上，放著帶蓋瓷缸，裡頭放滿了大八件、小八件等滿州甜點心，以及大花生、糖炒栗子之類甜食。

這屋子裡，約莫有十幾二十名護軍，鋪位旁到處豎著旱菸管，不少人正吞雲吐霧，抽著旱菸，彼此閒聊。見蓋喚天、儲幼寧進屋，眾人俱都頷首示意，算是打了招呼。顯然，毓明事前均已交代說明。內裡亦有幾人出聲言語，不外是要蓋、儲二人當這兒自己家，不要見外，並感謝二人不計前嫌，同意肅庭重回護軍任校尉。

正聊著，就見毓明朝幾人努努嘴道：「張老三，該你們這撥人出去了。」之後，那叫張老三護軍，招呼幾位同伴，先將身上衣褲以細帶紮緊，尤其手腕、腳踝，更是嚴實紮緊。此時隆冬，外頭天寒地凍，身上衣物厚重，倘若與人動手，難免累贅誤事，因而，衣靠得紮緊，手腕腳踝更是得密實，以免勾搭不清，誤了拳腳。待身上衣靠紮捆停當，又穿上厚重大氅，戴上三塊瓦皮帽，提著刀槍，推門而出，巡夜去也。

其餘人等，窩在房裡，有人閉目養神，有人燈下打盹，儲幼寧與蓋喚天則由毓明陪著，低聲閒談。蓋、儲二人心中明白，這是皇城禁地，又是護軍營房，不宜亂說亂動，也就是與毓明扯扯，等候享用克食。

四更天左右，張老三率眾護軍返回，人人凍得臉頰通紅，鼻涕滴答。進了屋後，趕緊卸下大氅，鬆了衣靠，擦把臉，抽桿菸。隨即，蘇拉雜役送來洗臉熱水，眾人拿毛巾浸熱水，擰乾了，擦擦臉手。繼而，眾人準備吃「萬曆媽媽廟」祭肉，滿州話即為「進克食」。在此同時，另一撥護軍，則是打點衣靠、兵器，換班出巡。

此時，外頭天色已漸濛濛亮，蘇拉雜役送進一批餐具，每人中型暖盅一只，盅裡塞了一寸多厚，豆腐乾大小一搭醬褐色手紙。儲幼寧見之大奇，蓋因那手紙，是出恭所用，在馬桶上排泄之後，以手紙擦拭穀道口。如今，竟見一整疊手紙，還是醬褐色，塞在暖盅裡，儲幼寧心中不僅有點作嘔。他瞧瞧蓋喚天，蓋喚天臉色亦是古怪，顯係與儲幼寧感受相同。

毓明精明，一見儲、蓋二人臉上顏色，就曉得二人心裡不受用，因而解說道：「二位，別見外，這的確是手紙，但絕對乾淨。至於這手紙為何是醬褐之色，待會兒就見分明。」

待眾人皆取得暖盅後，雜役又提來大紫銅茶壺，壺身上罩著厚棉布套，壺裡則是濃郁膏腴白肉濃湯。雜役提著大茶壺，一個一個，挨著給眾人沏上濃湯。到了毓明這兒，雜役道：「請三位爺兒，加點滷子。」

蓋、儲二人聽了，不明所以，示意毓明先來。就見雜役拿出個竹邊銅絲小漏斗，將漏斗擱在毓明暖盅上，繼而提起大茶壺，往下傾倒，就見一股濃稠白色肉汁，自壺嘴往下沖，透過銅絲漏斗沖入暖盅。那白肉湯裡，難免夾雜肉渣碎屑，經由銅絲漏斗全給擋住，就剩純汁注入暖盅。滾燙肉汁入盅，浸泡盅裡醬褐色手紙，瞬時間，原本純白湯汁，就轉為深濃之色，立時飄出醬油香味。

毓明之後，蓋喚天並儲幼寧亦如法炮製，各自弄出一盅醬汁。毓明解說道：「也不知哪兒來的老媽媽論，說是當年那老頭、老太磨豆子，救了太祖皇帝，因而，流傳下這麼個古怪規矩，說是吃萬曆媽媽廟祀肉，不准用醬油，因為醬油是由豆子所釀。這規矩沒道理，怎麼老頭、老太磨豆子，就不准後人用祀肉沾醬油了？那祀肉，壓根就是白水煮白肉，不加鹽，又不准用醬油，誰願意吃哪？」

「時間一久，事情棘手，大家都頭痛。要知道，那萬曆媽媽廟，可是每天一口豬，這樣祭祀著。每天一睜開眼睛，就有一整頭白煮豬肉等在那兒，等著大夥兒分食。這裡頭又有規矩，這萬曆媽媽廟整豬白肉，只准吃光，一點都不能剩，不能扔。而且，吃克食，不能和其他菜搭著吃。要吃，就是吃這白肉，不准摻合其他菜式。兩位想想，這白肉，啥味道都沒有，怎麼下嚥？」

「後來，就想出了對策，也不知哪位聰明人想出這辦法，拿濃稠醬汁浸泡手紙。泡完了，把手紙晾乾，切成豆腐乾大小，一搭一搭，放在暖盅裡。這樣，拿滾湯沖下去，泡化了手紙，就成了醬汁，拿來沾白肉吃正合適。這樣幹，表面上也沒壞規矩，所以，上頭知道了，睜一眼，閉一眼，假裝不知。這下子，就解決了一日一豬白肉難題。」

儲幼寧聽毓明如是說，兩眼圓睜，立時想到往事。他想到揚州通四海鹽號老闆徐良皋，請了廚子劉五給吃全素老娘做飯。結果，劉五每日裡，拿滷大油多濃肉湯燉毛巾，把毛巾曬乾了，搭在肩上，入徐家宅院當差。進了徐老太廚房，先拿水燉煮毛巾，燉出一鍋高湯，無論哪樣素菜，全加幾瓢高湯，吃得老太太高興得合不攏嘴。後來，老太太歸天，劉五辭別歸鄉，徐老闆賞賜頗豐。結果，劉五回到老家高郵，口風不穩，露了天機，引禍上身，丟了性命，女兒劉小雲則隨儲幼寧逃至揚州金家，後來成了儲幼寧正房妻子。

儲幼寧抓著一盅滾燙醬汁發呆，腦子裡滿山跑馬，想到劉五，想到劉小雲，想到成婚，終而，想到了北京韓燕媛，心中一陣酸楚，頗不是滋味。蓋喚天一旁瞧著，他哪曉得儲幼寧這一會兒工夫，腦袋裡已經從揚州跑到高郵，高郵跑回揚州，揚州又跑到北京。他見儲幼寧兩眼發直，乃用手肘推了推儲幼寧道：「人家問你，偏肥還是偏瘦？」

原來，這時雜役正問諸人，待會兒吃祀肉，喜歡肥肉多點？還是瘦肉多點？這當兒，已經問了儲幼寧，但儲幼寧正神遊太虛，聽而不聞。蓋喚天將儲幼寧思緒拉回，儲幼寧隨口說了聲：「偏肥」。

繼而，毓明說了聲：「就這樣了，兩偏瘦，一偏肥。」

毓明並自腰間銀包裡，掏出十枚制錢，甩入雜役身旁笸籮裡。毓明道：「這祀肉不要錢，但底下人顛來倒去忙和，又是炮製醬油手紙，又是送暖盅，又是沖肉汁，給點賞錢，不為過。」

隨即，雜役端著個大托盤，裡頭放著三大盤白煮肉，置於三人面前。盤子裡，除了白煮肉之外，尚有荷葉花捲。儲幼寧這才察覺，有盤、有肉、有花捲、有暖盅、有醬汁，卻沒筷子，沒法下手吃肉。毓明則是自腰間掏出一把銳利小刀，拿刀割肉，片下薄薄一片，又撕開花捲，將薄白肉片在暖盅裡醬汁沾一下，再放入花捲。這花捲夾醬汁白肉，吃起來滋味頗美。

毓明吃了兩口花捲夾醬汁白肉，這才醒悟，蓋喚天與儲幼寧，手上俱無小刀，沒法吃肉。於是，毓明轉頭，向雜役吩咐道：「去問問，哪位爺兒們身上，還有解手刀，拿兩把來，給這兩位爺兒們。」

儲幼寧聽了，心中大吃一驚，拿眼睛瞟著蓋喚天，就見蓋喚天沒事人一樣，坐在那兒，等雜役送刀。末了，雜役拿來兩把鋒利小刀，交予儲、蓋二人。蓋喚天伸手接過小刀，隨即拿刀片肉，也滋滋有味，吃將起來。儲幼寧一旁坐著，手裡拿著那解手刀，身軀僵直，動也不動，心裡犯急。蓋喚天吃得滿嘴流油，瞥見儲幼寧呆若木雞，不禁問道：「兄弟，怎麼啦，哪兒不對勁了，怎麼不吃呢？」

儲幼寧道：「這刀，這刀，這刀怎麼叫解手刀？是不是解手時，拿這刀去刮那地方？」

聽儲幼寧此言，蓋喚天並毓明立時狂笑不止，兩人邊笑，邊拿手指著儲幼寧，轉頭對其餘護軍道：「這南邊來的，說解手刀，是解手之後所用。」

眾護軍聞言，亦狂笑不止。儲幼寧見狀，心中惱怒，但又不好發作，乃語氣平板道：「這解手兩字，講的不就是拉屎拉尿嗎？撒尿叫小解，拉屎叫大解。那麼，解手刀不就是大解之後，拿去刮乾淨穀道口嗎？」

蓋喚天依舊狂笑，笑得岔了氣，不住猛咳。咳過一陣，這才大喘氣道：「兄弟，要怪，也要怪做哥哥的。咱們認識這麼久，我這當哥哥的，始終沒告訴你解手刀是個什麼意思。這解手刀，解手兩字，指的是順手，方便之意。哪，身上帶著這樣一把小刀，可用以切繩子、割布疋、片肉塊，方便得很。手一抽，就抽出這刀，諸事皆可辦。因為方便，所以，就叫解手刀。這與上茅房解手，一點關係都沒有。」

毓明接著話碴子道：「儲爺，您想，那穀道門口最是柔嫩，要真是大解之後，拿這利刀去刮，豈不是要刮出血來？」

儲幼寧被眾人一陣搶白，心裡頗不是味道，勉強拿起一塊白肉，用解手刀片了薄薄一片，沾了沾暖盅裡醬汁，又撕開一個花捲，塞進去，吃了。這花捲夾白肉，入口之後，就覺得肉質細軟，入口即化，醬汁更是味醇芳馥，齒留餘香。

連續幾塊花捲夾白肉下肚，就覺得身體暖洋洋地，格外受用。此時，就聽見屋外遠處，隱約傳來爭執吵鬧之聲。這聲響，起先不顯，也就是隱隱約約，時有時無。工夫不大，吵鬧聲拔高，呼喝咒罵充耳可聞。就見毓明臉色微變道：「搞什麼鬼，天都要亮了，前頭太后、皇上這時都已經召見軍機大臣，商議大政了，怎麼後頭神武門這兒會有人吵鬧？」

說罷，站起身來，擦擦手嘴，披上大氅，戴上三塊瓦皮帽，腰裡插上短刀，招呼張老三等人，往神武門而去。蓋喚天與儲幼寧亦起身，跟著去瞧熱鬧。毓明對二人道：「你二人跟著瞧瞧，但可別說話，也別動手，就是一旁看著，可別生事。」

出小營房不遠，就是神武門。就見一群護軍圍著個太監，七嘴八舌，與那太監講理。那太監，三十來歲年紀，個頭不高，卻是一身肥肉，挺著個大肚皮，脖子都胖得裹起一圈鬆肉，一張大白臉，臉上一雙金魚眼，眼珠子朝外凸，格外顯眼。護軍對太監講理，太監卻手腳亂揮亂擺，尖聲厲喊：

「你們這是要反了，竟敢阻小爺我入宮。待會兒，我見了崔大公公，看他怎麼收拾你們。等著吧，充軍黑龍江，給披甲人為奴，有你們的份。」

毓明過去，扒開護軍兵丁，走至那挺胸凸肚太監跟前道：「怎麼回事，小金魚，怎麼又是你？你怎麼老是和護軍過不去？」

小金魚道：「喲，毓明，你這護軍頭頭總算露臉啦！你瞧瞧，你們護軍還要命不要，竟然擋著我，不讓入宮。」

毓明轉臉，問神武門守門護軍道：「怎麼回事？」

護軍七嘴八舌，總算把話講清楚。原來，太監出宮，得有令牌繫於腰上。這腰牌上頭，寫明了何時出宮？何時回宮？從哪個門出宮？從哪個門回宮？倘不如此，紫禁城裡幾千太監，行動坐臥要沒明確規矩，整個皇城都得亂了套。大清帝國肇建之初，鑑於前明閹宦肆虐，太監干政，乾綱不振，因而，特意頒布嚴刑峻法，部勒閹人，壓制極酷。時至光緒年間，慈禧跟前兩大太監李蓮英並崔玉貴，雖各自結黨營私，謀取私利，然其規模、勢力，與前明相較實屬微不足道。慈禧精明強幹，亦不容閹人干政。

這小金魚，係崔玉貴手下，甚得崔玉貴賞識。崔玉貴與李蓮英為同鄉，俱為直隸河間府人，十二歲在家鄉淨身，後至北京，入慶王府任太監。崔身長體健，身手俐落，受慶王所薦，入宮，進昇平署戲班，任戲子。就此，邀得慈禧太后上賞，此後發跡。光緒年間，出任二總管，授三品銜，亮藍頂戴，地位僅次於大總管李蓮英。

小金魚為崔玉貴跟前紅人，行事乖張，有理不饒人，無理更不饒人，在宮裡，屬鬼見愁一路人物。這人，因其雙眼暴凸，身子圓肥，有如金魚，因而，眾人皆忘其本名，而盡以小金魚稱之。這天一大清早，小金魚歪歪斜斜，滿嘴酒味，懷裡揣著一包事物，腰間鼓起，自神武門入宮，為護軍所阻。

神武門護軍七嘴八舌，把事情緣由說完，毓明伸出右手，對小金魚道：「要進宮是嘿，哪，拿來？」

小金魚道：「拿什麼？」

毓明道：「你這不是明知故問嘛，當然是拿腰牌來。你出宮，得有腰牌，憑腰牌出宮。現在回宮，也憑腰牌回宮。」

一旁守門護軍道：「毓爺，他就是沒有腰牌，我們才擋住他，不讓進宮。」

毓明道：「小金魚，你也是知道規矩的，沒腰牌，就不能出宮、進宮。你拿不出腰牌，我要是讓你入宮，這事情，讓總管侍衛大臣知曉，我們這一大片護軍，全都要腦袋落地。皇上給我們皇糧吃，就是要我們看緊了門戶。現如今，你沒腰牌，要出就出，要進就進，你拿我們護軍當什麼了？」

小金魚惱怒道：「小爺我，就是沒有腰牌，你說吧，你要怎樣？」

毓明道：「我不要怎麼樣，我就是不讓你進。你當初打哪個門出去，誰讓你無牌出宮，如今，你去那個門，找那個人再讓你無牌入宮。反正，今兒個你別想從我這神武門入宮。」

小金魚絲毫不懼，挺了挺大肚子，對毓明道：「實話對你說了，我主子崔二總管，夜裡突然想吃月盛齋醬羊肉，派我連夜出宮，找到月盛齋大掌櫃，三更半夜給我開了店門，特為切了一塊醬羊肉。哪，你們瞧，就是這塊醬羊肉。」

說罷，小金魚解開衣襟，自懷裡掏出一塊事物，解開油紙，裡頭果然是塊醬羊肉。小金魚繼而言道：「我這大半夜跑出去，從南面出宮，到南城月盛齋買了醬羊肉。因為時辰已晚，軍機大臣已然入宮，開始早朝，故而又繞了一大圈，特為選北邊神武門入宮，就是不想驚動他人。沒想到，你們這起挨千刀的護軍，竟膽敢找碴，擋著我入宮。崔二總管吃不到醬羊肉，這帳，全要算在你們頭上。惹毛了我，我背後主子崔二總管，在老佛爺面前參你們一本，把你們這起挨千刀的，全發配到黑龍江去。」

毓明不為所動，來來去去，還是那一句話：「拿腰牌來，有牌，放你進。沒牌，你等著吧，等到太陽從西邊出來，咱們才放你進宮。」

小金魚見毓明態度決絕，水潑不進，翻了翻金魚眼，猛然將醬羊肉往地上一摔，舉腳就踏，把醬羊肉踩爛，接著暴聲喊叫道：「護軍打人啊，護軍要反了，護軍把崔二總管早飯給踩爛了。」

毓明見小金魚撒潑，一時間，頗感遲疑。這小金魚，有名難纏，他沒腰牌，擋著他，不讓進，護軍站得住腳。現如今，這小金魚撒潑，誣賴護軍打人、踩肉，事情真要鬧開了，小金魚背後有崔玉貴，護軍有理說不清。倘若不止住小金魚亂叫，喊久了，必然驚動宮內侍衛，過來查問，事情愈變愈棘手。倘若止住小金魚亂叫，則必然得動手，一旦動手，小金魚受傷，日後崔玉貴必然追究。

打或不打，毓明頗為難。小金魚見毓明面帶難色，愈發潑辣，喊聲愈發高昂淒厲。小金魚喊聲震耳，激得毓明不及多想，伸手就是一掌，老大耳刮子搧過去，把小金魚打倒在地。小金魚嘴帶血跡，倒地之後，滿地打滾，亂喊亂叫，局面愈發不可收拾。毓明一不做，二不休，起腳對著小金魚嘴巴，一腳踹下，小金魚正喊得聲嘶力竭，驀然挨了毓明一腳，上下兩排牙齒猛咬舌頭，當場舌破血流，聲音含混不清。

毓明先出掌，後起腳，打翻了小金魚，當場就覺後悔，但木已成舟，反悔亦無用。因而，要護軍將小金魚扶起，拿布條綁住頭臉，又用布條捲成團，塞入小金魚口中。小金魚依舊滿地亂滾，眾護軍出手壓制，將之抬起，抬入營舍。蓋喚天並儲幼寧，一路看熱鬧，跟著進出。

眾人將小金魚抬入營舍後，毓明臉色陰沉，對蓋喚天並儲幼寧抱拳道：「兩位兄臺，也親見這廝鬧事。這點子背後有後台，實在難弄，本來請兩位兄臺來，吃吃克食，好好聊聊，沒想到，竟然弄成這局面。實在對不住，得請兩位兄臺先行，我這兒還得想辦法，對付這點子。」

小金魚撒潑之事，儲幼寧並蓋喚天從頭看到尾。儲幼寧天賦異稟，耳目靈敏，非常人所及，他觀小金魚體態，聞小金魚語調，覺得其中有異。此時，見毓明臉色陰沉，一門心思都掛在小金魚之事上頭，儲幼寧不禁低聲對毓明言道：「可否請毓首領借一步說話，我覺得小金魚這人體態、喉音，頗有蹊蹺。」

毓明打了小金魚後，其實心中頗後悔，後悔捅了這馬蜂窩，不知將如何收拾，弄得不好，腦袋都會搬家。此時，聽儲幼寧說，小金魚體態、喉音蹊蹺，不禁燃起希望，立刻拉著儲幼寧、蓋喚天，趨至屋角，避開餘人，低聲議事。

儲幼寧問道：「請問，這小金魚幾歲淨身入宮？是自幼就淨身？還是十三、十四歲半大小子時淨身？」

毓明道：「這我清楚得很，這賊廝仗著崔玉貴寵信，整天大氣胡吹，到處擺顯身世，他常掛在嘴上說，說他八歲即淨身入宮，自底層慢慢摸爬上來。」

儲幼寧道：「這就不對啦！我瞧他頸子，儘管肥肉搖搖晃晃，肉顫顫地，但用心仔細瞧，他講話時，喉嚨那兒，一伸一縮，竟然有個小小喉結。又，他聲音雖然是拔高雌音，但起承轉合之間，瞬間還是跑出雄音。」

毓明半信半疑道：「不能吧，閹宦入宮，關卡嚴得很。淨身大事，由刀兒匠操刀，割完了，養好身子，送進宮來，還有內務府驗。內務府驗完了，敬事房也驗。這三關驗完了，才能見習當差。尤其，不單單是當差前驗，當差之後，隔三年，還要驗一次。如此關卡林林，怎麼容他沒弄乾淨呢？」

蓋喚天插嘴道：「不是我說，您人都打了，已然闖了禍，幹一件是死，幹兩件也是個死，反正都是死，不如賭一次，把那廝架過來，扒下他褲子，瞧瞧到底是怎麼回事。」

毓明沉吟不語，畢竟，剛才是小金魚撒潑胡鬧，雖然打倒在地，但其屈在彼。而硬扒小金魚褲子，那又另當別論，抓到證據倒也罷了，要是啥都沒有，小金魚必定死纏到底，到時候，冤讎結大了，自己不但職位不保，連腦袋恐怕都保不住。

蓋喚天見毓明遲疑，一旁敲邊鼓道：「毓兄您不知道，我這兄弟，本事大得很，能見人所不能見，聞人所不能聞。他說小金魚蹊蹺，那麼，小金魚就一定蹊蹺。」

毓明依舊猶豫難決，就在無可如何之際，就聽見小金魚躺在地板上，身子被兩護軍壓著，還是不斷滾動，彷彿鯉魚打挺，鬧個不停。小金魚雖然口中塞著布團，臉上纏著布條，喉中卻嗚嗚作響，出死力悶聲吼叫。毓明瞧小金魚這模樣，曉得這仇已然深結，不管扒不扒褲子，小金魚都會死纏到底。想到此處，毓明咬了咬牙道：「一個也是捨，兩個也是捨，今天老爺我和他砸上了。」

毓明正要挪動身子，朝小金魚走去，卻被儲幼寧一把拉住，附耳小聲言道：「此事就你、我、我大哥、小金魚四人知曉，不能讓他人曉得。」

毓明打個冷顫，想到此事牽連重大，要是傳了出去，這兒大小人等全都脫不了關係，眾人性命堪憂。想到此處，毓明扯著嗓子，大聲喊道：「都出去了，我要密審這賊廝。那什麼，張老三，你待會兒守在門口，哪個人都不准放進來。外頭天寒地凍，你們全把衣靠穿上，別忘了披上皮大氅、戴上三塊瓦皮帽子。全給我到外頭待著去，我沒喊你們進來，一個也不准進來。」

眾人一陣混亂，穿衣、戴帽，全副禦寒家當俱都上身，魚貫而出。原本，兩護軍壓著小金魚，此時護軍全都離去，小金魚身子鬆了綁，正想爬起，又被毓明一腳踹倒。眾護軍到了營舍外頭，遠遠站定，張老三把著門，不讓人接近。屋裡頭就剩四人，蓋喚天二話不說，一咕嚕坐在小金魚腰眼上，令其翻身不得。儲幼寧，則是站直身子，兩腳踏住小金魚雙手。繼而，毓明倏然出手，扒下小金魚褲子。

這幾下子，暴起發難，迅捷而過，小金魚措手不及，等回過意來，就覺得下身涼颼颼，褲子已被毓明扒下。這下子，真相大白，小金魚僵直不動，低聲飲泣。毓明等三人定眼一看，小金魚下身該平整之處，卻並未平整，有短短一小橛子物件，長在那兒。

蓋喚天離了小金魚腰眼，站起身來。儲幼寧鬆了兩腳，站於一旁，小金魚兩手失了禁錮，趕緊提起褲子。穿上褲子後，小金魚一個翻身，撲倒在地，把嘴裡布團挖出，又扯掉臉上布條，朝毓明等三人大磕頭，邊磕頭，邊呼號道：「三位爺，饒命啊，饒命啊，千萬別傳出去啊。要傳出去，我小命玩完啦！求求三位爺啦，求求三位爺啦！」

小金魚此時又跪又拜，與之前凸肚挺胸大撒潑，可謂判若兩人，前倨後恭，天差地遠。毓明心中不禁得意，兩眼瞪著儲幼寧，使勁拍了儲幼寧肩膀，言辭激動道：「有你的，小兄弟，我這一大幫子護軍兄弟，命都是你賞的。你這一手，太高了，你瞧瞧，這點子剛才像祖宗，現在趴在地上，成了龜孫子了。」

毓明適才受氣太過，憋了一肚子窩囊氣，此時局面翻轉，原本是癟十，現在翻出至尊寶，心情大感輕鬆，不禁起腳，往小金魚臉上再猛踹一傢伙。小金魚翻倒在地，臉上又冒新血，卻不敢聲張，只是抽抽搭搭飲泣。

這一回，換成蓋喚天拉著毓明，到屋角低聲嘀咕：「毓老哥，有句話，必須說，您可得記住了，否則，今天屋內三人，有性命之憂？」

毓明面帶不解之色，問道：「此話怎講？」

蓋喚天道：「就護軍而言，此事自然僅有兄臺知曉，不得另傳他耳，否則，必然當祕聞傳出去，小金魚固然死定，護軍也難逃干係。然而，卻不能讓小金魚曉得，僅有你、我、儲兄弟三人知曉此事。倘若小金魚曉得，只有我們三人知曉，他必然想方設法，下辣手，除去我等三人。」

毓明素來精明，但今日被小金魚一鬧，一時嚇懵了，此時經蓋喚天提醒，毓明立時醒悟其中利害。因而，毓明慢條斯理，拉過張椅子，緩緩坐下，並示意儲幼寧、蓋喚天亦在炕沿坐下。小金魚爬起，跪於地上，聽由毓明細細審問。

原來，人各有異，同樣是幼年淨身太監，多數人此後命根子處始終平展，未有後續變化。但仍有那極少太監，幼年淨身閹割，幾年後，到半大小子年歲之際，命根子處卻仍會稍許發芽，萌發短短一節小橛子。為此，宮內規矩嚴明，太監入宮三年後，還要複驗。倘若驗出異狀，則須再度動刀切除。

這小金魚，八歲閹割淨身，入宮後，那地方卻又慢慢長出小橛子，原須於三年後再驗，繼而再由刀匠兒動刀切除。小金魚怕痛，怕受下蠶室苦罪，仗著自己是崔玉貴跟前紅人，竟躲過複驗。然而，復生小橛子之後，小金魚頸項前端亦出現小小喉結。那喉結，極小，不注意，看不出，但如注意，仍可瞧見。為此，小金魚拚命加餐飯，年紀輕輕，就長出一身肥膘，渾身肉顫顫，頸子也為肥肉圈裹住，因而遮蓋喉結。

喉結之外，小金魚語音亦略現雄音，但一來雄音微小不顯，二來小金魚言談話語之際，刻意拔高腔調，尖聲尖氣，刻意遮蓋雄音。因而，十幾二十年來，竟無人察覺小金魚體態、語音殊異。這回，也活該他倒楣，大鬧神武門，卻又碰上儲幼寧，西洋鏡拆穿後，小金魚曉得厲害，當場跪地喊饒。

毓明順手自身旁兵器架子上，抽出一把單刀，在小金魚腦袋上虛劈幾下道：「小金魚，老爺我有好生之德，現如今，你被我拿到把柄，但老爺我放你一條生路。你要記得，護軍上下都知你這臭事，你要是安分守己，見了護軍就遠遠躲一邊去，說不定，護軍就把你給忘了。你要是再不安分，護軍只要隨便寫張紙條，寫上你這臭事，吹北風時，往天上一拋，那紙條被北風一吹，不定吹到宮裡什麼地方。保不準，剛好落到太后老佛爺跟前。」

「要是那樣，老佛爺見大風吹進一張紙，就會要身旁宮女或其他太監，撿起來瞧瞧。太監不一定識字，宮女卻都是八旗好人家女兒，都識得字的。太后問宮女，那紙上頭寫些什麼啊？宮女就說，紙上頭寫明白了，說是二總管崔玉貴手底下，有個小太監，叫小金魚，身子沒閹乾淨，還有一小段沒切乾淨，因為沒切乾淨，所以，小金魚身子就不乾不淨。」

「你想想，要是太后聽宮女這樣念那紙條，會如何處置你？你想清楚了，以後乖乖當你的太監去吧，不可亂說亂動，否則，等著颳北風天氣，天上落白紙條吧！」

「不單宮裡頭護軍知道，今天老實對你說了吧，這兩位英雄，不是咱們護軍，他二人都是江湖人物，常在外頭跑跑的。今天，他們也親見你這臭事，你要再胡作非為，不單宮裡頭護軍作法，把你弄死。外頭江湖上，也會口耳相傳，說是大內皇宮崔二總管底下，有個太監叫小金魚，不乾不淨，亂七八糟。江湖上一傳，地方官耳聞，必然往上頭報，報進宮裡，你也是個死。」

毓明語帶威脅，唬得小金魚一愣一愣，叩頭如搗蒜。毓明把氣撒足了，這才又起一腳，再把小金魚踹倒在地道：「滾你的鹹鴨蛋吧，別讓老爺我再看到你，你這噁心的東西！」

小金魚如獲大赦，勾頭垂肩，喪家之犬般，推門而出。外頭，張老三等眾護軍見小金魚垂頭喪氣走出，隨即頭也不敢抬，悄然離去，俱不知曉到底發生何事。眾人復又入營舍，圍著首領毓明問分明。毓明只是一味大笑，並要諸護軍給儲幼寧、蓋喚天請安道謝，安送儲、蓋二人出了神武門。

毓明送得匆忙，儲幼寧、蓋喚天走得匆忙，三人竟都忘了，曾答應饗屁爺，帶「萬曆媽媽廟」祭祀白肉克食，回去給饗屁爺享用。

第三十四章：使詭計剝皮地痞奪人產業，端架子比國神甫逼官就範

儲幼寧、蓋喚天二人，私闖紫禁城，在神武門內、順貞門外護軍營房，吃克食，戳穿假太監小金魚底細。為此，護軍上下感恩戴德，農曆年前夕，特為醃製海量香腸、臘肉、鹹魚、醬雞、臘鴨，分送花子幫上下。先農壇蓋喚天宅邸，屋簷下掛滿此類應景肉食，幸好北京城此時天寒地凍，各類醃肉吊在那兒，毋庸腐敗。

蓋喚天原本答應響屁爺，外帶「萬曆媽媽廟」祭祀白肉克食，要響屁爺次日來吃。結果，響屁爺次日依約而來，才知蓋喚天黃牛。為此，響屁爺罵罵咧咧，不依不饒，數落蓋喚天多日。蓋喚天挨罵，挨多了，也回嘴對罵，說是響屁爺是洋人，吃的是洋人肉食，哪裡懂清宮白肉克食。兩人鬥嘴不休，儲幼寧一旁看了，覺得好笑。儲幼寧明白，響屁爺、蓋喚天以及他自己，三人間多次經歷生死關頭，早就性命與共，響屁爺與蓋喚天鬥嘴，鬥得愈厲害，愈顯得彼此情誼彌堅。

為彌補響屁爺白肉克食向隅之憾，蓋喚天特為將護軍所饋贈醃製雞鴨魚肉，大批轉送響屁爺。響屁爺手筆恢弘，將花子幫所贈諸般肉食，又轉送與天主教堂區內貧困教友。

十餘日新年，忽忽而過。春節過後，儲幼寧拖無可拖，只好打點諸事，預備上路。然而，他到

北京近一年，與花子幫主蓋喚天親如兄弟，協助花子幫參與大小惡戰無數，已在北京南城地面闖出名號。赴京目的，在於為閻桐春報仇，此事亦已順遂辦妥。在此之外，替花子幫並花子幫主蓋喚天，打退無數強敵，解決無數難題。末了，更助紫禁城護軍脫困，免除掉腦袋危難。無論花子幫上下，抑或禁宮護軍，都極為見情。

因而，聽說儲幼寧要離京，四面八方都來邀宴。餞別飯，吃過一頓又一頓。甚至，南城天橋諸藝人也相約設宴餞行。而這臨別飯，竟然就是當初雙方相識時，所吃「百鳥歸巢鍋」，地點也還是在永定門外雞毛店那兒。與初識時那頓團圓飯相同，這頓「百鳥歸巢鍋」，亦是一人一張破蒲團，眾人席地而坐。所差者，這頓百鳥歸巢餞行宴，儲幼寧對面坐著的，是蓋喚天並饗屁爺，而非一年前韓燕媛並韓福年。

儲幼寧臉皮薄，不敢亦不願就韓燕媛下落，詢諸眾人。而眾人亦假作不知，無人提及韓氏父女去向。隱隱約約，儲幼寧心中覺得，韓氏父女失蹤之事，與蓋喚天有關，但他亦未就此質問蓋喚天。就這樣，吃了永定門外雞毛店百鳥歸巢鍋餞別宴，儲幼寧與天橋藝人就此別過，此後再無韓燕媛音訊。

時序堪堪來到二月中，寒冬遠颺，暖春當道，正是春暖花開時。儲幼寧已訂了離京日期，帶著牛雙喜由北京前往天津。到了天津，將牛雙喜交予天津紫竹林聖路易天主堂，之後，儲幼寧獨自搭海輪，南下上海，繼而自上海，搭乘江輪，溯長江而上，至揚州下船。

這一天，儲幼寧打點行囊，與蓋喚天商議，如何雇車、如何走道。蓋喚天慨然言道：「兄弟，你就別想著什麼雇車了，哥哥我這兒，有牛車，有驢車。牛車穩當，但車行太慢。驢車較窄小，但驢子腳程好歹快過黃牛，這樣吧，哥哥我離京幾天，陪你一路上天津去。」

儲幼寧道；「大哥，您這花子幫不能一天沒您。花子幫鎮著南城地面，全靠您威望卓著。您要是離了北京，恐怕南城地面不得安靜。」

蓋喚天道；「不礙事，別小看你這一年所作所為。這一年來，你幫著花子幫，打趴了多少棘手對頭。北京城江湖人物都曉得，花子幫惹不得，連東城丐幫都被花子幫掃平。因而，現如今誰也不敢惹花子幫，再大的刺兒點子，都不敢在南城地面鬧事。我這點成績，步軍統領衙門並南城兵馬司都看在眼裡，我離京十餘日，不是問題。」

蓋喚天喝了口茶，接續言道：「還有件事，兄弟你大約沒想到。有句俗話，說是車、船、店、腳、牙，不殺也該打。兄弟你獨自一人上道，這搭車、渡船、住店、雇人，可費事了。這種雜事，老哥哥我最在行，一路上就替你料理了。」

儲幼寧問道：「大哥，此話怎講？」

蓋喚天道：「所謂在家百事順，出外處處難。要知道，車夫、船夫、店家、腳夫、仲介牙行，最是欺生。這些傢伙，專欺來往旅客，講一套，做一套，偷斤少兩，偷雞摸狗，吃定了行商旅客。兄弟你是斯文君子，和這些鬼魅魍魎打交道，一個不小心，就著了他們道兒。我是老江湖，有辦法治這些鬼傢伙。」

儲幼寧道：「大哥，我去年離開揚州，搭船到德州，又由德州進京，一路上也還好，沒吃什麼虧。」

蓋喚天道：「好啦，別和哥哥頂了，就這樣說定了，搭咱們花子幫驢車，帶上那牛雙喜，加上車夫，一共四人，搭驢車離了北京赴天津。」

正說到此處，就見洋神甫響屁爺進了蓋家宅院，高聲喊道：「都別說了，你們花子幫牛車也好，驢車也好，都不及我天主教馬車。我那馬，還不是中土矮馬，而是由比利時搭船而來高頭大馬。去天津，搭我馬車，我一路也陪著，出京長長眼界。更何況，北京這兒天主教有點公事，須得派個人到天津去，與那兒天主教堂打打交道。這差使，落我身上。這回，我算是公私兩便，與諸位一起去天津。」

蓋喚天、儲幼寧二人，說不過響屁爺，只好依了響屁爺之言。二人打點行囊，了結未竟之事，打算日內啟程，前往天津。這當口，來了電報，揚州金家所拍發，說是劉小雲日前產下一子，母子平安云云。蓋喚天得悉，用力一拍儲幼寧臂膀道：「好兄弟，有你的，當爹了你！」

數日後，諸事準備停當，一大清早，響屁爺馬車駛抵蓋家宅院，儲幼寧將行囊擲於車內，與蓋喚天上了車。車向南行，依舊是出了永定門，往南轉東而去。

天津，位於北京東南約兩百七十里，如緊急軍報，換馬不換人，一陣疾馳，兩個半時辰，即可抵達。但響屁爺並蓋喚天，對儲幼寧離情依依，刻意放緩車速，馬行之速比人腳程快不了多少。尤其，車行途中，見茶攤停車喝茶；見酒肆停車進小菜並水酒；見飯館停車吃飯。停車時間，竟比行車時間長。這馬車，由牛雙喜駕車。牛雙喜自入北京西什庫天主堂任雜役後，已受洗成了天主教友，追隨響屁爺任雜役，自然學會駕駛馬車。

馬車離了北京城，正趕上春暖花開時節，四下裡花紅柳綠，天氣宜爽，馬車早撤掉了車棚，三人在車上倚靠行李物件，半躺半坐，斜臥車上，信口閒聊。聊著，聊著，聊到天津，聊到牛雙喜將去天津紫竹林聖路易天主堂，聊到天主教教士並教徒。繼而，就聊到了教案。

蓋喚天問道：「我說，響屁爺，你們天主教到底搞什麼鬼？我親眼所見，天主教那真是做好事，賙濟貧困，撫卹孤寡，想方設法讓窮人吃上飯。可我也聽人說，天主教包庇無賴混混，幫著地痞流氓欺負善良。以致於，各處都鬧什麼教案，打殺天主教教士、教徒。然後，洋人朝廷又幫著天主教，向大清國朝廷討公道。末了，朝廷又抓又殺，砍了老百姓腦袋，還賠了銀子，天主教這才善罷甘休。這，到底是怎麼回事？」

響屁爺嘆了口氣道：「唉，這裡面，天主教有天主教難處。這回我到天津去，就是為了這事情，要和天津幾個教堂神甫，商量大計。」

一路上，響屁爺細說從頭，對儲幼寧、蓋喚天，講起天主教並天主教教案內情。

原來，鴉片戰爭鬧得英法聯軍攻入北京，清廷與各國簽了天津條約，准許天主教到處傳教，不但洋人神甫享有「治外法權」，犯事不受清廷管轄，更要命的，是設下「寬容條款」，大清國子民信了天主教，成了天主教徒，亦能享有特權，倘若犯事，大清國衙門無權可管。如此，勾得地痞流氓、土豪劣紳，競相受洗，成了天主教徒。

此輩中人，一旦成了教徒，輒欺壓善良，魚肉百姓。安善良民受欺不過，亦起而反抗，追殺地痞流氓教徒。此輩教徒輒逃入教堂，祈求神甫庇護。而天主教規矩，凡逃入教堂者，則受天主庇佑，無論官府衙門，衙役差官，不得闖入教堂拘捕人犯。

蓋喚天道：「這沒道理啊，你天主教傳教收教徒，也該稍事鑑別。明知教徒有什麼寬容條款，官府衙門拿他們沒輒，你們教堂就該擋在前面，不准地痞流氓入教。」

響屁爺道：「蓋幫主，你有所不知。天主教教義，天主庇佑世人，普世皆同，一視同仁，不能說，容許張三入教，禁止李四入教。」

儲幼寧接碴道：「就算事前不能阻擋，事後，這批惡教徒犯了事，就算逃入教堂，天主教神甫亦不該庇護。」

響屁爺道：「儲爺，您有所不知。這天主教教堂，就是聖地，凡入聖地者，接受天主庇佑。舉世滔滔，皆是如此，並非只有大清國這樣。在歐西各國，衙役差官，亦不會進入教堂逮人。」

蓋喚天道：「這樣一來，豈不是沒了王法？天主教專門包庇為非作歹之輩？」

響屁爺道：「是啊，教堂亦曉得這事情重要，也因而這趟我去天津，就是與天津諸神甫商量，看能否找出兩全齊美之計，既不違反天主教教規，又能阻擋地痞流氓藉教會之力為惡。這天津，可是天主教傷心地，二十年前天津教案，教徒與非教徒，兩皆蒙難，至今餘緒猶兀自蕩漾不休。」

「早在天津教案爆發之前，安徽巡撫喬松年，就曾倡言，天主教所吸納教民，入教之前，須將名單報予各州縣衙門，由官府查察各該人等，是否素行不良？是否曾犯刑罪？倘若身家清白，才准予入教，並且，入教後，教民須編列名冊，呈交州縣衙門列管。喬松年把這主張寫成公事，轉報朝廷總理各國事務衙門。結果，當然為總理各國事務衙門所駁。」

「其實，就算總理各國事務衙門同意，天主教教會亦不會同意採行。理由很簡單，天主教信奉天主，天主之愛，廣被黎民，不得差別對待。這就如同信佛拜菩薩者，菩薩一律平等對待，不因信徒愚賢善惡，而有所區別。」

如此，一路上談談講講，消磨時日，倒也愉快。響屁爺對蓋、儲二人講天主教，講教案；蓋、儲二人，則對響屁爺講江湖掌故。尤其，儲幼寧在臨沂、揚州、崇明島、德州等地，大小交手對陣無數次，戰績輝煌，聽得響屁爺兩眼發直。如此，一路往東南行去，第二天傍晚，天色將暗之際，馬車行至廊坊。這地方恰好介於北京、天津之間，是為京津間往來要衝，北京往天津，天津往北京，商旅絡繹於途，中間必得在廊坊勾留，或打尖，或過夜。

因而，廊坊飯館、酒肆、客棧四處林立，生意興隆。儲幼寧一行四人，到了廊坊，找了間客棧，名為「永昇祥」，住進後院廂房。三人先進屋，留牛雙喜在外頭安置馬車，餵飼馬料。後院廂房內，小夥計送上熱水、毛巾，三人擦手洗臉，繼而到前頭等著牛雙喜，一起吃晚飯。

四人圍桌而坐，響屁爺一身金毛，高頭大馬，又是一口流暢京片子，當即引人注目，客棧大廳內滿座商客，俱都兩眼盯著響屁爺瞧。響屁爺久在北京傳教，對中土人情習俗早已融會貫通，曉得事情就是這樣，無論他到何處，四周眾人就是緊盯著他細瞧。即便響屁爺早知中華大地習俗，此刻被人盯著瞧，仍是渾身不自在。

這洋神甫生性詼諧，講話語帶幽默，常有滑稽言行。此時，他驀然站起，拱手抱拳，身形微躬，團團朝四面轉個圈道：「諸位朋友，請了，我是比利時人，叫尚皮耶，是北京天主教神甫，北京朋友給取個綽號，叫白了，就喊我響屁爺。我初到貴寶地，旅程上缺盤纏，這樣好了，我就站兒，站定不動，讓各位爺兒們細細瞧瞧我這洋鬼子，但瞧可不是白瞧，瞧一次，我收十大枚制錢。」

話說到這兒，儲幼寧伸手，拉響屁爺坐下道：「快坐下，你瞧見了沒？你這洋笑話，沒人聽得懂，眾人都是一臉木然，沒個笑的。人家就只是瞧新鮮，沒見過洋人說京片子。」

響屁爺被儲幼寧一陣搶白，面現悻悻之色，索性賭氣不言語。

這時，就聽見牆角桌子那兒，有人出聲道：「這正合適，衙門專門欺負本地孤兒寡母，卻怕洋人，怕得要死。洋人加上天主教，那就更了不得了。施家那案子，只能靠這洋神甫申冤了。我說，查掌櫃的，快派夥計去找施家媳婦，到這兒來，死求活賴，都得讓這洋神甫出頭幫忙。」

這響屁爺，雖能操流暢京片子，但他久在北京任事，對外鄉語言卻不甚了了。這牆角桌子那人，講的是直隸土話，類似山東土話，但又不全然相似。那人所講言語，蓋喚天並儲幼寧卻是全都聽懂。二人見響屁爺沒反應，曉得這洋神甫沒仔細聽，不曉得那人講些啥話。因而，蓋喚天拿手肘子推推響屁爺道：「別犯悶生氣了，人家講你了，你事情來了。」

響屁爺還當蓋、儲二人逗他玩，依舊不哼不哈。蓋喚天點了幾樣菜，要了三大碗飯，三人悶頭吃飯。響屁爺雖是洋人，吃起中國飯來倒也順風順水，十分自得。一頓飯堪堪即將吃完，就聽見店門口腳步踢踏，人聲哄然，繼而，見一盲婦，兩眼眼珠翻白，眼眶邊全是疤痕，手上牽著個幼童。那幼童，是個小女孩，年約四歲，跟著盲婦進屋。小女孩見眾人七嘴八舌，嚇得兩嘴一癟，哭了出來。

響屁爺最是心軟，聽不得小女童哭聲，一聽這小女孩大哭，就站起身子，兩手張開，柔聲哄道：「別哭，別哭，到大叔這兒來。」

那小女孩見響屁爺金髮金眉金毛，更加驚嚇，哭得更厲害。

一旁，查掌櫃自櫃檯後走出，對著那盲婦道：「現如今，有個洋神甫就在這兒。只要他肯幫忙，說不定衙門怕了，就把你當家的自牢裡放出來。」

那盲婦聽音辨位，轉個方向，略行兩步，走到響屁爺跟前，噗地跪下，張嘴就嚎：「洋大爺，救命啊！救命啊！我一家老小，被游剝皮害得好慘哪！」

盲婦大哭，聲震屋瓦，一屋子食客俱都議論紛紛。本地食客，曉得內情。外地食客，不知原委。

於是，本地食客紛紛向外地食客，講述事情來龍去脈。

這頭，儲幼寧趕緊將盲婦拉起，讓出空位，要查掌櫃添兩張椅子，再送幾樣菜來。小女童餓狠了，見了飯菜，狼吞虎嚥，響屁爺看在眼裡，心中抽痛，只差沒掉慈心淚。

那盲婦，講話也帶土腔，響屁爺只能聽個大概，要緊之處，還得蓋喚天或儲幼寧解說。就這樣，盲婦滴滴答答，抖麵粉袋一般，將冤情從頭到尾，講述清楚。

原來，這盲婦婆家姓施，她公公叫施永祥，養子二人，長子施舉威，次子施舉望。施家素為廊坊富戶，家大業大，有地百餘畝，種著麥子、高粱等糧食，另外還有果園，種著葡萄、鴨梨等，並經營酒坊，家裡扛長活的就有幾十口人。施家農地，瀕臨永定河，向來引永定河水，澆灌自家田地。

隔著永定河，對岸另有莊園，主人姓游，名柏平。這游柏平，出身不正，早年為江湖巨盜，在南邊幾省做案，積聚家財，遷居至廊坊，買田購屋，儼然成了本地鄉紳。但這人匪性不改，仍支使手下人等在外地做案，以豐其家業。游某為人陰毒，作派刻薄，在廊坊有口皆碑，都曉得這人毒辣，慣會侵門踏戶，占人產業，吃乾抹淨，不留餘地。因而，廊坊地區父老，背後均不稱其本名游柏平，而以諧音游剝皮稱之。

施永祥廊坊家中，僅剩次子施舉望，協助施永祥操持龐大家業。因其長子施舉威少年科場得意，由秀才而舉人，而進士，在北京朝廷軍機處任軍機章京。這軍機章京，為軍機大臣幕僚輔臣，又有「小軍機」之稱，參與國家密笏，職位至關重要。因施家朝中有人，因而，游剝皮曉得厲害，不敢對施家產業有非分之想。然而，去年春季，施舉威積勞成疾，於北京暴斃，施家頓失朝中奧援。

偏偏，屋漏又逢連夜雨，去年夏天，永定河擺尾移位，棄守舊河道，另闢新河道。原本，施、游兩家農莊以永定河為界，永定河移位後，竄入施家農地，在農地中沖出新河道。大水過後，游剝皮立刻占據廢棄舊河道，闢為游家農地。如此，游家憑增農地，而施家農地則因沖出新河道，農地因而減損。施永祥曉得厲害，知道自己長子已然亡故，朝內無人作主，而游剝皮又與縣衙沆瀣一氣，因而，只能自認倒楣。他眼見游家奪走舊河道，闢為農田，而自家農地卻為河道所沖，僅能暗自嘆息，表面上若無其事。

然而，歹事接二連三，沒完沒了，紛至沓來，老天爺都擋不住。永定河改道，穿施家農地而過，游剝皮雖併吞舊河道，擴增田畝數量，但就此失了河界，沒法引水灌溉。那新河道，距舊河道有兩里之遙。因而，游剝皮施壓，欲強買施永祥家農地。而購買方式，則極其缺德。游剝皮說了，他只買兩丈寬、兩里長土地。

亦即，游剝皮所欲買施永祥農地，起自永定河新河道，終至永定河舊河道，長有兩里，但寬僅兩丈。游剝皮說了，他說，這樣買地，買下之後，他要開掘引水深溝，將永定河水，經由深溝引入他家農地。如此買地，無異硬生生將施家農地一切為二，對施家極為不利。至於買地價格，亦低於應有行情。

施永祥審度時勢，曉得毫無還手餘地，只能被迫含恨允諾。買賣當日，雙方約定，在牙行一手交銀票，一手交地契。土地買賣，須有文書證明，這文書即為新地契。雙方至仲介牙行，由牙行主事胡老三寫就新地契，言明施家農地自永定河新河道，至永定河廢河道間，長兩里，寬兩丈土地，此後歸於游剝皮。而施永祥土地則為經切割後，兩塊分離土地。

那天在牙行，除仲介主事胡老三外，還請鄉紳牟立豫為證。當日，施家父子皆到，與游剝皮一齊遂行這檔買賣。當場，胡老三取走施永祥原地契，又另寫兩份新地契。這兩份新地契，一份言明施永祥土地，被切割為兩塊，起自何處，又終於何處。繼而，仲介主事胡老三又寫第二份新地契，給予游剝皮，新地契載明兩里長、兩丈寬土地，此後歸游剝皮。

兩份地契寫完，施永祥等著游剝皮交付銀票，卻見游剝皮對胡老三、牟立豫拱拱手，隨即掉頭就走。施永祥見游剝皮掉頭離去，當場不答應，出聲要游剝皮止步，說是還沒交付銀票，繼而出手攔阻。詎料，施永祥手還沒碰到游剝皮，游就反手一掌，將施永祥打倒在地。施永祥倒地後，游剝皮起腳又踹，邊踹邊罵道：「你個不要臉的，仗著兒子在京裡軍機處當章京，就如此張狂，敢訛詐老爺我。剛才兩位見證都看見了，我已然將銀票交給你，你轉交給你兒子。你兒子剛才出去，將銀票藏起，你反過臉來，訛詐我沒給你銀票。」

施永祥被打，被踹，土地被奪，滿心積忿，只能指望官府衙門申冤。次日，他親自縣衙，擊鼓鳴冤，縣官升堂聽訟，審理全案。施永祥稟明案情緣由，縣官當場傳喚游剝皮、牙行主事胡老三、鄉紳牟立豫，四人當面鑼，對面鼓，把話講清楚。施永祥原本指望胡老三、牟立豫實話實說，助其討回公道。詎料，胡、牟二人說法，卻與游剝皮一致，都說游剝皮給了銀票，施永祥將銀票交予次子施舉望，施舉望隨即離去，繼而返回。之後，施永祥即誣賴游剝皮，謂游某並未交付銀票。

這官司不打還好，愈打愈糟，縣大老爺當庭判施永祥誣告之罪，命衙役責打五十大板。施永祥歸家後，氣急攻心，加上受了刑，皮肉受創，當即病倒，延醫救治，依然沒起色，遷延月餘，一命嗚呼。施永祥死後，妻子崔氏隨之上吊。施家僅剩次子施舉望夫婦，帶著四歲幼女娟兒苦苦支撐。

游剝皮害死施永祥後，續伸魔爪，欲奪取施家全部家業。這日，游剝皮率手下家丁，闖入施家宅院，言明就是要悉數強占施家家業。施家家丁皆畏懼游剝皮，無人出聲。游剝皮見施舉望妻子巫娘頗有姿色，當場拉扯，欲帶走巫娘。巫娘剛烈，竟將院內積存石灰，揉入雙眼，當場燒瞎兩眼，眼窩潰爛，不成模樣。如此，游剝皮才悻悻然，將施舉望一家三口逐出，接手施家大院。

施舉望無可奈何，又去縣衙擊鼓鳴冤。這回，縣大老爺連升堂都免了，逕自下令，要衙役將施舉望押入大牢，就此拘禁。巫娘無家可歸，無人可靠，走投無路，淪為乞婦，帶著娟兒，在廊坊地面，行乞為生。

儲幼寧等三人聽完，心中俱皆激憤，也同覺不可思議。蓋喚天緩緩言道：「這種勾結官府，泯滅天良之事，在北京城裡斷然不會有。北京城裡，亂七八糟汙穢事多矣，北京城裡大小衙門，大小官兒，勾結舞弊，害人弄錢之事多矣。不過，再怎麼汙七八糟，再怎麼害人弄錢，也不會這樣明目張膽，這樣天理不容。」

儲幼寧則是對著查掌櫃等餘人道：「各位，這廊坊距北京城，也就是一百多里地，快馬跑跑，一個時辰也就到了。說起來，廊坊也算得是天子腳下近畿之地，怎麼就這樣沒王法了？」

眾人一陣嗡然，你一言，我一語，那意思是說，從縣裡到府裡，全被游剝皮買通，上下一氣，水潑不進。

這當口，響屁爺站起身子，大聲喊道：「我叫尚皮耶，這名字叫白了，成了響屁爺。我是羅馬天主教耶穌會教士，奉派到中國來，眼前是北京西什庫天主堂神甫。今天路過貴寶地，不想，親身撞見這齣慘劇。我就一句話，想問問這巫娘，願不願意帶著孩子娟兒，入我天主教。只要入了天主教，成了教友，我這檔事管到底，我背後有天主教羅馬教廷，有比利時公使館，我非要替巫娘討回公道不可。」

有清一代，自咸豐以降直到光緒，幾十年間，教案不斷。這當中，基督教教案甚少，凡教案，幾乎都與天主教有關。這教案，亦有規律情節，大體上，不外是民智落後，不識新知，誤以為天主教殘人肢體，而天主教則蔑視民俗傳統，與庶民文化扞格不入。此外，教民良莠不齊，藉「吃洋教」魚肉鄉里。進而，激出變故，亂民燒教堂、殺教士、屠教民。最後，激出外交事故，歐西強權以軍艦炮艇逼迫清廷，朝廷則殺暴民、懲官吏、賠銀兩、補建教堂，收拾善後。

因而，底層百姓對天主教普遍反感，對教民普遍敵視。如今，嚮屁爺要巫娘母女入教，卻是為了報仇，這頗讓眾人躊躇，不曉得該叫好，還是該叫罵。

末了，還是巫娘出聲道：「只要能報仇，我受多大罪都願意。」說罷，站起身來，又拉著娟兒，朝嚮屁爺跪倒。這回，嚮屁爺不扶了，說了聲：「等著。」翻身便走，去到外頭馬車上，取出一套天主教神甫主持彌撒法器，併同彌撒服飾，復又回到客棧前廳。

這回，嚮屁爺收起嘻皮笑臉，一臉正色，不苟言笑，出手勢，要蓋喚天、儲幼寧，將飯桌上所有碗、盤、筷、匙、殘羹剩飯，全都清理乾淨，拿抹布把桌面擦拭乾淨。隨即，又把附近桌子往旁搬移，空出十幾尺見方一小塊空地。嚮屁爺將神甫裝飾穿戴上，將各種法器置於桌上，又低聲吩咐儲幼寧，取來一碗清水。

隨即，嚮屁爺開始儀式，嘴裡咿哩嗚嚕，以洋文念念有詞，手上則搖擺、揮灑作勢。末了，嚮屁爺以指沾水，在巫娘、娟兒額頭上畫十字。畫完，終結儀式，高聲宣布：「馬利亞、伯爾納德，你們已是天主教教友。」

從頭至尾，廳堂裡眾本地、過路食客，定眼細看這套儀注。儀式完了，響屁爺脫下神甫服飾，取走法器，俱歸置車上。回到屋裡，響屁爺渾身是勁，高聲喝道：「走啊，到縣衙門去，給馬利亞與伯爾納德討公道去。」

說罷，響屁爺交代牛雙喜，看好馬車與車上物件。牛雙喜說，他不進客棧房間，今夜就宿於馬車上。

這時，天色早已全黑，眾食客聽說要去縣衙門討公道，全都興致盎然，都想看洋神甫鬥縣大老爺。之後，響屁爺一馬當先，扶持巫娘，巫娘則牽著小娟，由眾人指引，往縣爺門方向行去，儲幼寧、蓋喚天，則一旁護持。幾人身後，則跟著大群人眾，一路嚷嚷，引來路人側目，詢問緣由，聽說是洋人鬥縣官，跟著手舞足蹈，加入人群。如此這般，人群愈裹愈壯實，等到了衙門口，已是人山人海，人聲鼎沸。

這縣官，叫翟清堂，人不符名，既不清清白白，也不堂堂正正。這人，在家排行老六，發跡前，人不言其名，均以翟老六稱之。此人原是走街串巷布販，眼善察言觀色，嘴善說東道西，生性討人喜歡，長得亦是一副上人見喜面容。時日一久，門道多了，就找著金主，助其捐官，當上了知縣。

清末，為官之道不只一端。就以縣官而言，科舉之路為正途，如縣官出缺，則兩榜進士遇缺即補，最為優先，稱為「老虎班」。科舉之外，還有捐官，把國家名器當成商品財貨，稱斤論兩，按職等高低出售。這翟清堂，即是走了捐官之途，由背後金主出資，買了這縣官職位。

有道是「三年清知縣，十萬雪花銀」，意指只要當上了知縣，哪怕是兩袖清風，清廉為官，只要按著官場規矩來，哪怕是只當上一任，自然而然，就會宦囊豐裕，滿載而歸。至於貪官墨吏當起縣官來，則致力於刮地皮，刑事官司、民事錢穀兩面搜刮，四季發財。這翟清堂到廊坊當縣官，不過一年時間，就將背後金主資金，連本帶利，全部還清。第二年起，搜刮所得，盡入私囊。

游剝皮膽敢無法無天，公然奪取施家產業，即是看準翟老六捐官出身，千里為官只為財，因而，早早即示好賣乖，欲買翟老六。偏偏，這翟老六見錢眼開，有買家，他就賣。因而，兩人一拍即合，早就聯手勾結幹過幾檔勾當。待施永祥長子軍機章京施舉威亡故後，游剝皮見施家朝中無人，興起歹念，買通仲介主事胡老三、鄉紳牟立豫，弄出那假買賣。

至於之後施永祥擊鼓鳴冤、施舉望擊鼓鳴冤，縣官翟老六當然是屈審屈判，先入施永祥誣告之罪，責打五十大板，逼死施永祥。繼而，又將施舉望下入牢裡，不審不判，存心關死施舉望。

沒想到，死棋肚子裡，竟然跑出了仙著，巫娘母女竟然遇上了洋神甫饗屁爺。如今，饗屁爺扶持巫娘母女來到縣衙門大堂口，身後跟著逾百好事者，都等著看熱鬧。此時，翟老六正在衙門後頭簽押房裡，數著銀錢摺子、銀票、元寶。其實，翟老六生性雖極貪婪，但卻也極節儉，有錢捨不得花，就是喜歡將銀錢擺在身邊，每天夜裡搬出來數數，心裡歡騰紮實，數完了好上床睡覺。

他那錢財，有些存入錢莊，載入摺子，有些兌成銀票。另有一些，則換成五十兩一個大元寶。這些錢財，他擺在保險箱裡，連老婆孩子都不知他到底有多少身家。這天夜裡，他照例在簽押房裡，搬出錢莊摺子、銀票、元寶，在那兒摩挲鑑賞之際，就聽見外頭人聲鼎沸，繼而則是衙門口所置皮鼓，為人擂起，咚咚咚咚，聲浪破耳而來，聽著好不舒服。

他趕緊喚來隨從小廝，囑咐去前頭察看。這當兒，那鼓聲還是咚咚咚，不絕於耳。隨即，小廝回報，說是有個洋人，身旁、身後，跟著一百多人。這洋人擊鼓，說自己是比利時神甫，要縣官升堂理事。

翟老六一聽，是個洋神甫，心中不禁叫苦。蓋因幾年來各省教案不斷，一方面牽扯到洋人，洋人背後則是軍艦炮艇；二方面，牽扯到本地「義民」，苦大仇深，人心浮蕩，隨時都會出亂子。這兩面，哪一面都惹不起，偏偏，兩面交相激盪，把個官府衙門夾在中間，兩邊不討好，左右難做人。

轉念至此，翟清堂心中栗六，雜亂如麻。看樣子，今晚這教案棘手難辦，是福不是禍，是禍躲不過，他沒得選，只好升堂理事。

小自縣官，大至督撫，若升堂理事，身邊必然有兩位師爺跟著，堂下必然有三班衙役，手執水火棍，分站兩旁，喊堂威，助聲勢。無論縣官抑或督撫，對所轄諸般業務都得靠師爺處置。師爺，向分兩類。掌管刑事、糾舉、司法者，稱為刑名師爺。掌管民事、財政、農政、工商者，稱為錢穀師爺。如今，天已全黑，兩位師爺皆不在縣衙門裡，大約帶著姘頭上哪兒風流快活去了。這衙役，也只剩幾人，還在班房裡吃夜飯。

無奈之餘，翟老六要小廝先去門口，轉告那洋神甫，老爺馬上升堂，要那洋神甫，別再擂鼓了。之後，再去班房，告知剩餘衙役，趕緊整頓服裝，老爺要連夜升堂。末了，則去四處煙館酒肆，把師爺給找回來。吩咐完畢，翟老六嘟嘟囔囔，自顧自換了官服。這時，聽見前頭大堂腳步雜沓，曉得是衙役已站了堂班。於是，這縣大老爺翟清堂，彈嗽一聲，自簽押房起駕，去了前堂。

升堂入座，就見底下跪著盲婦巫娘與女兒娟兒，身旁站著個洋人，金髮金眉金毛，身高膀闊，肥肥胖胖，年約三十許，橫眉豎目，朝自己瞪著。後頭，則是百姓群集，等著看好戲。翟老六正想呼喝衙役，將圍觀眾人趕出堂外，卻見底下總共就是四名衙役，左右各兩人，拄著水火棍，歪歪斜斜站著。

無奈之餘，翟清堂又彈嗽一聲：「那什麼，你這洋人，帶了通譯了嗎？」

響屁爺京腔京調京片子回道：「我通中土語言，無須通譯。」

這一說，翟清堂唬一跳，沒想到這洋人官話說得如此了得。定定神，翟清堂續道：「你是洋人，有所不知，縣衙門只在白日裡升堂理事，如今已是夜裡，黑燈下火，豈是議事之時？念你洋人不懂，今日權且不與你計較。你與這盲婦、童女，有何糾葛？要知道，教案之事，冤家宜解不宜結，依我看，你們還是和解了事。」

響屁爺一聲暴喝道：「我放你的狗臭大驢屁，什麼教案，什麼和解，我今天來，是為教友申冤。」他指指巫娘與娟兒道：「這是我天主教教友馬利亞，這是她女兒伯爾納德。他們有冤屈，我今天來，為他們申冤。」

響屁爺這一聲暴喝，唬得堂上縣官翟老六顛了一下，兩旁四名衙役，也覺得耳中嗡然作響。儲幼寧並蓋喚天，與響屁爺結交頗久，平日裡見這比利時洋神甫就是嘻皮笑臉，生性滑稽，語帶詼諧，貪杯好酒，極易與人相處。沒料到，今天這金毛洋人在縣衙門大堂上，厲聲暴吼。眾圍觀百姓更是眼界大開，自盤古開天闢地以來，衙門裡，老爺最大，老爺升堂理事，兩旁衙役拄著水火棍，喊著「威武、肅靜」，升斗小民俯首帖耳，哪敢如此，對堂上大老爺高聲吼叫？

響屁爺這震天一吼，眾黎民百姓看在眼裡，心中無不叫好，但囿於時勢，表面上不敢高聲喝采。而上頭縣官翟老六自捐官以來，從沒碰過如此大楣頭，當下，想發作，卻又無從發作起，只好顧左右而言他道：「你說，你替教友申冤，本官不知，何冤之有？」

響屁爺開門見山，挑明了說：「你們中國人常講，有話快說，有屁快放，我是比利時神甫，本名尚皮耶，北京朋友叫白了，喊我響屁爺。現在，我這響屁爺，有話說，有屁放。我說，你心裡很清楚，這是怎麼回事。你見到馬利亞、伯爾納德兩人，就應該知道，我所為何來。」

「很簡單，我要你現在馬上把馬利亞丈夫，從牢裡放出。繼而，我要你重審馬利亞家冤案。你要搞清楚，這地方叫廊坊，位於北京與天津之間，距兩地都只有一百多里地，快馬跑跑，一個時辰都可到。在北京，有總理各國事務衙門，在天津，有北洋通商大臣衙門。這倆衙門，都管著洋務。我想，不必我提醒你，你在官場為官，也當知道，這倆衙門雖然管著洋務，也最怕洋務上出問題。最好是風平浪靜，要是真出了大事，也只是設法委屈消災。」

「馬利亞家這冤案，要是你這縣官不能解決，沒得說的，我北京、天津兩頭都跑一趟，向總理各國事務衙門、北洋通商大臣衙門，各告你一狀，我看你這小小縣官，如何收拾？到時候，事情鬧大，總理各國事務衙門、北洋通商大臣衙門，一定拿你墊背，拔掉你官位祭旗。到時候，從京裡派個兩榜進士來接你後手，把你任內汙七八糟爛帳，算得清清楚楚，必然會將你抄家，把你打入牢中。你腦袋放清楚點，想想，我這話有沒有道理？」

響屁爺這一陣搶白，鬧得翟清堂一佛出世，二盤涅盤，眼冒金星，心慌意亂。慌忙之餘，只好且戰且走，對響屁爺言道：「你這番威嚇之詞，嚇不倒本官。今日時辰已晚，縣衙內聚集眾多百姓，班房衙役人手不齊，升堂理事儀注有缺，不是理事之道。這樣，你與相關人等，入我簽押房，待本官詳加了解案情，再做定奪。」

響屁爺聞言，心中雪亮，曉得翟清堂已嚇得六神無主。於是，他轉過身去，對著圍觀庶民，舉手抱拳，躬身哈腰道：「諸位請了，只要有我轡屁爺在這兒，就必然會替教民馬利亞、伯爾納德討回公道。現下，我與蓋、儲兩位朋友，帶著馬利亞、伯爾納德，入這縣官簽押房，密商解決大計。各位，時辰已晚，請各位各自歸家吧。」

說罷，他走向圍觀庶民，兩手張開，輕輕推搡眾人，朝衙門外頭而去。眾人逐漸離去之後，衙役隨即關上大門，上了門閂。轡屁爺則與儲幼寧、蓋喚天，帶著巫娘、娟兒，到了後頭簽押房。巫娘眼盲，入了官府，還是怕官，心中恐懼。轡屁爺二話不說，當即拉了縣官太師椅，強按巫娘坐下，又把娟兒，放置巫娘膝頭，由巫娘抱著。

未待縣官開口，轡屁爺隨即點手，指著巫娘，轉頭衝翟清堂道：「你，馬上要衙役，把她丈夫放出。先不要帶到這兒來，找家澡堂子，好好洗刷乾淨，換上乾淨衣服，然後送到『永昇祥』客棧去。你再派個人，送馬利亞與伯爾納德去客棧，等著一家團圓。交代客棧查掌櫃，好好弄一桌菜，讓他們吃團圓飯。事情了結之前，他們一家三口都住客棧，一天三頓，由客棧管飯。這房錢、飯錢，由你支應。」

「今兒個，我們要在這裡談事情，不把這冤案弄清楚，我們不會離去。一個時辰，兩個時辰，哪怕三更半夜，我們都不走。」

到這分上，翟清堂已然沒了主意，轡屁爺啥說啥好。這縣官心裡清楚，官場形勢確如這洋人所說，朝廷總理各國事務衙門、天津北洋通商大臣衙門、上海南洋通商大臣衙門，都怕洋人鬧事。百餘年來，大清朝歷次與洋人交戰，次次失利兵敗，洋人船堅炮利，指哪兒打哪兒，沒有攻不下的城池，沒有打不敗的勁旅。真要惹出大事，無論有理抑或無理，朝廷必然認錯賠罪。眼前，這比利時洋神甫殺氣十足，卯足了勁兒，要端這鍋熱湯，他小小一個縣官，的確惹不起這麻煩事。

當即，他想到保險箱裡那些個存摺、銀票、元寶，也夠他安安穩穩過下半輩子。當下，他定了主意，與這洋人合作，賣了游剝皮，事後，辭官而去。游剝皮是刺頭地痞，賣了這人，必然遭報復。因而，要賣，就賣個徹底，一槓子打翻了，將之打趴在地，免得游剝皮事後反噬。

因而，他改了態度，響屁爺啥說啥好，馬上派了兩人，一個去放施舉望，一個領著巫娘母女去客棧。

巫娘母女走後，響屁爺在縣衙簽押房內，夜審翟清堂。翟老六話說從頭，把事情原委交代清楚。原來，游剝皮早就有意併吞施永祥家業，只是苦無機會。待施舉威亡故，永定河改道，游剝皮這才動手。動手前，游剝皮早就兩千兩銀票送到縣衙門，在簽押房親自點交予翟老六。游剝皮這人，做事軟硬兼施，不但送兩千兩銀票予縣官翟老六，同時語帶威脅，說自己乃江洋大盜出身，過去在南邊做案，現在在廊坊安分當地主，但盜匪手段依舊熟稔，要是翟老六收錢不辦事，壞了游剝皮大計，則游將反咬翟縣令。

游剝皮利誘加威脅，翟清堂只好就範。此外，游剝皮以相同手段，也是銀兩加威嚇，買通仲介主事胡老三、鄉紳牟立豫，要兩人作偽證。財帛本來就動人心，加上游剝皮言辭威嚇，胡、牟二人亦告就範。

翟清堂一番言語，將案情交代清楚。儲幼寧聽罷，當即直指要害問道：「這地契，難道由牙行仲介胡寫？牙行怎麼寫，地界就怎麼算？這裡頭，有沒有王法？」

翟清堂道：「這當然得由衙門登錄在案，房地買賣，雙方於牙行交易，牙行仲介寫得了新地契，須送到縣衙門來，由衙門錢穀師爺造冊。如此，這才有所憑據。這案子，牙行仲介胡老三事後將地契送來縣衙，自然已經登錄在案。後來，施舉望到我這兒來，擊鼓鳴冤，被我押入大牢，游剝皮乃強占施家全部產業。強占後，又由胡老三再寫新地契，將施家所有房地全都寫入游剝皮名下，並在我這兒，由錢穀師爺登錄入冊。」

蓋喚天與儲幼寧、嚮屁爺一陣商議，決定今晚就弄個水落石出，乃強要翟清堂，派人連夜找來胡老三並牟立豫。這時，縣衙三班衙役接獲通知，曉得衙門裡有事，紛紛趕回，掌管刑名、錢穀兩位師爺也被人找回。衙門裡，人手眾多，翟清堂不及多想，想也無用，乃依言派人連夜去找胡老三、牟立豫，就說縣大老爺有攸關兩人生死要事，請兩人立即趕赴縣衙。

這等人空檔，嚮屁爺摸摸肚子，說是剛才在客棧吃晚飯，吃得八分飽之際，來了這事。現在，經過一陣折騰，肚子咕咕叫，餓得發慌，要翟清堂開上夜飯來。

這時，縣衙裡都知道出了事情，班房裡，衙役議論紛紛，兩名師爺在簽押房外，摸不著頭腦。而翟家內眷聽說家裡來了洋人，則心中均感不安。翟老六能當縣令，畢竟有幾下子，當即派雜役至班房，說是並無要緊大事，要眾衙役稍安勿躁，又親向兩位師爺說明，今夜有洋務得處理，請兩位師爺在簽押房外，等候傳喚。此外，又回內院告知家眷，只是臨時有要緊洋務要處理，要家小趕緊安睡。

衙門小廚房，本來已熄火滅爐。這時，嚮屁爺要吃飯，翟老六只好喚出廚子，要廚子重新點火做飯。一陣折騰，等飯開上來，嚮屁爺左右開弓，吃得溝滿壕平，蓋喚天、儲幼寧亦陪著吃了一點。翟老六腦袋裡漫山跑馬，想著今後趨吉避凶行止，沒那心思吃飯，只好一旁坐著相陪。

這夜飯將將吃完，衙役把胡老三帶進簽押房。之後，工夫不大，牟立豫亦到衙門，進了簽押房。

兩人心中七上八下，面現驚懼之色，翟老六將饗屁爺等三人抵衙門之後，所發生諸事，告知胡、豫，說是游剝皮侵占施家產業，已告事發，今夜即須處理。胡、牟二人，當場高聲喊冤，說是自己亦是被迫，否則游剝皮將不利二人家小。

饗屁爺聽二人喊冤，當即喝道：「別在這兒現眼了，現在在這兒喊冤，當初冤枉施家父子時，可一點餘地都不留，下手不容情，板子打死了老子，黑牢又關了兒子。別假慈悲了，現在就把事情辦了。那縣令，你動筆，給這牙行主事以及這鄉紳，各寫一份親供。寫好了，給他二人畫押。」

蓋喚天一旁看了，不禁打趣道：「行啊，饗屁爺，你這比利時洋神甫，還懂什麼親供、畫押，真有你的。」

饗屁爺回道：「我天天在北京城轉悠，光是天橋聽說書，看唱戲，就把大清帝國風土民情、官場百事，摸得清清楚楚。」

翟老六縣官當久了，嫻熟公事上諸般竅門，但他是走街串巷布販出身，肚子裡文墨有限，不能下筆。於是，喊來刑名師爺，口述大意，要師爺寫成親供。這胡、牟兩份親供，雖非二人親自口供，但所寫內容，俱是游剝皮恐嚇之事，寫明之前兩人作偽證，係不得已，如今將內情全盤托出，為自己脫干係，將罪過全歸於游剝皮。寫完親供，胡老三、牟立豫畫了押，簽了名，事情就算了了。

胡、牟二人見事情已了，就想離去。饗屁爺不答應，要胡老三寫立新地契，將施家原先房地，悉數歸於施舉望名下。胡老三說，寫地契，須用牙行大印，他得等天明之後，到了牙行才能寫就。

饗屁爺腦袋清楚，乃對翟老六道：「你不是說，新地契還是得送到衙門來，由師爺登錄，列入地籍名冊，這才生效力？現在，胡老三手上沒牙行大印，沒法子寫地契。沒關係，要他明天再寫。但你這兒，請師爺先改改登錄，將施家房地，列入地籍。」

於是，翟老六又喊來錢穀師爺，取出地籍登記，當場更改，銷去原有記載，改寫新地籍，將施家產業，全都歸於施舉望名下。

待此事辦妥，時辰已近午夜。響屁爺打了個哈欠，站起身來，對眾人拱拱手道：「都散了吧，大家早早回家睡覺。縣大老爺，明天我和我這兩位朋友，要去游剝皮那兒把這帳算清楚。我們也不指望縣衙門出頭，替施家取回產業。但請貴衙門明天派個人，帶著官文書到客棧來，與我們一同前往游剝皮那兒，宣讀這衙門文書，讓游剝皮曉得，施家房地田產又復歸施家。至於游剝皮聽不聽命，則與你衙門無涉，我和我朋友自會替施家出頭，取回產業。」

「還有一樣，明天游剝皮那兒難免一戰，甚至可能出人命。這上頭，你得有所擔待，等著收拾爛攤子。這攤子要收得不好，就算前功盡棄，你別想順當脫身。」

翟老六道：「這個嘛，我省得，反正就算出了人命，我自會以江湖人物鬥毆處置，不會追到幾位頭上。」

第三十五章：攻農莊三場惡戰克敵致勝，送銀票行俠仗義功德圓滿

當夜子時，三人回到客棧，牛雙喜還沒睡，守在馬車上。嚮屁爺要牛雙喜把車上要緊物件搬進客房，別睡馬車了。蓋喚天特別提醒儲幼寧先別睡，趕緊附近地面找找，多找點合適圓石子，充作彈弓彈子，明日必有惡戰。

儲幼寧道：「大哥，臨離開北京前，已經補足彈子，哪，您瞧瞧我這布袋裡，裝了不少石彈子。大哥，為何說明日必有惡戰？」

不待蓋喚天答話，嚮屁爺接著話碴子道：「用膝蓋想都知道，今日一百來人跟著咱們上縣衙門，這事情滿街傳，必會有人向游剝皮通風報信。夜已深了，上個茅房，洗把臉，腳都沒時間洗了，趕緊睡覺吧。」

行旅商客，長途趕路，每日睡前，熱水洗腳，最是重要。客棧裡，常川供應熱水，大灶上恆常坐著大銅壺，哪位客官要洗腳，店小二就提溜著大銅壺，往腳盆裡倒熱水。熱水泡腳，最是消除疲勞，恢復精力。嚮屁爺與牛雙喜同房，蓋喚天與儲幼寧同房。當夜，時辰已晚，次日還有惡戰，蓋、儲二人腳都沒洗就上床睡覺。

次日清晨，二人早早起床，隔壁響屁爺與牛雙喜亦已起床。匆匆漱個口，四人來到廳堂，正想向查掌櫃訊問施舉望一家三口住房，就見巫娘與個男人，帶著娟兒坐在大桌前吃早點。娟兒眼尖，見到響屁爺等四人，高聲歡叫道：「爹，娘，救命恩人來了！」

那男人自然是施舉望，一家三口昨夜團圓，敘起來龍去脈，都說響屁爺等人是救命恩人。如今相見，施家三口自然不斷感恩拜謝。響屁爺等三人則一再交代，要施家三口安心留在客棧，今日之內，必有好消息，可歸返施家產業，施家三口必能回家。

吃早點時，客棧外頭影影綽綽，人影不斷，人聲隱約傳進客棧。原來，昨天晚上三人夜闖縣衙，已經轟動廊坊地面。昨夜簽押房內之事，刑名、錢穀兩位師爺均親身參與，而雜役、衙役亦大略知曉。因而，一夜之間，洋人助拳，替施家出頭，向游剝皮奪產之事，傳遍廊坊。今日一大早，就有各路閒漢等在客棧門口，打算跟著響屁爺等三人，前去游剝皮那兒討公道。

一方面是看熱鬧，二方面，這游剝皮橫行鄉里，在廊坊地面聲名狼藉，如今有洋人出頭打擂台，廊坊百姓都伸長了脖子，等著看游剝皮好戲。

眾人正吃早點之際，就見客棧外頭，有個人在那兒探頭探腦，畏畏縮縮，想進又不敢進。儲幼寧眼尖，對眾人道：「呃，那是縣衙門錢穀師爺，昨晚見過的。想必，縣大老爺聽進了響屁爺的話，今天果真派個人，跟著咱們去游剝皮那兒，宣讀衙門官文書。」

響屁爺朝門口招手，要那錢穀師爺進來，但師爺還是畏畏縮縮，只是站在門口，不肯進來，眾人只好算了。

吃過早點，響屁爺叮嚀牛雙喜留在客棧，看好物件，守好馬車。響屁爺特別交代牛雙喜，萬一出了歹事，自己一命嗚呼，要牛雙喜趕緊駕車趕往天津，將詳情稟報天津紫竹林聖路易天主堂神父，替自己報仇討公道。

三人才走出客棧，帶上錢穀師爺，還沒起步，就被瞧熱鬧閒漢所圍，七嘴八舌，詢問今日將如何收拾游剝皮。前頭有人帶路，四周有人尾隨，三人外加錢穀師爺，由眾人擁簇，朝西南而去。行約五里地，至一莊園外。這莊園，四面高牆環繞，牆上還有角樓，居高臨下，瞧得清楚。

距那莊園大門還有百餘步之遙，錢穀師爺趕緊站定腳步，不肯再往前走。隨即，掏出幾件公事，忙不迭地高聲宣讀。那幾份公事，有牙行仲介主事胡老三親供、鄉紳牟立豫親供、游剝皮新地契、施家新地契。那錢穀師爺讀起這幾份公事，速度飛快，字字連音，嘰哩呱啦，比繞口令還溜。讀完之後，收起公事，轉身拔腳就跑。

這頭，響屁爺對著圍牆，高聲喊道：「游剝皮，你耳目必然眾多，想必你昨晚已知訊息，曉得我今天要替天主教教友施家，到這兒來討公道。剛才，衙門師爺已經宣讀縣大老爺昨夜新批公文，你沒戲唱了，乖乖出來，將產業交割清楚，把施家田地房產，歸還施家。」

就聽見牆後有人暴喝一聲：「放屁！」

繼而，牆頭飛起一物，黃乎乎，朝牆外眾人扔來。眾人見有物飛來，爭相走避。那物件落於地上，砰地一聲，炸出一團火焰，星點火苗四處飛濺，幾名閒漢被火苗濺著，呼呼喊疼。另有人喊道：「洋燈油蒲包，這是洋燈油蒲包，小心，碰上了，就是火燒身。」

自古以來，中華子民均以菜油點燈，火弱光微油煙大。清代中葉，華洋通商頻仍，洋煤油大量入口，逐漸取代菜油，成為庶民點燈燃料。洋燈油，火強光亮油煙少，廣受百姓喜愛。這游剝皮耳目眾多，昨夜即已知曉，有洋神甫並兩名江湖人物，出頭替施家討公道，夜闖縣衙門。游剝皮當即明瞭，此三人次日定然來攻。因而，連夜措手準備，派人騎快馬，四處通知黨羽徒眾，兼程回防游家莊園。

這些黨羽徒眾散居各處，與游剝皮暗通訊息，受游指使，赴外地做案。在外地偷拐搶騙，奪得財物之後返回廊坊，與游剝皮分贓，之後，又各歸自宅，成了良民。

昨晚，游剝皮連夜派出人手，召集左近黨羽，兼程趕回游家莊園，製作各種機關、火器，這洋燈油蒲包，即是其中犖犖大者。洋燈油蒲包並非新生事物，北方農村常有械鬥，早年以冷兵器對戰，此時已出現各式熱兵器。這洋燈油蒲包，即為當時農村械鬥常見熱兵器。這東西，先拿大張油紙，摺成圓球狀，然後注入洋燈油。注完油，拿粗棉線插入油中，然後封口。末了，以細線織網，將油紙包置入網中。

對戰時，點燃粗棉線引信，手執線網，往上拋擲，擲向對手。洋燈油蒲包落地後，砸破油紙，紙內所注洋燈油爆裂，化為火焰，四方潑濺，沾者即受火燙之傷。

游家莊園高牆上，有家丁騎坐，指揮牆內家丁，往外拋擲洋燈油蒲包。就見黃色油紙蒲包接二連三，越牆而出，擲往儲幼寧人等方向。蓋喚天見機快，第一具洋燈油蒲包落地，傷了幾名閒漢後，立時呼喚眾人後退。眾人一片叫罵，紛紛後退，退至洋燈油蒲包拋擲不及之處。

蓋喚天高聲對眾人言道：「各位請了，今日這事情，是這洋神甫與我及我兄弟，我們三人之事。諸位有心幫人場，我們三人在此謝過。兵凶戰危，水火無情，刀槍不長眼睛，各位犯不著在此拿性命開玩笑。待會兒，這兒會有惡戰，不定死傷多少人，各位，散了吧，別跟著我們端這鍋熱湯。」

一幫看熱鬧閒漢，聽了蓋喚天言語，又往後頭再退幾十步，但卻無人離去。蓋喚天嘆了口氣，對嚮屁爺並儲幼寧道：「唉，今日之事，觀眾必多，只要不傷無辜，這些閒漢，要看就看吧。」說罷，轉頭對儲幼寧道：「兄弟，把彈弓拿出來，把彈子準備好，我去前面誘敵，你隨即來個滿天星斗，給他們來個天女散花。」

嚮屁爺不知蓋喚天這講的是啥，但曉得蓋與儲正商議破敵之計。

隨即，就見儲幼寧左手拿彈弓，右手抓彈子，屏氣凝神，兩眼直勾勾，盯著圍牆上方。蓋喚天緩步向前，扯著喉嚨，高聲喊道：「游剝皮，你個沒子孫堂的窩囊廢，就會躲在牆後頭，讓人扔火油彈。你再扔啊，老爺我就站在牆外頭，你倒是再扔啊！」

嚮屁爺聞言，不解其意，乃問儲幼寧道：「蓋幫主罵游剝皮沒子孫堂，請教，子孫堂是何物？」

儲幼寧依舊屏氣凝神，兩眼緊盯牆頭，小聲回答道：「男人胯下之物。」

嚮屁爺不依不饒，又問道：「不對啊，應該是叫子孫袋才對，為何要叫子孫堂？」

儲幼寧低聲罵道：「洋和尚，大敵當前，別發呆氣，別讓我分心。」

那牆頭上，騎坐著個莊丁，見眾人皆後撤，獨有蓋喚天反而向前，因而，歪著腦袋，對著牆底下滴滴答答，碎言碎語傳訊，指揮方位。隨即，呼呼呼呼，四枚洋燈油蒲包，向上拋起，眼看著，就要越過牆頭，朝蓋喚天砸落。說時遲，那時快，儲幼寧手上彈弓連四發，四枚彈子勁射而出。噗噗噗噗，每一枚彈子，砸中一枚洋燈油蒲包。四個蒲包在牆頭上炸裂，油汁破袋而出，瞬間為棉線引信點燃，化為滿天火焰，朝下灑落。

這滿天火焰，少數噴至外頭牆角，多數則噴向牆內，披天蓋地，灑向游剝皮手下莊丁與同夥。就聽見牆內喊聲連天，鬼哭神號，呼爹喊娘，鬧成一片。

蓋喚天得意之極，拍手大笑道：「哈哈哈哈，瓦罐不離井邊破，將軍難免陣上亡；整天打雁，還是讓大雁啄瞎了眼；天天在水面上討生活，結果還是陰溝裡翻了船；夜路走多了，終究遇見了鬼；上得山多，畢竟還是撞上了老虎。好兄弟，有你的，這四枚石頭彈子，可立了大功啊！裡面那群混帳王八蛋，搞洋油玩火，結果，碰上了剋星，玩火不成反自焚，自家燈油燒了自己屁股，不定燒成了什麼模樣兒。」

儲幼寧亦大聲喊道：「響屁爺，蓋幫主，可以了，咱們直接攻門吧！」

三人走到大門口，還未撞門，那門無風自開。門開後，門內瞧不著人，三人剛邁步往前走，儲幼寧耳聰目明，就覺得氣流微微顫動，有兵器飛馳而來，不暇細想，兩手往左右一推，推開響屁爺、蓋喚天二人。儲幼寧剛推開響、蓋二人，就見一長條彎曲物件，渾身銀光閃爍，朝自己呼嘯而來，隨即低頭矮身，就覺那物件擦過自己後腦勺髮辮。

那物件飛過儲幼寧頭頂後，隨即轉了個彎，斜斜越過牆頭，飛回莊園內。這暗器來得突然，若非儲幼寧見機快，推開二人，自己又低頭矮身，三個人都難逃過一擊。儲幼寧、蓋喚天二人，從未見過這事物，響屁爺驚魂未定，大聲喃喃自語道：「步馬浪，步馬浪，怎麼會在這兒見到這東西？兩位朋友，要小心了，這東西會轉彎，剛才沒打到我們，飛了回去，馬上，這東西還會飛來。」

這話，語音還沒落下，呼地一下，那銀色事物又飛了出來。這回，儲幼寧有了防備，見那事物飛來，就算準了方位，待那物件飛抵身前時，身子一斜，伸手去拿那物件。詎料，那物件去勢強勁，儲幼寧沒拿住，反而被那事物外緣所割，手掌側邊，拉出條淺淺口子，流出血來。那東西劃過儲幼寧手掌，去勢不歇，轉了個彎，又朝牆後飛回。

三人見勢頭不妙，往後退回，共商因應對策。

儲幼寧右手手掌側緣，淺淺拉了條口子，血汁慢慢滲了出來，也不甚嚴重。他拿口吮著傷口，吸兩下，抬起頭來，對響屁爺道：「洋和尚，剛才你叫喚個什麼？喊什麼步馬浪，步馬浪，那是個啥東西。」

響屁爺道：「在大海之南，距大清帝國幾千里之外，極南之處，有塊廣袤大地，是英吉利國屬地。這地方，英吉利語叫阿斯抓利亞，英吉利國專把作姦犯科罪囚，發配到那地方去墾荒。那地方，還有無數土著生蕃，不服英吉利國，兩邊偶爾對陣。英吉利國船堅炮利，土著生蕃哪裡是對手，於是，多數土著生蕃都臣服於英吉利國，聽從英吉利國統轄。」

「那阿斯抓利亞土著生蕃有種獨門兵器，按英吉利語讀音，就叫步馬浪。這東西，沉木所製，體態彎曲，只要捏拿得當，學會竅門，則抛擲之後，會自行轉彎，擊打對手。倘若未能擊中，還會自動飛回，回到抛擲人手中。」

「譬如說，我倆距離兩百尺，我要拿這步馬浪打你，你站我左邊，我卻朝右邊抛擲這步馬浪。這兵器向右抛擲，飛出去之後，半空中會自行轉彎，轉向左側，朝你攻去。你要是不察，就會著了道兒。」

蓋喚天指著儲幼寧滲血手掌道：「不是說，是木頭做的嗎？怎麼會流血？」

儲幼寧道：「改了，這步馬浪，是鐵器所製，邊緣還開了鋒，沾著了，就是血光之災。」

響屁爺自懷中兜內掏出塊手帕，交予儲幼寧道：「那抛擲之人，手上定然裹了東西，才能抛、接這開鋒步馬浪。你拿這這手帕，捲在手上，試著接那玩意兒。」

蓋喚天解開皮氅，露出內裡大褂，拿大砍刀，將大褂割下一大塊，交給儲幼寧道：「兄弟，那塊手帕頂個鳥用，拿哥哥這塊大褂布片去，把整個手掌心厚實裹住，然後接那鬼東西。」

儲幼寧依言，拿那塊大褂布片將右手掌層層裹住，不但裹得厚，更裹得嚴實，彷彿戴了層厚手套。裹好了，他邁步向前，緩緩走向莊園大門。走至大門口百餘步，儲幼寧站住腳步，全神貫注，耳目賁張，全身上下彷彿上緊了發條，蓄勢待發，動也不動。

唬地一下，牆後又飛來那銀色大彎鏢，一路旋轉飛翔，朝著儲幼寧奔來。儲幼寧不慌不忙，待那物件飛至跟前，才驀然側身，拿手去奪那物件。這回，有了蓋喚天大褂布片護手，儲幼寧將那大飛鏢抓個結實。那大飛鏢去勢仍猛，帶著儲幼寧踉蹌幾步，才站穩腳跟。

物件到手後，儲幼寧定眼細看這東西。此物是西洋精鋼所鑄，通體白亮，形如曲尺，內側邊緣開鋒，銳利無比。雖是精鋼打造，這物件卻甚薄，抓在手裡，分量不沉。這曲尺大飛鏢兩端，約略打造出手握把柄，好讓拋擲者緊抓。

響屁爺沉不住氣，對著儲幼寧喊道：「怎麼樣，把那步馬浪拿過來，讓我瞧瞧。」

儲幼寧揚起左手，揮舞兩下，示意響屁爺安靜。就見儲幼寧站定不動，低頭冥想。他右手提著步馬浪，手掌、下手臂、上手臂、肩膀、腰際、腿部、腳踝、腳掌，各處筋脈肌肉俱都彷彿長了耳目，查察感應，體會這步馬浪質地、分量、形體。就這樣，人與物逐漸結合為一，步馬浪慢慢融入體內，與手、身、腳結合，意念流轉之間，即能感應這步馬浪運行周界，曉得如何支使這銀色大飛鏢。

驀然間，儲幼寧右手轉圈，隨即朝後拋出此物。就見這步馬浪勁頭迅猛，拔空而起，不斷自轉，向前飛翔。而其航向，卻是自右而左，轉了個大圈子，復又飛回儲幼寧右手。繼而，儲幼寧換手出擊，使左手抛擲這步馬浪，依舊是繞個大圈子，但這回卻是由左至右，飛回儲幼寧手中。

兩次操演，精準順當，看得蓋喚天並響屁爺目瞪口呆，響屁爺使力鼓掌，高聲叫好。儲幼寧一言不發，又是豎起左手，示意響屁爺安靜。這回，儲幼寧索性閉上雙眼，微微仰著頭，像座木樁，緊釘地面，死死站著，動也不動。他屏氣凝神，雙耳聽力陷入通靈之境，風吹草動，盡入他耳中。

他傾聽牆內動靜，察覺共有六人，其中五人，腳步走動時，右腳踏步較為沉重，顯係手上拿著刀槍等兵刃。另有一人，右腳腳步與左腳相較，僅僅以極其些微之量，稍顯沉重。儲幼寧心中了然，這人右手有物件，卻非兵刃，而係皮手套或布套。這人，必然是那步馬浪主人。

儲幼寧凝神細想，心中體察那人方位，手上感應步馬浪質地，緩緩舉起右手，呼地一下，將步馬浪由下往上，抛擲而出。那銀色大飛鏢，不斷自轉迴旋，飛躍牆頭，沒入牆內。繼而，就聽見有人慘叫一聲，餘人則喊著：「有鬼，有鬼，這東西自己飛回來，砍了主人腦袋。」

此時，儲幼寧才面露微笑，轉頭朝響屁爺、蓋喚天道：「兩位，攻門吧！」

蓋喚天提著大砍刀，響屁爺與儲幼寧則兩手空空，三人緩步走向莊園大門。到了門口，放眼望去，門內還是不現人跡。三人步步為營，一步一頓，緩緩進了大門。才走進大門，咻咻咻，莫名其妙飛來三根細長尖釘，響屁爺首當其衝，右臉腮幫子上挨了一傢伙。繼而，蓋喚天右手手背亦中招，僅有儲幼寧見機極快，側身避過。

這尖細暗器不知來自何方，嚇得三人趕緊後退，又往回撤，出了莊園大門。才出來，響屁爺就口齒不清，咕噥咕噥，不知講些什麼。響屁爺半邊臉都麻掉，右眼眼瞼僵固，無法眨動，右眼珠子呆滯無神，好像死魚眼睛。此外，右嘴角沒法合緊，漏個大風口，口水唾液哈拉子，不停往下滴。這金毛洋人左臉倒是正常，眼睛不斷眨巴眨巴，對著儲幼寧使眼色。儲幼寧見了，卻不明所以，不曉得響屁爺想說啥。

蓋喚天則是右手拿不住大砍刀，只能換由左手拎著刀子。儲幼寧見響、蓋二人這模樣也嚇一跳，他見響屁爺右臉腮幫子上、蓋喚天右手手背上，各釘著一根細長尖銳暗器，於是將兩根暗器取下。仔細瞧那暗器，通體碧綠，卻是兩根竹鏢，鏢體纖細，尾部捲著個紙筒。那紙筒呈圓錐狀，紙錐頭套著竹鏢末端，紙錐尾則是圓喇叭狀。

蓋喚天湊過來，歪著腦袋，拿鼻子聞那竹鏢鏢頭，就聞到一股甜香之味，乃道：「沒事，這只是麻藥，不是毒藥。要是毒藥，現在我這手背，必然是又麻又癢。如今，我手背只麻不癢。竹暗器上頭餵了麻藥，但因這暗器輕巧而小，所沾麻藥有限，沒事，待會兒就會緩過來。」

響屁爺被這竹鏢所螫，舌頭都大了，咿哩嗚嚕，嘴裡像是咬了塊破布般，言語不清。講話雖不利索，響屁爺腦袋卻清楚，他蹲了下來，順手撿了根枯枝，在地上鬼畫符一般，吃力寫了兩個漢字「吹箭」。

儲幼寧並蓋喚天均不知道「吹箭」是何事物，想向響屁爺問個究竟。無奈響屁爺舌頭麻了，沒法子講話，蓋、儲二人，也鬧不清這吹箭是啥子事物。

蓋喚天發了剽勁，嘟囔罵了幾句粗言粗語，繼而道：「兄弟，這游剝皮還真是個硬骨頭，這樣難啃。一早上到這兒來，先是洋燈油蒲包，接著是什麼步馬浪，現在又來這吹箭，全是些怪玩意兒。鬧了這許久，連門都沒攻進去，剛才是進去了，卻馬上被打出來。現下，響屁爺與我都中了麻藥，沒法子硬攻，咱們歇息會兒吧，想想對策。」

於是，三人又往後走，走到閒漢聚集觀鬥之處。這觀鬥之人又較之前增加，在莊園外三百來尺之處，於樹蔭下聚攏，對著莊園指指點點。儲幼寧等三人撤過去之後，眾觀鬥閒漢都來慰問，加油打氣之聲不絕於耳。更實惠者，有人送上涼水，有人捧來麵餅，三人吃麵餅，喝涼水，填填肚子。那響屁爺口齒不靈便，涼水入口，喝一半，漏一半，麵餅倒是胡亂嚼嚼，硬吞了一張。

莊園外頭這兒，人群聚集，聲浪鼎沸。莊園裡頭，依舊寂靜，不聞走動之聲。那大門，依舊開著，等著儲幼寧等三人午後再攻。就這樣，雙方暫停攻守，彼此對峙。蓋喚天、儲幼寧吃麵餅配涼水之際，就見莊園圍牆內，升起裊裊輕煙，隨即聞到飯食香味。

幾個閒漢各有高見，有的說，牆裡一定是支起了鐵架子，在那兒烤牛肉片，這大冷天的，烤牛肉片正合適。有人說，那其實是打滷麵滷子香，一定是大鍋炸滷子，弄打滷麵，給家丁、幫手吃大鍋打滷麵。又有人說，烤牛肉得預備大蔥、醬油、高醋，太過麻煩。打滷麵，要炸滷子，湯湯水水，也是不合適。因而，這人斷定，牆裡頭這一定是吃韭菜盒子，不要油，不要水，就是韭菜拌雞蛋，放進麵盒子裡，貼進大泥爐，炕熟了即可吃。

你一言，我一語，倒把眾人饞蟲給鉤了上來，就有人說，得趕緊到附近小飯舖吃點熱食，待會兒再過來看好戲。響屁爺口腹之慾最是旺盛，聽不得人講菜譜，聽閒漢說什麼烤牛肉片、打滷麵、韭菜盒子，不禁食指大動，饞蟲作怪，乃大聲喊道：「哪兒有飯舖，我也吃去？」

講完這話，這才驚覺，自己右半臉痲藥已退，嘴角能合攏，舌頭也變小了，話也說得利索了。

蓋喚天甩甩右手道：「我這手背，也還魂了。響屁爺，別想吃了，咱們再攻進去，不把游剝皮那幫人打趴了，今天不吃晚飯。」

儲幼寧道：「不急，剛才那三根吹箭，不知是啥物件，神不知，鬼不覺，不知打哪兒噴過來。咱們得有準備，也找個什麼東西，擋住這吹箭才行。」

響屁爺道：「那東西，也是南邊傳來。中土往南，就是大海，大海之南，有蠻夷之國，住各色土著生蕃。彼邦土人，整天在當地林子裡鑽來鑽去，鋸竹枝為管，削竹身為箭。在箭尾又別上竹片，將竹箭塞進竹管，竹箭尾端竹片緊緊抵住竹管管壁。繼而，土人拿口對著竹管，使猛勁強吹。因竹箭箭尾綁了竹片，竹片又密實緊貼竹管圓壁，因而，用力一吹，口中氣流推擠那箭尾竹片，竹箭飛速噴出，射向敵手。」

蓋喚天問道：「響屁爺，你從比利時到中國傳教，又未去過那大海南邊蠻荒之地，怎知這些典故？」

響屁爺道：「歐西各國仗著船堅炮利，早就滿世界到處經營，我說的那些地方，早就被法蘭西、荷蘭、西班牙等國占據。這些國家每到一地，對當地天文地理、風土民情、農牧出產都有詳盡調查，並寫入典籍。我在比利時、義大利，早就讀過這些典籍，故而知道。」

儲幼寧道：「好啦，別掉書袋扯學問了，先顧眼前事。看看，怎麼樣想個法子，擋住那吹箭。」

這時，身旁閒漢裡，有個人越眾而出道：「小的有個主意，大夥兒跟著來看熱鬧，就有人怕老天下雨，所以帶了油紙傘，去問問能否相借？那油紙傘打開了，正好遮著前身，能擋住小竹鏢。」

這話才說完，旁邊有人聽見了，就高聲四方傳話。立時，就有幾人過來，手裡拿著油紙雨傘道：「三位俠客，游剝皮禍害鄉里，我們都吃過他虧。如今三位大俠幫著打游剝皮，我們幾把油紙傘，算得什麼。」

說罷，這幾人拿著細樹枝，在三把雨傘上一陣搗弄，在傘面上戳出數個小孔。繼而，將三把紙傘交予三人，並紛紛言道：「這油紙傘，傘面既大且圓，擋得住竹鏢，但也遮了眼界。如今，戳出幾個小孔，大俠可透過小孔往前看，免得眼界被遮。」

三人躬身道謝，稍微整整衣裳、頭臉，一字並肩，又往游剝皮農莊那門口行去，眾看熱鬧閒漢，後頭尾隨跟著。堪堪走到大門口百餘步，餘人停步，目送三人背影。

三人到了大門口，將油紙傘平舉，傘身護於身前，就聽見紙傘上噗噗噗噗四聲，扎上四支小吹箭。這當兒，儲幼寧眼尖，察覺吹箭來處，透過傘上破孔望去，就見門後不遠處有個瓜棚。這時剛開春，絲瓜籐尚未攀著支架、爬上瓜棚。就見瓜棚上趴著四人，手裡俱拿著細長竹管，此時，剛吹過竹箭，正拿著新竹箭，往竹管裡裝填，待裝好了，就要再吹。

儲幼寧見機不可失，拋了紙傘，伸手自蓋喚天手裡奪過大砍刀，衝向瓜棚，揮刀硬砍瓜棚支架。那瓜棚本來只供絲瓜攀爬，如今架了梯子，爬上四人，趴在頂架上，已經支撐吃力，搖搖欲墜。再加上儲幼寧拿大砍刀一剁，那瓜棚立時折斷，瓜棚坍塌，四人滾到地上。儲幼寧趕上兩步，反拿大砍刀，刀刃朝上，刀背朝下，猛剁四人手腳。

大砍刀分量沉，刀背砸下去，雖不會皮開肉綻，卻是斷骨傷筋。就聽見四人慘叫連連，有人腳踝骨敲裂，有人手指頭指節骨砸碎，有人手肘關節敲彎。

蓋喚天心細，幾步趕上來，用腳使勁踏碎四人所用吹箭竹管。再細看，就見四人各有一箭囊，裡面擱著十數支吹箭。若非儲幼寧見機快，砍斷絲瓜棚支架，這四人連環發射吹箭，還真是難以抵擋。

三人放眼檢視莊園內院，就見那圍牆建得古怪，竟然在沿牆之前，挖有深壕。一般城池均是在城牆外挖掘深壕，注入河水，成為護城河或護城溝，以阻外敵入侵。這游剝皮莊園卻是古怪，牆外不見壕溝，反倒是牆內，沿著牆，挖出約兩丈寬、一丈深壕溝。如此，來犯之敵雖可輕易上了牆頭，待躍下牆頭後，卻落入深溝。

就見一長梯，自深溝底部倚靠圍牆而架，想必，之前扔擲洋燈油蒲包時，有個莊丁坐於牆頭，指揮方向，就是藉這長梯爬上牆頭。如今，長梯還在，卻不見人影。地上躺著幾具死屍，其中一人，皮膚黝黑，肢體肥胖，滿頭短卷髮，髮色黑中帶黃，與大清國男子剃髮結辮不同，顯係外邦人士。這死屍，脖子上嵌著那銀色彎曲大飛鏢步馬浪。之前儲幼寧回擲這飛鏢，曾聽牆內呼喊，說是有鬼，這物件飛回來，砍了主人腦袋。

現在看來，腦袋沒砍掉，但脖子受創，傷重而死。嚮屁爺道：「這人，就是那南方極遠處英吉利屬地阿斯抓利亞土著生蕃長相。不知為何這土人離家幾千里，到這兒來給游剝皮賣命？」

蓋喚天道：「這兒靠天津，南邊一個上海，北邊一個天津，都是通商大港，與海外之地往來頻繁，什麼怪人、怪物，都經由這兩地進了中土。來個千里大洋之外土人，也不是稀奇事。」

除這土人外，地上還有幾具屍首，卻是燒得衣服破爛，全身焦黑，顯是儲幼寧四枚彈子，砸破四具洋燈油蒲包，燈油灑落所燒斃莊丁。除此之外，莊園內寂靜無聲，不見其他莊丁人等。

就在這當口，儲幼寧暴然舉腳猛踢，拿腳連踢蓋喚天、嚮屁爺兩腿後膝蓋眼。蓋、嚮二人驀然受踢，膝蓋一軟，俱都癱軟，儲幼寧也撲身在地，大聲喝道：「趴下，趴平了，有暗器來襲。」

這時，三人均已倒地，就見弓箭、袖箭、背裝機括弩、飛蝗石、甩手飛刀，在三人身上不斷咻然而過。要是儲幼寧見機稍慢，三人這時已經被射成刺蝟。

原來，剩餘莊丁與助拳人等埋伏深壕之內，見瓜棚四鏢客失利墜地，這才猛然站直身子，同時猛射暗器。壕溝深，深達一丈，這些人腳底墊以木箱，站在木箱上，僅腦袋並肩頸露出地面。儲幼寧等三人倒地，趴在地面後，蓋喚天、響屁爺趕緊又撐開油紙傘，置於腦袋前，暫阻暗器。就聽見刷刷刷刷，兩柄紙傘很快就被諸種暗器穿透，傘面成了爛紙片。

儲幼寧趴於地上，動作不如起身站直靈便，但依舊兩手迅速揮灑，先將未開油紙傘，橫擺頭前，繼而掏出彈弓、彈子，頂著兇猛暗器來勢，左右開弓，兇猛反擊。

儲幼寧出手，情勢頓然反轉，他彈無虛發，每射出一枚石彈子，就聽見壕溝前緣一聲悶哼，一名莊丁腦袋前額受擊，仰後便倒，立時昏厥。

這石彈子，有大有小，彈射出去，力道有強有弱。小石彈，力道弱，受擊者雖暈厥，腦殼卻完整無缺。大石彈，力道強，受擊者腦門遭撞擊，頭殼骨當場凹陷，即便醒來，日後神智必然受損。儲幼寧啪啪啪一陣猛射，布袋裡石彈很快用罄，而壕溝邊家丁人頭也被打掉一大半。剩下家丁，暗器火力銳減，已不成氣候。

儲幼寧於是翻身坐起，順手在地面摸索。那地面上，落著不少飛蝗石並甩手飛刀、袖箭等暗器，儲幼寧摸著什麼，就抓起什麼，反手往回拋擲。每擲回一物，壕溝邊就是一聲慘叫，等觸手所及暗器拋擲完，那壕溝邊只剩三個腦袋。蓋喚天見狀，立刻爬起，舉著大砍刀就往壕溝邊衝去。

那三人，兩人見機快，自己往下跳，跳下木箱，蹲於壕溝底，兩手抱頭，不再反抗。還剩一人，依舊立於木箱上，掏出兵刃，也是把大砍刀，向上挺舉，打算接招。蓋喚天居高臨下，一刀劈下去，那力道，有雷霆萬鈞之勢，底下那莊丁，根本招架無力，刀子被蓋喚天盪開，隨即右手一涼，被蓋喚天劈下三根手指。

這一仗，至此總算打完。壕溝裡，七橫八豎，躺滿昏厥莊丁與助拳賊。依蓋喚天意思，要跳下去，將那還清醒者或昏後甦醒者再臭揍一頓，以洩心頭之恨。響屁爺曉得輕重，高聲喊道：「別管那些人了，都昏死了，壞不了事。趕緊進屋去，活捉游剝皮。」

此時，大門口一陣喧譁，跑進一堆看熱鬧閒漢，七嘴八舌道：「跑了，跑了，那游剝皮弄了輛馬車，上頭載著妻小，往北京逃命去了。」

游剝皮橫行鄉里，魚肉鄉民，現如今，竟然被儲幼寧等三人打跑，上百名閒漢湧進莊園，東摸摸，西看看。有人探頭察看壕溝底部莊丁、助拳賊；有人在院內四處遊走。驀然間，有人喊道：「這游剝皮，經營這莊子頗久，裡頭不定藏了多少金銀財寶，今日他落荒而逃，咱們進去他屋子，瞧瞧還剩多少寶物。」

響屁爺聞言，曉得輕重，當即爬上半垮瓜棚，使勁喊道：「各位，各位，靜一靜，靜一靜，聽我說幾句話。」

眾閒漢稍微住嘴，響屁爺當即接續高聲言道：「各位，游剝皮雖然跑了，但這一仗出了好幾條人命。哪，那兒地上，躺著個蕃人屍身，脖子上還嵌著個兵器。又有幾具燒焦黑屍，也躺在那兒，渾身焦臭。這廊坊地面，距著北京不遠，也算是天子腳下，是有王法地方。今天出了這事，地方官府衙門不能假作不知。」

「各位倘若只是到此看熱鬧，一分一毫物件都沒碰，那自然沒事。將來官府查辦此案，不關各位什麼事。要是各位管不住手腳，衝進游剝皮屋裡，胡亂翻動物件，那麼，旁人看在眼裡，有人證，有物證，到時候，地方官府衙門查辦此案，正需要倒楣鬼墊背頂缸，恰恰好就拿各位充數。弄得不好，成了替罪倒楣鬼，腦袋都丟了，實在划不來。」

人群裡有人回嘴道：「交給官府？官府也是上下其手，也是落入私囊，拿得更狠，偷得更兇。有道是匪來如梳，兵來如篦，梳子還有點空隙，還漏點什麼，篦子卻是密密實實，全都撈走，啥都不剩。這官府衙門，比咱們可狠多了。」

蓋喚天接著話碴子道：「可你不是官府衙門，你只是安善良民。官府衙門有差人衙役，有水火棍，有虎頭鍘。你呢？你只有屁股挨水火棍，只有腦袋挨虎頭鍘。你這梳子，怎麼能跟篦子拚？」

話說到這分上，圍觀閒漢腦袋漸漸清楚，曉得這事碰不得，也就絮絮叨叨，慢慢散了。響屁爺走到壕溝邊，對著底下十幾二十名家丁、賊人喊道：「游剝皮已經舉家逃亡，棄諸位而去。今後是福是禍，各位瞧著辦吧。我要是諸位，就趕緊腳底抹油，能躲多遠就躲多遠。你們頭兒都逃命去了，你們還留在這兒幹啥？等死嗎？還不快逃命去？」

這一仗，除卻響屁爺右腮幫子、蓋喚天右手背，各挨了一記麻藥吹箭外，三人可謂大獲全勝，打跑游剝皮。日近黃昏，三人才緩緩朝客棧走回。途中，蓋喚天道：「這一仗，縣官翟老六可撿到大便宜了，我用屁股想都知道，他一定會虛報案情，說是江湖鬥毆，繼而捏造口供，彎彎曲曲，最終必然將游剝皮那產業，歸於自己口袋之內。」

響屁爺道：「這就叫偷雞不成蝕把米，本來游剝皮打算全吞施家產業，但碰上我們三人，把他打得棄家潛逃。人生在世，就該如此行俠仗義。」

說罷，響屁爺用力猛拍儲幼寧肩膀道：「儲爺，好樣的，要不是你，施家就是個滅門之禍。如今，施舉望放了出來，他老婆馬利亞與女兒伯爾納德，也不再行乞受罪，這全是儲爺的功勞。」

儲幼寧則道：「洋和尚，仗已經打完了，可否別再喊什麼馬利亞、伯爾納德，這倆名字聽起來繞脖子。媽媽是巫娘，孩子是娟兒，這才是名字，別再喊洋名了。」

響屁爺道：「非也，她倆已入了天主教，我是神甫，自然稱呼她們聖名。」

說說講講，就回到了永昇祥客棧。客棧裡，早有閒漢回來報訊，施家三口人喜孜孜等在客棧大廳。見儲幼寧等三人進來，施家三口同時拜倒，沒口子直呼「救命恩人」。儲幼寧等三人自然謙讓不受，拉著施家三口，再喊上牛雙喜，一齊吃晚飯。查掌櫃特為做了一桌好菜，又拿出好酒，眾人歡騰吃飯，響屁爺歡騰喝酒，不少白天看熱鬧閒漢，亦跟著在客棧大廳吃夜飯。

縣大老爺翟老六早就派了探子，一大早就混在閒漢堆裡，跟著儲幼寧等三人，前去游家莊園。整日之內，所經歷各種惡戰、戰後眾人進莊、游剝皮舉家奔逃、響屁爺叮嚀眾人勿劫掠莊園，探子早就一清二楚，回報縣官。因而，翟老六找來刑名、錢穀兩位師爺，攜帶銀票五百兩，併同當日牙行仲介主事胡老三所新寫就施家地契，來到客棧，約儲幼寧等三人，借一步說話。

儲幼寧等三人，要牛雙喜陪著施家三口吃飯，與刑名、錢穀兩位師爺，一齊回到房間，關上房門，議論事情。兩位師爺先是取出胡老三新寫地契，囑託三人轉交予施舉望。繼而，兩位師爺轉述翟老六言語，說是此案後續事宜，縣衙門將妥善處置，不會波及施家，亦與儲幼寧等三人無涉。但翟老六亦說，既然無涉，即是毫無糾葛，三人不能再過問此案後情。

對此，儲幼寧等三人當然首肯。三人本來就不願蹚渾水，只因救人，這才仗義捲入。如今施家三口已平安救出，本案後續汙七八糟事宜，儲幼寧等三人也不想過問。兩位師爺聞言大喜，說是三人所言，正是縣大老爺所要。最後，兩位師爺拿出五百兩銀票，說是翟大老爺體恤三人，致贈程儀五百兩，了表心意，算是給三人送行。

饗屁爺見了銀票，當即翻臉道：「我們行俠仗義，是為了拯救天主教教友馬利亞與伯爾納德，不要貪官汙吏髒錢。」

兩位師爺，見狀有點窘困。正在無可如何之際，蓋喚天一手抓過銀票，說是請兩位師爺回去，謝謝翟縣令。又說，明天一早，三人就要啟程前往天津，就不去縣衙門向翟大老爺辭行了。

饗屁爺見蓋喚天拿下銀票，臉色大變，就要出言爭辯。結果，儲幼寧伸手，用指頭在饗屁爺右脅輕輕一戳，饗屁爺痛得直流眼淚，話都說不出來。待兩位師爺離去後，饗屁爺舉起拳頭，擺出架式，對著儲幼寧，狠狠問道：「你剛才幹麼拿手指頭戳我脅下？疼死了，你真要打，我也奉陪。」

儲幼寧打躬作揖道：「洋和尚，我怎麼會找你打架？你背後有天主教，我惹不起。你腦袋壞了嗎？你不收那銀票，就便宜了那兩位師爺。你想，這兩人會拿著銀票回衙門，老老實實交還給翟老六嗎？當然不會！既然不會，我們只好收下。這錢，又不是我們拿去花。我瞧蓋幫主意思，就是拿了這銀票，待會兒送給巫娘，不，是送給天主教教友馬利亞。這樣，您看可成？」

儲幼寧這番話，說得饗屁爺轉怒為喜，手舞足蹈，回到前廳，喜孜孜地，將五百兩銀票，塞給巫娘。

第三十六章：動手術洋駙馬爺妙手回春，敘典故天津教案話說從頭

廊坊一戰，儲幼寧等三人打跑游剝皮，奪回施家產業，施舉望一家三口團圓，結果圓滿，皆大歡喜。這當中，儲幼寧、蓋喚天固然行俠仗義，名振江湖，但收穫最大者，卻是嚮屁爺。蓋因鄉間庶民對天主教隔閡，易受煽動，盡信流言，排斥洋人並洋教。如今，嚮屁爺要巫娘母女入教，成了教民，就替母女出頭，爭公義，奪情理，救夫護女取產業。

此事看在廊坊父老眼裡，無不浩嘆：本地父母官，與土豪地主勾結，欺壓安善良民，巧取豪奪，傷人性命，打入黑牢，迫得孤婦寡女沿街托缽，若非金髮金眉金毛洋神甫出頭，這冤情永世也清洗不了。

因而，一夜安睡，次日起來，嚮屁爺歡欣鼓舞，嘴碎話多，要餘人趕緊吃飯，飯後出發趕路。昨日惡戰，今日塵埃未定，依舊有閒漢立於門外賣呆，看西洋鏡一般，朝客棧廳堂裡瞧。施家三口昨夜因時辰已晚，亦未回自家，仍是留宿客棧。施舉望扶著盲婦巫娘，牽著娟兒，又過來叩頭，被蓋喚天硬拉著，施家三人謝不絕口。

飯後，牛雙喜將各色物件歸置馬車上，跨上車頭駕座，其餘三人上了車，馬蹄滴答，緩緩前行。

眾人跟在後頭，還是瞧洋人熱鬧，直跟到街口，這才散去。馬車緩緩而行，三人半躺半坐，斜倚著曬太陽，備感舒適。這樣，繼續往東南行去，途中又投宿一晚。到了第四天，漸漸接近天津外緣，直到天黑，這才到了紫竹林聖路易天主堂。

到了地頭，響屁爺下車喊門，喊了半天，大門才緩緩打開個小縫，裡頭出來個雜役，見是洋人，就推開兩扇大門，放馬車進去。到了裡頭，響屁爺直奔教堂後門，打算去見本堂神甫，卻見外頭有個洋修女指揮兩名僕婦，拿大扇子猛搧兩大桶熱水。一旁，則站著個女人，帶著倆孩子，面帶焦慮之色，瞧著樣子，應是教民家屬。

那修女正忙著，見響屁爺來到，就操起法蘭西語，問響屁爺是何人？為何事？從何來？響屁爺報了自己身分，說是到此要見聖路易天主堂本堂神甫福馬耶，有要事商談。那修女道，福馬耶神甫此時正在教堂地下室，動著手術，拯救教民生命。修女說，那教民腸子發炎，疼痛一日夜，早就欲往天主堂，請福馬耶神甫動刀診治，但教民家族族長不信教，嚴禁此人請洋神甫動刀醫治。

教民妻子、子女皆為教民，皆信聖路易堂神甫福馬耶醫術，但族長禁止，並令族內壯丁，緊盯病患，僅延請漢方中醫，到宅治病。那漢方中醫，一陣望、聞、問、切，開立藥方，族人按方抓藥，煎藥成水，命病患服下藥水。服藥之後，教民病情卻愈發轉惡，痛得在床上輾轉翻滾，兩日兩夜哀號不已。教民家人見事危殆，私下派人到聖路易堂告知此事，神甫福馬耶攜帶洋槍，趕赴教民住所，威嚇逼退族人，搶回教民。

返回聖路易教堂後，立刻動刀，痲藥迷昏教民，割開教民右下腹，卻為時已晚，那發炎腸子已然爆裂，髒水滿腹，大腸、小腸、腰子，俱都泡在膿水裡。因而，福馬耶命修女督率僕婦，立刻打水，坐上爐火，將水燒滾消毒，繼而抬到戶外，拿大扇子猛搧。如此，搧掉熱氣，搧成溫水，再抬進去，搬到地下室，由福馬耶神甫拿水杓，一杓一杓灌入病患腹腔，清洗膿水。

那法蘭西修女說到此處，兩大桶熱水已搧至溫水，修女督率僕婦，抬起水桶，抬進教堂。至於牛雙喜，則由教堂雜役領著，把馬車上事物俱都搬到教堂裡，歸置妥當。隨即，教堂雜役帶著牛雙喜，四處走動，讓牛雙喜熟悉教堂各處。

儲幼寧與蓋喚天見嚮屁爺與那洋修女，嘰哩呱啦講法蘭西文，不明所以。因而，嚮屁爺重講一次，蓋喚天聞言，立時道：「這我知道，當初我就是染了這毛病，十條命已經去了九條，眼看著就要伸腿瞪眼了，幸好，福大命大，碰上了嚮屁爺。那時，我腹痛如絞，疼得滿地打滾，疼了一日一夜。手下趕忙赴前門外大柵欄同仁堂老店抓藥，巧遇嚮屁爺。」

「嚮屁爺見我花子幫手下神色倉皇，乃問緣由。聽說我右腹絞痛逾日，嚮屁爺翻身就上洋馬兒，風馳電掣，騎回西什庫北堂，拿了醫療器械，復又騎上洋馬兒，風馳電掣，到了先農壇我那兒。嚮屁爺給我動手術，又割又掏，又沖又洗，割掉一段爛腸子，又把腹腔以淨水沖洗。末了，把傷口拿針線縫上。之後，我整整修養逾月，這才痊癒如初。」

「沒想到，今天到天津，又是有人爆腸子爛肚子，又是靠教堂洋神甫開膛破肚，先割腸子，後洗臟腑。」

嚮屁爺道：「這啊，這與你們江湖人物鬥毆，將人開膛剖腹，大有不同。這是醫術，用麻藥把人迷翻，繼而動刀，開膛破肚，拿刀整治生病臟器。完事之後，再拿針縫合傷口，旬日之後，就能復原。要知道，凡人當中，約略而言，十中有一會得這毛病，糞石入腸，引發膿腫。一旦得病，先是胃漲，繼而拿手壓按右下腹，壓下時不疼，拿起時則疼。」

「此時，倘若動刀，割掉膿腫腸段，患者定然有活路。這時若不動刀，遷延時日，再過一天，那腫脹腸段則告爆裂，膿水瀰漫，腹中臟器全受感染，患者疼痛難忍，滿床打滾。這時再動刀為時已晚，除了割掉病腸，還要對付膿汁，甚為兇險，可能不治。倘若始終不動刀，則患者三日後必死。你們回想，自幼至長，是否常聽說過此類事情？」

儲幼寧想到，二十餘年來，豐記糧行店夥、臨沂山寨內嘍囉、揚州鹽棧管事家屬，都曾出現腹痛致命之事。蓋喚天亦舉多件案例，均是腹痛而死。響屁爺道：「就是說囉，這病原本是絕症，但在歐西國家，只要發病之初，立即動刀，其實只是小恙。最令人痛心者，即是今日這樣，明明可以當小恙，動個刀即可治癒，卻因為鄉人無知，仇視洋人，仇視天主教，搞到拖成絕症，送掉性命。」

儲幼寧、蓋喚天二人聞言，嘿然不語。二人不禁想到，倘若之前幾十年，所見所聞腹疼而死之事，若有洋人神甫動刀，豈不是可免一死？

夜空之下，三人立於教堂之外。幾步之遙，則是腹病教民家屬，兀自在那兒站著，枯候手術結果。響屁爺過去，殷殷致意，蓋喚天、儲幼寧亦跟過去，聽著眾人談話。那家屬，共三人，一人為腹病教民妻子，三十餘歲，名叫翠花，兩個十餘歲孩子，一男一女。就聽翠花道：「我們就住河邊村子裡，一百多戶人，我男人叫魯國柱，在河裡打魚為業，前年，我們一家四口，都入了天主教。」

「入天主教，拜上帝，可受神甫照顧，常有賙濟，偶爾還能領到洋白麵，還有黃油，做點麵食什麼的，給孩子們吃點好的。村裡人信教的不多，族裡長輩都反對，說是天主教欺師滅祖，不拜祖宗，不燒紙錢，壞了老祖宗規矩。前天，我男人肚子痛，痛得打滾，都不准來找神甫。後來，還是我要孩子偷跑過來，神甫帶了洋槍，衝進村子裡，把人搶出來。」

「村裡人本來不讓神甫把人帶走，神甫亮了洋槍，這才把人搶回來。可是，這事情沒了，村裡不依不饒，後頭還會算帳。我這日子，還不曉得該怎麼往下過。村子裡，恨洋人，連帶把我們教民也恨上了。他們說，洋人是大毛子，我們是二毛子，並且，二毛子比大毛子還可惡。」

說到這兒，一個洋神甫從教堂裡出來，響屁爺見了，立時迎上前去，兩人握手，以法蘭西語談話。這神甫，個頭沒響屁爺高，額頭半禿，棕髮，四十來歲年紀。響屁爺招招手，將儲幼寧、蓋喚天招過去，與這聖路易堂神甫見面。隨即，四人以中土語言談話，響屁爺介紹道：「這是聖路易堂神甫，他是法國人，名叫福馬耶，叫白了，就是駙馬爺，你們就喊他駙馬爺吧！」

駙馬爺道：「歡迎，歡迎，各位遠道，旅途勞頓，今天就住在這兒吧。這教堂挺大，裡頭空房間多，待會兒要他們找點鋪蓋捲，給你們送過去。」

隨即，駙馬爺招手，要翠花帶著孩子過來。駙馬爺對翠花道：「妳先生魯國柱暫時沒有性命之危，他腔子裡爛腸子，我已經切掉，膿汁也拿清水全部沖掉。他腔子裡那一堆大小腸子、腰花子，我都拿水好好洗過。命雖穩住，但還要過幾天，才能真正轉危為安。眼下，他還沒轉醒，等轉醒了，就在這兒療養。妳和孩子們先住在這兒。妳去廚房，弄點稀粥來，明天可以慢慢餵食一點。」

翠花隨即帶著孩子離去，駙馬爺陪著響屁爺等三人進了教堂。這教堂，在祭台後頭有不少空房，就此安置了三人。臨睡前，駙馬爺過來，以法蘭西語對響屁爺言道：「我已約好，明天上午，天津其他三家天主堂神甫到聖路易堂來，大家一起商議鑑別教友之事，早早休息，所有事情，明天一早再說。」

這天夜裡，儲幼寧與蓋喚天共宿一室，五更天光景，儲幼寧腹內水壓高漲，被尿脹醒，翻身而起。往常，無論住哪兒，房外有茅房；倘若茅房遠，就在房裡擺上夜壺。夜裡被尿脹醒，或者出去上茅房，或者在屋裡找著夜壺，自然解決腹中水壓。但這夜，他二人住洋人教堂，房間裡沒夜壺。

儲幼寧繞室三匝，無壺可尿，本想推門出去，到戶外牆角去方便。但轉念一想，這教堂為磚石所造，規模宏偉，裡頭彎彎曲曲，不好找路出去。就算去了外頭，待會兒不好找路回來。

因而，只好憋著一肚子尿，又回床躺著。此時，蓋喚天亦為尿所憋醒，亦是找不著夜壺方便。二人無奈，只好繼續躺著，繼續睡下。二人睡著後，惡夢不斷，夢中，兩人均是到處找尋夜壺。好不容易找到了，放水方便之後，就覺腹內依舊水壓瀰漫，尿汁總是撒之不盡。

好不容易，天色大亮，外頭有了動靜，二人出來，正好碰見響屁爺，自廊道底處一小房間裡出來。儲、蓋二人趕忙打聽，哪兒有夜壺？響屁爺聞言，噗嗤一笑道：「這倒是我的不是了，我昨晚忘了告訴兩位，這兒是法蘭西教堂，沒有茅房，也沒夜壺，要想方便，就得進剛才我出來那小屋，那是個洋茅房。在這兒，無論小解、大解，都是進那洋茅房。」

說罷，響屁爺領著二人進了洋茅房。詎料，這洋茅房裡，竟無茅坑。二人進去，就見當中安放著個大白瓷碗，瓷碗後頭，有個大白瓷箱子，箱子外頭垂著根麻繩。響屁爺說，洋人大解，全是坐這大白瓷碗，如果儲、蓋不習慣，也可以蹲上去大解。儲、蓋二人從未見過此物，皆感陌生、不適，覺得還是夜壺、茅坑自在。響屁爺又教會二人，解完手後，拉那白瓷箱子外頭麻繩，自然有水噴出，將解手穢物沖入地下。

儲、蓋二人解手之後，到得教堂外頭，兩人均是一臉不解之色。一是不解解手穢物沖向何處，二是不解白瓷箱子存水來自何處，三是不解為何茅房沒臭氣。兩人一臉疑惑，瞧著響屁爺。響屁爺，則抬手點指，指著牛雙喜。

這牛雙喜昨天才到教堂，一夜之間，已然熟悉教堂事物，這時，肩上正擔著個大木桶，自教堂院中深井裡取出一桶清水，搖搖晃晃，自教堂後頭台階，舉步向上，抬水上教堂後院高塔。

響屁爺道：「兩位，瞧見沒？教堂後院有個高高平台，上頭有個高塔。那高塔，就是水塔，裡頭中空，用來裝水。一大早，牛雙喜從井裡打水，裝進那水塔裡。這水塔建有管路，連通廚房、洗澡堂、解手房，無論是烹煮三餐、洗臉擦澡、沖洗那大白瓷便盆，都靠這水塔裡所存井水。」

「至於解手穢物沖向何處？這事情也簡單，教堂後頭，挖了個大池子，穢物全沖到池子裡，定期會有莊稼人到此掏取糞汁。這套事物，在歐西國家這幾年慢慢普及，但在大清國還是新生事物，眼前也只有教堂、領事館等地有。」

蓋喚天嘴硬回道：「我看，還是茅房好，方便。你這大白瓷碗，乾乾淨淨，蹲上去，感覺古怪，穀道鬆不開，肚子裡廢物排不出來。」

響屁爺聞言，絲毫不以為意，順著蓋喚天話碴子道：「是啊，還是茅房好，要沒茅房，你那左手膀子恐怕保不住，非剁下來不可，花子幫就出了個獨臂幫主。」

蓋喚天、儲幼寧聞響屁爺之言，不禁隨之莞爾一笑。當初，儲、蓋二人攻打東城十條胡同剛健宅院，兩人皆受重傷，全仗著響屁爺醫治，這才痊癒。其中，蓋喚天左臂受傷嚴重，腐敗發臭，眼看著，必須斷臂截肢，才能阻住爛疽往上蔓延。結果，響屁爺使出奇計，從蓋喚天宅子茅房當中取出肥白大蛆，藉蛆蟲之嘴，啃盡蓋喚天左臂爛肉，這才保住這條膀子，免除斷臂截肢之危。

此事距今未久，但三人思及此事，均覺時日久遠。蓋因三人頻頻同生共死，一齊出生入死，交情彌厚，幾個月前往事，如今回想，竟如幾年前舊事。

順著這話碴子，儲幼寧接腔道：「大哥，實話實說，這洋茅房不臭，確是高明。大哥想想，隨處想幾個地方，比方說，石頭胡同怡紅院後院那賭場，咱們進出過幾回，那賭場外頭，靠著牆角就是一股刺鼻子騷臭味，真能把人熏死。還有，像是南城天橋、琉璃廠、大柵欄那一片地面，雖有茅房，但遊人太多，不敷所需。人有三急，一旦急上來了，眼前曲子正唱得歡，戲正演得熱鬧，誰也不願跑半里地去上茅房，也都是就近找個角落，就把尿撒了。您想想，這天橋、琉璃廠、大柵欄那兒，是不是常有尿臊味？」

蓋喚天道：「兄弟，走到哪兒，按哪兒規矩辦事。咱們到這洋教堂，就蹲他的大白瓷碗。要是回到北京，我還是喜歡蹲臭茅房。」

說說講講之間，三人吃過簡略早飯，日上三竿之際，蓋喚天與儲幼寧都說，既然到了天津，事情就已了結，大家該就此分手，響屁爺留天津議事，蓋喚天回北京，儲幼寧搭海輪南下。但響屁爺就是拉著二人，說是等下開要緊會，開完會，還要再聚聚。

這天上午，天津其他三座天主堂神甫，外加聖路易堂神甫駙馬爺、北京西什庫神甫響屁爺共商大計。這會，足足開了兩個時辰，五人中飯都不吃，空著肚子議事，直到午後這才罷止，弄出確切結果。隨即，在聖路易堂吃飯，不外是麵包、奶油、地豆子燉肉，五位神甫吃得怡然自得，蓋喚天與儲幼寧卻是吃得齜牙咧嘴，頗不習慣。

飯後，外堂神甫離去，駙馬爺處理堂務，就剩響屁爺與蓋喚天、儲幼寧繼續閒扯。蓋喚天問道：

「轡屁爺，你們五個洋和尚，咿哩呱喇講蕃話，講些啥事？」

轡屁爺道：「這幾年，教案頻傳，大家都不好過。天主教有典章制度，有自己規矩，而大清朝子民也有習俗，也有傳統。這兩方面，常常杆格不入，彼此衝突。義大利羅馬天主教朝廷不肯改典章制度，和本地人硬碰硬，就碰出教案來。今天，我們幾位神甫議事，討論許久，決定自行開後門，表面上還是用羅馬天主教朝廷規矩，但私底下，睜隻眼，閉隻眼，讓教民行中國規矩。」

「比方說，像是拜祖先、貼春聯、燒香掃墓這些事情，按天主教規定，教民不能做。但我們私下約好，不提能不能做，教民要做，我們假作不知。此外，按羅馬天主教朝廷典章制度，教士在外宣教，吸收教徒時，不得甄鑑民眾，說是張三可以入教，李四不能入教。只要人家想入教，我們就得收。這樣，常招進地痞流氓。這幫人為非作歹，幹了壞事，往教堂裡一鑽，地方官府就對他無可奈何。」

「按教廷規定，官差不得入教堂捕人。這一點，沒得商量，絕對如此，我們也必須遵守。因而，得在一起頭，就擋住壞東西。倘若不擋，等壞東西入了教，幹了壞事，鑽到教堂裡，我們只好護著他，不讓官府抓捕。因而，今天我們講好，以後若對入教者有疑義，就慢慢拖延，找各式各樣理由，先別讓這人受洗入教。又或者，私下想辦法，拐彎抹角，詢諸地方官府，一方地面當中，哪些人聲名狼藉，素行不良。」

「總之，教案之起，原因故多，但教民仗著天主教勢力為非作歹，欺壓良民，卻是其中一大緣由。對著外人，我們還是得護著教民，但私底下，我們神甫之間，卻可以採取行動，擋著作姦犯科者入教。」

正說到這兒，就聽見外頭有人使勁打門。這聖路易天主堂，外頭大門為精鋼所鑄，厚實堅固。這時，就聽見不只一人打門，而是眾人齊擂，不但用手敲，也用木器、鐵器敲。敲門聲一波高過一波，響屁爺、儲幼寧、蓋喚天快步往門口行去。裡頭，駙馬爺也聽到聲響，丟了手邊事情，走出教堂，也小跑趕到門口。

透過柵欄往外瞧，外頭高高低低站了二十多口人。人人手上都拿了傢伙，有些是生銹紅纓槍，有些是破敗大砍刀，更多人則拿鋤頭、鐮刀、拐棍。領頭的，是個六十多歲老漢，花白辮子盤在頭上，肩膀上扛了根鳥銃，圓瞪雙目，盯著門內眾人瞧。

駙馬爺見狀，操著腔調濃濁北京官話道：「魯老泉，你要幹什麼？昨晚你沒瞧見洋槍嗎？你別來這兒鬧事，要知道，教堂與教民都受教會庇佑，你要亂來，真硬闖進來，我拿槍殺你，官府不但不罰我，還會追究你身旁這群幫腔閒漢。快回去，魯國柱昨天都快沒命，是我將他救回，現在正在休養，過幾天就可下地。你要不信，可問翠花？」

那魯老泉往地上吐了口濃痰，繼而大喝一聲：「呸！我怕你洋槍？你有幾桿臭槍？我今天帶二十餘人來，要是帶不回魯國柱，明天再來百餘人，你那幾桿槍殺得完嗎？馬上開門，把魯國柱並同翠花還有倆孩子，全都送出來，只要有半個不字，我馬上攻進去，燒教堂，大毛子、二毛子，全都殺了！你想護著教民？你護不了！咱們大清國義民遍地，民氣可用，只要一聲高呼，各處同時舉事，殺光天主教，殺光基督教！」

駙馬爺見魯老泉態度強硬，一時沒了主意，與響屁爺用法蘭西話商議，兩人都說，絕不能開門，否則禍害必大。如不開門，要如何卻敵，兩人卻意見不同。駙馬爺主張，把洋槍全抬出來，裝上子藥，倘若魯老泉率眾砸壞鐵門攻進來，或者，爬牆攻進來，就直接開槍射殺。轡屁爺則期期以為不可，說是不能殺人，儘管站得住法理，卻站不住情理。

兩人正你一言我一語，討論不休時，就聽見外頭轟然一聲，鐵門外頭砰然作響。原來，魯老泉不耐久等，端起他那桿鳥銃，將鐵沙、槍藥粉自槍管前端注入，又自後端點燃引線。轟然一聲，鳥銃打響，眾鐵沙自槍管噴出，砸在鐵門上。這鳥銃，已是老掉牙古董，威力有限，鐵沙噴至教堂鐵門上，好似撓癢癢，壓根沒法轟開鐵門。

轡屁爺見情勢緊急，就伸手點指，指著儲幼寧，對駙馬爺道：「這青年武藝高強，有萬夫不擋之勇，不如讓他出去，先把魯老泉這幫人打跑。」

駙馬爺沒見過儲幼寧身手，當然不信儲幼寧能打跑門外這幫人。無奈之餘，駙馬爺只好同意轡屁爺主意。轡屁爺詢諸儲幼寧，說是希望儲幼寧能代天主堂出頭，打退門外眾人。轡屁爺道：「也不必多說，只是出手壓制，將對方打跑，最好不傷性命，也不殘肢體。」

儲幼寧對教案衝突，其實並無了解，也不識個中關節。但在北京時，他與蓋喚天、轡屁爺早有過命交情，生死與共，如今轡屁爺天主教同僚駙馬爺，處境困窘，轡屁爺要他出頭，他就出頭。

於是，駙馬爺開了鐵門，放儲幼寧出去。儲幼寧才推門出去，就見魯老泉還在搗弄那桿鳥銃，正扳著鳥銃槍口，往裡頭倒槍藥粉與鐵沙。儲幼寧一語不發，倏然出手，搶過鳥銃，掉過銃身，把銃柄對著魯老泉右膝蓋就砸。這一砸，力道捏拿甚為精準，也就是些微砸傷膝蓋，讓魯老泉疼得翻身跌倒，坐在地上，抱著右膝蓋直叨氣。

儲幼寧打過魯老泉，又接二連三，銃起銃落，每一起落，銃把子就砸中一名徒眾膝蓋。一圈轉下來，魯老泉身後徒眾，全都膝蓋中招，被銃把子砸中。並且，所有人等均只受輕傷，一陣疼痛之後，也就了事，可以站起，一瘸一拐，勉強走路。

魯老泉一行人全都中招，人人嘴裡罵罵咧咧，但俱已無力再打，只好彼此扶持，往來時路走回去。儲幼寧往前趕上幾步，喊住魯老泉，將那桿鳥銃，歸還魯老泉。

這一役，儲幼寧輕而易舉打跑鬧事村民。回到教堂，駙馬爺卻憂心忡忡，說是魯老泉回去後，不會善罷甘休，日後必會捲土重來，屆時，教堂難逃劫難。

當晚，夜飯之後，蓋喚天言道：「出來日久，我得回去了，明天一大早就此離開，雇車回北京去了。老弟，咱們相識將近一年，同甘共苦，患難與共，老哥哥我不必多言，一切盡在不言中。他日若有我能幫得上忙之事，花子幫上下傾力替老弟效勞。」

響屁爺也道：「我也一樣，雖無歸期期限，但離開西什庫日久，也該回去了。我說，蓋幫主，明天我倆一起走吧，別雇車了，還是搭我馬車，若路途順暢，明天一大早啟程，中途還是在廊坊過一夜，後天就能到北京。」

響屁爺看看儲幼寧續道：「儲少俠，咱們相識這段時日，您行俠仗義，武藝高，俠氣盛，打趴強梁，扶助弱小，令我好生佩服。現如今，您也瞧見了，天津聖路易天主堂這兒，地面百姓敵視教堂，弄得神甫駙馬爺心神不寧。這樣好不好，您南歸揚州之事，可否緩一緩？天津這兒就有電報局，我明天離津赴京前，順路跑一趟電報局，幫您發個電報，就說在天津碰到濟弱扶傾大業，必須再做勾留。您看，這樣可否？」

對此，儲幼寧並無準主意，覺得留與不留，兩者均可。甚至，他內心深處對於返回揚州，其實並無渴望，心中隱隱約約，還有點悠游晃蕩野勁。如今，響屁爺要他暫時留下，協防聖路易堂，幫著駙馬爺卻敵，他其實並不反對。

這時，蓋喚天亦在旁敲邊鼓道：「兄弟，你就留下吧。這也要不了多少時日，我想，等駙馬爺神甫把事情明告官府衙門，讓官面上壓制收束地面百姓，風頭就會慢慢過去。到時候，你就可離津南下，回揚州去了。」

說完這話，蓋喚天轉頭，對著響屁爺說：「還有件事，拜託你和這兒神甫駙馬爺打個交道。你也知道，在北京咱們幾次謀幹大事，都用上了洋麻藥歌羅芳。現下，我手邊歌羅芳已經用完，而儲兄弟南下，不定會碰到什麼場面，手裡留著點歌羅芳，也是有備無患。你去與駙馬爺打個商量，看看能否勻出點歌羅芳，給我和我兄弟帶上。」

響屁爺道：「好，我去問問。但問可是問，我不能打包票。行或不行，還是駙馬爺說了算。」

於是，事情就此敲定，儲幼寧單獨留在天津，幫襯駙馬爺幾天。一夜無話，次日上午，駙馬爺、儲幼寧、牛雙喜，目送響屁爺馬車，載著響屁爺與蓋喚天離去。臨走前，駙馬爺拿出兩樽小小琉璃瓶，一瓶遞給蓋喚天，另一瓶則交給儲幼寧。

交出兩樽琉璃瓶，駙馬爺道：「這東西，叫依打，最新的西洋麻藥。那歌羅芳已是老事物，生效比較慢，效果比較差，醒後也比較難受。而這依打，則是新發明，我也是前不久才向法國兵艦上船醫，拿大瓶子，裝了小半瓶來。我給教民動手術，全靠這東西。現如今，再勻出兩小瓶，送給兩位好漢。」

蓋喚天得了麻藥，心頭頗喜，不住道謝。響屁爺則以法蘭西語，和駙馬爺互道珍重，就此作別。

這天午後，駙馬爺帶著儲幼寧到教堂地庫，探視翠花一家四口。魯國柱身子已然恢復，飲食正常，傷口潔淨，腹內濃汁早已排盡，不再疼痛，精神氣力大有好轉。魯國柱進教堂治病，村裡長輩不答應，後來病危，駙馬爺持槍搶回魯國柱。如今，病雖治好，卻鬧得一家四口有家歸不得，只能暫在天主堂待著。駙馬爺對儲幼寧道：「你和他們談談，了解教案內情。我要進城，要衙門派人過來，替我看著外頭，免得昨天那幫人又來鬧事。」

隨即，駙馬爺離去，留儲幼寧在地庫，與魯家四口談話。天主教激起土洋對立，儲幼寧早聽響屁爺講過個中原委，像是地痞流氓倚恃天主教庇護作惡，像是天主教蔑視漢人民俗傳統。但也僅是耳聞響屁爺說法，實情如何，儲幼寧始終未曾明白。如今，與教民魯國柱同處一室，儲幼寧滿腹疑問，正欲問個明白，不想，魯國柱倒先開了口。

魯國柱道：「儲爺，到處都有教案，眾人都會講教案緣由，其實，深處原因，卻始終沒人提過。這深處原因，才是土洋對立最根本緣由。」

儲幼寧道：「還另外有原因？還沒人提過這原因？願聞其詳，請詳加點撥。」

魯國柱道：「儲爺，咱們都是大清子民，實話實說，沒啥顧忌。隨便講件事，倘若有條大道，往來繁忙，商客絡繹不絕，驀然間，前面有輛大車脫了軸，大車散了架子。這車，上頭堆滿貨包，車散架子，貨包滿地亂滾，請問儲爺，路上眾人會如何？」

儲幼寧想了想答道：「自小到大，我跑過無數碼頭，就我所見，如碰上此類事情，路人或是事不干己，各走各路；或是駐足旁觀，一旁看著，看看車主如何善後；甚且，可能有人偷盜貨包。」

魯國柱道：「這話就對了，魯爺，咱們老祖宗傳下來的規矩，人人自掃門前雪，莫管他人瓦上霜。你要碰上倒楣事，那是你家事情，別指望旁人來幫忙。倘若，旁人來幫忙，則是別有居心，另有所圖。」

「儲爺，您想想，倘若此時有人上前，幫著那車主撿拾貨包，又幫著那車主將車扶起。甚且，還幫著車主修理車軸，把車軸裝回去，重新把軛套上牲口脖子，幫著車主繼續前駛，旁人會如何想？」

儲幼寧稍微細想，繼而答道：「這嘛，不太可能，無人會幫著車主收拾貨包，更別提幫著車主修車。若真有這樣人，旁人大約會想，事後這人定向車主索要錢財。普天之下，非親非故之人，沒人會白幫忙。」

魯國柱道：「是啦，就是這話。天主教洋人，無論哪國神甫，無論是法蘭西、義大利、西班牙，還是荷蘭、德意志，到咱們這兒來宣教，卻是見貧濟貧，見窮救窮。你摔倒了，他扶你起來；你遭難了，他給你吃，讓你住；你遭冤枉了，他替你討公道；你沒飯吃了，他給你飯吃。」

「在咱們大清國，沒這規矩，你遭難，你受苦，你遭冤枉，你活該，你只能認倒楣，沒人替你出頭。我入這天主教，信不信上帝還是其次，主要就是洋神甫拿我當人看，可以不受人欺侮。就說我得這腸病，明明駙馬爺神甫可治，村子裡族長卻不讓治，任我疼得滿地打滾，疼得死去活來，族長就是不讓治。若非駙馬爺請出洋槍，將我搶來，我這條小命早沒了，翠花與兩個孩子，全成了孤兒寡婦。」

「一方面，咱們大清子民不信洋人，認為天下沒這樣好事，洋人必有所圖，不會平白無故幫忙。另一方面，洋人也瞧不起咱們大清子民，認為咱們迷信，說咱們不重衛生，隨處便溺，滿地亂吐痰。洋人站得高，看扁了咱清朝中國人，臉色難看，言語冒犯，也惹得教外百姓忿恨。這兩邊一擠，仇恨就擠出來了。」

魯國柱這番話，儲幼寧聽來，有如醍醐灌頂。這些道理，他早已明瞭，卻從未細細咀嚼，體會其中三昧。如今天魯國柱娓娓道來，這才猛然醒悟，事情的確如魯國柱所言。常人談論教案原委，常歸於華洋習俗、傳統差異，論其範疇，僅及於祭祖、敬天、禮佛等等有形事物，今日聽魯國柱一番言語，儲幼寧這才明白，往裡頭更深一層探究，華洋之間，對於立身安命，竟是如此天差地遠。

魯國柱繼而道：「咱們大清國人，碰上倒楣事，只能認倒楣，沒人會幫你。倘若，有人願意幫你，反而不對勁，大約對方有所圖謀。不是說嘛，老天爺不會往下扔餡餅，天下沒有白吃不付錢的買賣。偏偏，世界上真有平白無故，送你餡餅之事。洋神甫到咱們大清朝來，就是救貧濟困，但教外人等卻不信，說是沒這種好事。於是，教堂神甫幹任何事情，都引人懷疑。比方說，神甫動手術，鄉里人就說，那是開膛破肚取內臟，拿內臟去煉丹熬藥。」

「又例如，天主教有個規矩，教民臨終前，常抬進教堂，由神甫主持臨終彌撒，將教民送上天堂。鄉里人就說，這是活人進，死人出，天主教殺人。現在教案雖仍不少，但較二十年前已好太多，現在，衙門曉得厲害，壓著鄉里人。二十年前，天津鬧過教案，那才叫慘哪！」

這天夜飯後，儲幼寧與駙馬爺閒扯，就扯到日間與魯國柱所談之事。儲幼寧問駙馬爺道：「神甫，二十年前天津教案，您在這兒嗎？」

駙馬爺道：「怎麼不在？我當時就在聖路易堂，其他神甫、修女都蒙難了，只有我僅以身免。」

隨即，駙馬爺講起了天津教案。原來，天主教各地教堂普遍設有善堂，收容孤寡。這裡頭，尤其設有孤兒院，養育失怙幼兒。然而，教外鄉里人士常以訛傳訛，指稱天主教育嬰堂綁架幼童，開膛破肚，挖眼割舌，用以煉藥。同治九年春，天津地面不斷有幼兒失蹤。當年六月，時疫蔓延，天主教育嬰堂不少幼兒染上時疫亡故。

幼兒入土後，又為野狗拖出，啃食屍體，導致肢體散落，肚破腸流，五臟六腑亦因野狗啃食而殘缺不全。為此，激起民憤，數百天津百姓日夜至墳地圍觀，誣指天主教洋修女假借育嬰堂之名，拐帶幼兒，以為藥材原料。當其時，有個天津幫會，名為「水火會」，逮住一名人口販子武蘭珍，搜出麻藥。武蘭珍熬刑不過，說是麻藥為天主教法國神甫所給。

事情鬧大，群情激憤，仕紳集會，罷課罷市，反天主教情緒高漲，群集天津府衙門，請官府主持公道。天津知府張光藻曉得茲事體大，帶著幾百請願人，赴天津道台衙門。道台周家勛又改領眾人，前往三口通商大臣衙門，見三口通商大臣崇厚。崇厚腦袋清楚，大罵刁民胡鬧，說是洋神甫不會拐賣幼童，以幼童煉藥之說為謠言。

崇厚約請法蘭西駐天津領事豐大業，共同處置此事。嗣後，崇厚、周家勛、張光藻等三名清廷官員，率數百民眾，並押解人口販子武蘭珍，前往教堂。教堂神甫開門迎客，當面對質。神甫問武蘭珍，教堂內何人，在何處，販售迷藥予武？武蘭珍說，教民王三，在教堂左側鐵柵門邊，賣他迷藥。神甫先查教民名冊，並無王三其人。其次，教堂左側為木門，並無鐵柵門。

於是，清廷諸大員面色羞愧，率民眾離去。然而，水火會早已煽動地痞流氓、無賴好事者在教堂外聚集，與教堂內教民激烈對罵，拋磚互毆。神甫見事不好，派人從後門逃出，奔往法蘭西領事館，向豐大業求救。豐大業則又去崇厚衙門，要崇厚派兵彈壓。豐大業態度傲慢，語帶羞辱，崇厚受辱，不肯派兵，豐大業乃掏槍射擊，崇厚並手下四面驚逃。

豐大業求救不成，孤身率祕書西蒙前往教堂，途中遇天津知縣劉傑。豐指責劉辦事不力，劉說已盡力，雙方對罵，豐大業掏槍射擊，重傷劉傑身旁家丁高升。圍觀者群情激憤，亂拳打死豐大業、西蒙。暴民就此殺紅眼，殺入堂，殺死十名修女、二名神甫、二名法蘭西領事館館員、二名法蘭西僑民、三名羅剎僑民、三十多名大清國教民。

暴亂繼而擴大，向外蔓延，到處燒殺，法蘭西教堂之外，英吉利國教堂、西班牙教堂、羅剎國教堂全都被焚，教士被殺。甚至，歐西各國遊人亦遭池魚之殃，連帶被殺。其後，六國艦隊圍住天津，七國公使向北京總理各國事務衙門討公道。

北京朝廷派曾國藩善後，處死為首暴民十八人，充軍二十五人。天津知府張光藻、知縣劉傑革職，充軍黑龍江。此外，賠償各國四十六萬兩白銀，重建教堂，派崇厚出使法蘭西國賠罪。

第三十七章：再踢館魯記人馬全軍盡墨，遇聖人豐記糧行換主經營

儲幼寧又在天津聖路易堂住了兩天，兩天裡，魯老泉並未再來打攪。反倒是縣衙門那頭，縣大老爺戒慎恐懼，派了親兵小隊，到聖路易堂外頭，日夜守衛，就怕再激出教案民變。

然而，此事外弛內張，表面上雖然無風無雨，但卻有不安訊息，不斷傳進教堂。左近教民持續過來通風報信，說是魯老泉在村子裡招兵買馬，四處招攬各路人馬，遲早還是要來鬧事。

又過一天，這天午後，儲幼寧正在教堂外頭庭院裡，與牛雙喜談話，講述江湖典故。此時，驀然間外頭響起連串鞭炮聲，隨即人聲鼎沸，笙管笛簫、鑼鼓嗩吶，高聲齊鳴。儲幼寧並牛雙喜立即奔往大門口，自鐵門柵欄縫隙向外窺探。

外頭，縣衙門親兵小隊擺開陣勢，端著洋槍，對著來人。距親兵小隊百步之遙，則是魯老泉所率大隊人馬，約莫百來人。這批人，均是臉塗五彩顏料，身著鮮豔戲服，分屬幾個班子，站著隊形，舞著身子，有喜有喪，十分詭異。

有一幫人扮成迎親隊伍，新郎身穿紅袍，頭戴紅頂冠，胸前一朵大紅花。新郎身後則是一頂喜轎，轎旁站著轎夫，也是紅衣紅褲，但臉塗鍋灰，滿臉漆黑。這群人，不停點爆炮仗，扔炮仗，劈里

啪啦，再加上迎親嗩吶，吵得要死。

另一幫人則是送葬隊伍，前頭有人打幡，後頭有人往天上拋紙錢。還有五子哭墓，全都是身上孝服，頭上孝帽，舉著柳枝，跪在地上哭爹喊娘喚兄弟，不斷高聲嚎叫。

再過去，鑼鼓嗩吶直響，是個蝦精、蚌精、鯉魚精、跑旱船隊伍，諸人臉上搽上濃濁紅胭脂，賽似猢猻屁股，繞著場地不停轉圈子。這群人裡，還有踩高蹺的，扮著唐三藏西域取經，唐僧、沙僧、孫悟空、豬八戒、牛魔王、鐵扇公主，搖來擺去，端著姿態。

隊伍最前頭，站著魯老泉，手裡拄著根唐三藏西域取經禪杖。魯老泉後頭，則是個年輕胖子。這胖子，敞著衣襟，挺胸凸肚，拿著個響板，邊打著板，邊唱著數來寶：「紅燈照，響鞭炮，三槍兔兒爺跟著笑；天兵叫，天將跳，閻王老爺來報到；天主教，是歪道，扶清滅洋把你鬧；大毛子喝毒藥，二毛子去上吊，一鍋同煮全端掉。」

那數來寶胖子唱到這兒，就見魯老泉舉起禪杖，往地上不停擂動，攪得禪杖上鐵環嘩啦嘩啦響。禪杖這一響，眾人俱皆閉嘴不動，數來寶也不唱了，五子哭墓也不嚎了，跑旱船住腳不動，蝦精、蚌精、孫悟空三名師兄弟，也站著往前頭瞧。

魯老泉舉著禪杖，往前走幾步，走到親兵小隊前，眼神越過眾親兵，盯著聖路易堂大鐵門道：「門後頭的聽著，今兒個爺兒們帶人到這兒來，不為攻打教堂，也不為活捉洋人。今兒個到這兒來，就是要會會那天那小子。這小子邪門，傷了眾家兄弟膝蓋，大夥兒疼了幾天，這兩日才算痊癒。今兒個到此，就是要招這小子出來，大家比劃比劃，見個高低真章。」

原來，那日魯老泉帶人來鬧事，打算搶回魯國柱，不想，正好為儲幼寧所攔截，一頓好打，把眾人打趴，膝蓋全受輕傷。事後，魯老泉四處打探，曉得這硬手是隨另一洋神甫自北京而來。繼而，魯老泉又探悉，這三人曾在廊坊捲起千層浪，把廊坊狠角色游剝皮，打得少屁股沒毛，扔下偌大產業，攜帶妻小，逃命去了。

廊坊一役，儲幼寧雖大放異彩，震動廊坊，但他並未公然鼓吹自己名號，廊坊地面曉得其人，卻不曉得其名。因而，魯老泉今日叫陣，開口「那小子」，閉口「這小子」，卻始終叫不出儲幼寧名字。

魯老泉為報砸膝之仇，動用家族資財，四方延請幫手。這些幫手，以跑江湖賣藝為生，但並非武林人物，武術也稀鬆平常。魯老泉也就是個天津紫竹林鄉鎮族長頭頭，遠近關係也就是如此，只能請得到這幫跑江湖賣藝人等。

魯老泉這一叫陣，教堂鐵門內，洋神甫駙馬爺早已趕到，魯國柱並翠花也帶著倆孩子，到前院看熱鬧。眾人都勸儲幼寧別理魯老泉，待在教堂裡，有縣衙門親兵小隊保護，魯老泉不敢硬闖。儲幼寧則道：「不礙事，這點陣仗，難不倒我。我要不出去，他們可以鬧幾個時辰。倘若到了晚上還不走，在此安營紮寨，埋鍋造飯，可就難看了。」

儲幼寧在北京混世經年，長了見識，曉得官面上對於江湖人物彼此鬥毆，只問是否出人命。倘若不出人命，官府等閒不會過問。故而，儲幼寧拿定主意，待會兒出去之後，橫掃千軍，把這魯老泉這幫人，全都打傷，打趴，打跑，只傷人，不殺人。

鐵門嘎嘎，往兩邊拉開，儲幼寧緩步跨出，慢慢朝魯老泉行去。魯老泉禪杖一晃，對後頭那數來寶胖子道：「儲仰歸，往旁邊退退，讓這點子過去。」

儲幼寧聞言，腦袋嗡然一聲，渾身略微震動，朝那胖子望去，繼而低聲問道：「你叫儲仰歸？」

那胖子有點發怔，點了點頭道：「是啊！」

儲幼寧又低聲問道：「山東沂州府人士？」

儲仰歸語氣狐疑，答道：「是啊，你怎知道我是山東臨沂人？」

儲幼寧面皮上鎮定如常，心中卻是大受激盪，踏破鐵鞋無覓處，得來全不費工夫，天可憐見，竟然在這兒，見到他大哥儲仰歸。那魯老泉，卻絲毫未注意儲幼寧與儲仰歸對話。就聽見儲幼寧大聲對儲仰歸道：「你一邊涼快去，別在這兒擋著小爺道，小爺待會兒要施辣手，把場上這缸子牛鬼蛇神，全給掃平了。」

說話之間，跑旱船、踩高蹺那群人，站定不動，朝這兒瞧著。西遊記取經那幫人，原來踩著高蹺，現已將高蹺取下。

魯老泉對這幫人招招手，蝦精、蚌精、唐三藏、孫悟空、沙悟淨、豬八戒等六人慢慢圍了過來，將儲幼寧圍在中間。其餘，跑旱船、鯉魚精、牛魔王、鐵扇公主，還留在原地，沒打算過來動手。就見蝦精伸手，將頭上兩支蝦角上木殼取下，露出兩支尖利鐵錐，對著儲幼寧直虛晃，只要扎著了，就是兩個血洞。

那蚌精，則是將兩面蚌殼前緣皮套剝下，裡頭竟然是開鋒鐵器外緣，只要碰上了，就是一條大口子。蝦精、蚌精之外，唐三藏禪杖、孫悟空金箍棒、沙悟淨月牙鏟、豬八戒九齒釘耙，全都是貨真價實硬傢伙，挨著就傷，打著就死。

這六人，把儲幼寧圍住，眼睛直勾勾死盯著儲幼寧瞧。儲幼寧身經百戰，早已臨場不懼。此時，他氣定神閒，兩腳不丁不八，悠然站著，兩手鬆鬆下垂，既不捏拳，也不成掌，五指就是自然約略蜷曲。

驀然間，唐三藏發一聲喊，六人同時出手。蚌精側身過來，拿右面蚌殼外緣，去擦儲幼寧右手膀子。孫悟空矮下身子，那金箍棒貼著地面橫掃過來，砸儲幼寧膝蓋。蝦精躬著身子，兩手扶著頭上兩尖角，拿頭撞儲幼寧前胸。沙悟淨那月牙鏟，直直戳向儲幼寧左手膀子。豬八戒高高舉起九齒釘耙，當頭直劈而下，砸向儲幼寧頭頂。儲幼寧背後，則是唐三藏禪杖伺候。

儲幼寧經歷大小惡戰無數，但這倒是頭一回，六個對頭同時出手。他收神懾魄，倏然間，兩眼、兩耳分外聰靈，就覺得這六人兵器行速轉慢，有如泥中跋涉，有如逆水行舟，顛顛沛沛，搖搖擺擺，不成章法，沒有招數，處處都是漏洞。甚且，他也瞥見外圍魯老泉面帶殺氣，眼神兇惡，盯著六人奇襲。

儲幼寧身隨意轉，先是輕撥蚌精右面蚌殼，蚌精腳步稍有踉蹌，身子些微向右倒去，剛好碰上蝦精。蚌精右蚌殼劃了蝦精一傢伙，蝦精左脅當場開彩，拉出老大一長條口子，鮮血立刻崩流，頭上那兩支尖角，頓時沒了氣力，衝不過來。隨即，儲幼寧左手抓住左邊沙悟淨月牙鏟鏟身，向右使勁一拉，沙悟淨站不穩，那月牙鏟失了準頭，往右邊蚌精撞去。

蚌精見月牙鏟朝自己衝來，趕忙兩手運勁，用力闔上蚌殼，以防月牙鏟傷己。然而，為時已晚，那月牙鏟，鏟進蚌精胸腹，隨即，蚌殼合攏，夾住沙悟淨兩手，沙悟淨慘叫一聲，雙手已被兩面蚌殼開鋒利刃夾住。

繼而，儲幼寧向側後方一滑，地上金箍棒、頭頂九齒釘耙、身後禪杖，全都落空。儲幼寧伸手，在唐三藏背後用力一推，唐三藏身子不穩，抓著禪杖那手伸出手去，打算穩住身子。結果，身子沒穩住，禪杖也沒拿穩，杖頭垂倒，正好砸在孫悟空腦袋上，把孫悟空腦袋給開了。孫悟空摀著腦袋，金箍棒就被儲幼寧奪了去。儲幼寧奪了金箍棒，拿那棒頭，對準豬八戒鼻子，點了過去。

當年，儲幼寧在山寨外林子裡，隨著閻桐春練功夫，最常練的，就是拿根棍子，相準了樹梢葉片，伸棍子去點。這功夫練久了，想點哪片葉子，就能點到哪片葉子。如今，拿起孫悟空金箍棒，對著豬八戒鼻子點去，自然一點而中。

那豬八戒，臉上就戴著個假鼻子。那假鼻子是硬紙殼做的，穿上鐵絲，戴在真鼻子上。儲幼寧金箍棒點過去，剛好點在鐵絲末端，那鐵絲立刻朝豬八戒口鼻那兒戳進去，疼得豬八戒慘叫連連。末了，只剩下唐三藏尚未中招，身上還沒見傷。這唐三藏見機頗快，眼見儲幼寧不知使了什麼高招，轉眼間，就傷了其他五人，立刻向後跳開，脫離戰局。

這唐三藏跳出去之後，衝魯老泉直嚷嚷：「魯當家的，這點子是何來路？他會使妖法，這才一轉眼，我們六人當中就有五人掛彩。不玩了，我們六人就此別過。」

說罷，蝦子精、蚌精、孫悟空、沙和尚、豬八戒，有的按著腦袋，有的抱著肚子，有的扶著臂膀，有的摀著臉，一瘸一拐，隨著唐三藏而去。個人兵器傢伙，像是禪杖、金箍棒、九齒釘耙、月牙鏟、蚌殼、蝦頭，全都顧不上撿拾，都扔在地上。

這邊廂，魯老泉不依不饒，衝送葬隊伍、五子哭墓等人招手喊道：「跑旱船這幾位不濟事，光拿錢不辦事，換你們了，換你們上，好好把這小子收拾了。」

這批送葬傢伙站得較遠，適才動手過程看得並不真確。這幫人遠遠瞧著，也不知怎麼著，就見跑旱船這六人東倒西歪，敗下陣來。因而，魯老泉喚這幫人圍攻儲幼寧，這幫人有點遲疑，但到底還是舉著傢伙，圍了過來。

幾個舉旛角色，把旛旗抽掉，旛枝就是鐵棍；五子哭墓傢伙，手裡的孝子棍，就是兵器。最顯眼的，是閻王萬民傘。這玩意兒，挺沉，中間是根鐵棍子，上頭撐著五彩綢緞布疋，傘面外緣，垂著無數流蘇，而每一束流蘇下頭，則吊著把銳利短刀。

撐這閻王萬民傘傢伙，是個高胖禿子，膀大腰圓，不斷轉著那鐵棍。鐵棍轉，五彩綢緞傘面就跟著轉，傘面下緣流蘇吊著無數銳利短刀，也跟著飛速快轉。這禿子將傘面傾斜，愈轉愈快，朝儲幼寧走來。這人身後，跟著打旛、哭墓等角色，俱朝儲幼寧攻來。

儲幼寧還是不慌不忙，不驚不懼，撿起孫悟空扔在地上那金箍棒，棒頭朝前，對著閻王萬民傘。那閻王萬民傘，愈轉愈快，愈轉愈近，傘緣利刀化作一圈銀光，朝儲幼寧捲來。只要讓那銀光沾上了，就是亂刀之剮。儲幼寧相準了方位，倏然伸出金箍棒，棒頭用力點在那閻王萬民傘正中那鐵桿頂端。

鐵桿為閻王萬民傘支柱，整個傘面都由鐵桿帶動旋轉。現如今，那鐵桿頂端為儲幼寧使金箍棒，用力點中，鐵桿一震，震得傘面搖晃不已，傘緣無數利刀皆盡掙脫流蘇束縛朝外飛去，全都成了飛刀。

隨即，儲幼寧千手觀音一般，操起金箍棒，在每一把飛刀刀柄，各點一下。這群飛鏢就有了方向，各自朝打旛、哭墓諸人激射而出。刀多，人少，每人不只一把飛刀伺候。刷刷刷刷，飛刀飛過，慘叫繼起，打旛、哭墓之輩，有人腿上中幾刀，有人手上中幾刀，有人腿上、手上都中幾刀。

唯獨那舉閻王萬民傘高胖禿子身上沒中刀，呆呆舉著傘桿子，瞧著身旁不遠處，打旛的、哭墓的，疼得喊成一片。儲幼寧嘴裡「嘖嘖」兩聲，那舉傘禿子轉過頭來，儲幼寧瞪他一眼，兩手倏然高舉，虛揮幾下，那高胖禿子嚇得喊道：「媽啊！」隨即，扔了閻王萬民傘，掉頭就跑。

這頭，打旛、哭墓眾人，身上四肢到處插著刀，想拔又不敢拔，刺蝟一般，瘸瘸拐拐，也離場而去。

儲幼寧轉身，朝著迎親隊喊道：「西域取經的，送葬哭墓的，都被我打跑了，身上都帶著傷。怎麼樣，還要比劃嗎？嫌爹娘給你生了好手好腳，非要弄得缺胳臂斷腿，這才過癮，是不是？誰要不信邪，過來比劃比劃？」

剩餘眾人，瞧著儲幼寧威風凜凜架勢，呆了片刻，繼而，有人發一聲喊，說是不幹了，給再多錢都不幹。一人發喊，眾人發喊，都扔下手中傢伙，三步併作兩步，踢踢踏踏，走得一乾二淨。

這頭，魯老泉也蔫了氣勢，兩眼發直，張開了嘴，在那兒直叨氣，話都不曉得該怎麼說了。教堂鐵門後頭，自洋神甫駙馬爺以降，人人瞧得清楚。駙馬爺固然鼓掌，牛雙喜更是不斷叫好。牛雙喜自北京起就跟著儲幼寧，一路到天津。這當中，廊坊之戰，他雖待在客棧，未曾親見，但事後聽人轉述，曉得儲幼寧剿滅游剝皮莊園，極為神勇。如今，總算親睹儲幼寧驚人武藝，自然連聲激越叫好。

守在聖路易堂大門外，縣衙門親兵小隊亦從頭到尾，目睹交手過程。眾兵丁固然佩服儲幼寧武藝，更重要者，眾兵丁為縣太老爺衛隊，目睹雙方交手，可證明此事純為江湖鬥毆，又無人喪命。如此，可免縣衙追究儲幼寧。

儲幼寧略走幾步，到了魯老泉跟前道：「魯老丈，事情就此算了吧。你上次帶人來，我雖傷諸人膝蓋，但已是刻意下了輕手，眾人當時雖疼，事後也都痊癒，行走不受影響。如今，你又帶人來，又讓我傷了幾人。往後，你要是還來，碰上我在，還是要傷人。你們打我不過，徒然送人來受傷，這又何苦？」

魯老泉如鬥敗公雞，垂頭喪氣，不發一語，轉頭而去。場邊，儲仰歸也舉腿邁步，打算與魯老泉一併離去。儲幼寧見狀，趕忙過去，攔著儲仰歸。儲仰歸大急道：「怎麼，他們和你過招，你都放他們走。我只是唱數來寶，也沒動手，怎麼竟不讓我走？」

前頭，魯老泉頭也不回，跨大步離去，壓根不管儲仰歸被儲幼寧攔住。

儲幼寧拉住儲仰歸道：「哥哥，別走，你知道嗎？你是我哥哥，我是二弟幼寧啊！」

他這一說，儲仰歸頓時呆了，凝神看著儲幼寧，隨即道：「你是二弟？你是二弟？你怎是我二弟？」

儲幼寧道：「我是儲幼寧，山東沂州府府城西南角豐記糧行，是我老家。我爹爹叫儲懷遠，我娘叫鄢氏，我大哥儲仰歸，二哥儲仰寧。我家糧行，前後三進屋子，前頭做生意，中間住夥計，我們一家五口住後進。我家有倆護院武師，一個叫鐵背熊佟暖，一個叫花皮豹夏涼，我家帳房師傅叫閻桐春。」

「那年，我才八歲，來了兩個行商，一個叫齊益壽，另一個叫孟慶凰。那晚，爹爹擺了兩桌菜，廚房送上四盆冷盤，其中三樣分別是香椿拌豆腐、涼拌白菜心、花生芫荽拌豆腐乾，第四樣則是高麗醃菜。此外，還喝了六味安神湯。」

「第二天早上，人全走了，爹爹、我、閻師傅、佟、夏兩位護院武師、齊、孟兩位商客。爹爹留了封書信，說是有仇家知道他住此處，派人來拿。冤有頭，債有主，事不關娘鄢氏與兩位哥哥。爹在信上說，對方只要他性命，取回幼子。因此，爹來不及喚醒娘與兩位哥哥，就先攜帶著我逃逸，並請帳房閻師傅、佟、夏兩位護院武師保駕，隨齊、孟，逃往關外。」

儲幼寧話不停頓，一口氣說完，只聽得儲仰歸面色蒼白，呆在當場，繼而抓著儲幼寧道：「二弟，二弟，你真是二弟！」

二人皆沒想到，日後兄弟倆有重逢時日，在天津聖路易天主堂外相見。二人更沒想到，見面時，哥哥成了跑江湖唱數來寶藝人，弟弟則是武學高手，兩人在較量場面上重逢。

儲幼寧趕緊將哥哥讓進教堂，對眾人說了兄弟重逢之事。駙馬爺知趣，囑咐眾人離去，讓兄弟倆敘舊。

儲幼寧拉著儲仰歸，在教堂外頭庭院裡，找了兩張凳子，兄弟倆面對面坐下。儲幼寧急問：「娘呢？二哥呢？」

儲仰歸眼神遲滯，盯著儲幼寧，緩緩言道：「是啊，娘呢？大弟仰寧呢？都不在了，都不在了。」

儲幼寧聞之大驚，要知道，儲懷遠雖非他親生父親，甚至還是殺父仇人，但儲懷遠自幼撫養他，待他甚厚，視如己出，他至今還是緬懷思念儲懷遠。而鄢氏也是視他如親生己出，撫育之恩點滴在心，如今聽說鄢氏與儲仰寧俱都亡故，自然大吃一驚。

儲仰歸顯是幾年來日子難過，身心疲憊，以至飲食不調，體型臃腫，全非幼年時俊俏模樣。並且，不但形體毀壞，心性亦受折磨，神智雖清楚無礙，但總是難免遲滯呆板。除了唱數來寶外，儲仰歸寡言少語，如今兄弟重逢，激盪之餘，竟不問父親儲懷遠下落。倒是儲幼寧，不斷追問鄢氏與儲仰寧過世緣由，儲仰歸這才慢慢話說從頭，講述十餘年來變故。

原來，閻桐春設計挾持儲懷遠，並攆走儲幼寧後，豐記糧行亂了套。鄢氏畢竟是婦道人家，不便拋頭露面，因而，短短數月之內，糧行景況即大有改變。店夥見店東儲懷遠失蹤數月，鄢氏又優柔寡斷，無能掌穩重舵，紛紛弄鬼作弊。一幫店夥或掏空銀兩，或虛報斤頭，進帳以少報多，出帳以多報少，兩頭攔截，五鬼搬運，斲喪豐記糧行。

偏偏，屋漏又逢連夜雨。儲懷遠失蹤半年後，有人向沂州府衙門告官，說是曾在臨沂山區遇上山賊，內中就有閻桐春、佟暖、夏涼。這報官之人為臨沂鄉紳，此人姓王，名堅學。這人原是進士出身，曾在貴州為官，擔任縣令，行事酷烈，以嚴刑峻法治事。貴州縣令任內，凡有刑名案件，向來苛刻嚴辦，寧可錯殺，不可錯放，弄得民匪不分，視民如匪，殺戮頗眾。

後來，貴州百姓受不了苛政，上書京內貴州籍大老，參了王堅學一本，這人因而致仕罷官，回到山東臨沂老家。這人，向來標榜清高廉潔，開口孔孟，閉口聖賢，因而，鄉里人給他取了綽號，叫他「王聖人」。

王堅學平日裡沒事還找事，如今，有了事，當然更是老驥伏櫪，志在千里，非要把事情鬧大不可。王聖人無意間得悉，旅客在臨沂山間遇匪，曉得匪首之一，為豐記糧行失蹤帳房閻桐春，而匪徒當中，包括豐記糧行護院武師佟暖、夏涼。為此，王聖人斷言，豐記糧行與山賊勾結，其店主儲懷遠莫名失蹤，更是疑點重重。因而，王聖人進沂州府告官，請沂州府法辦豐記糧行。

糧行無人能頂大事，鄢氏女流，見識不足，底下夥計難識之無，頓時成了軟柿子，王聖人怎麼揑就成什麼形。那王聖人並非歹人，但為人處世剛烈刻薄，以為自己操守清廉，即可為所欲為。這等酷吏，為害之烈，甚於貪官。王聖人一口咬定，豐記糧行勾結山賊盜匪，至沂州府衙門告官，府尹說不過王聖人，只好傳喚豐記糧行。

鄢氏無奈，拖帶著儲仰歸、儲仰寧至府衙門應訟。一方，原告為還鄉知縣王堅學，嫻熟吏律，久經公堂。另一方，為被告鄢氏，柔弱女子，不知世事，不曉公門規矩。這官司打下來，三下兩下，就審判定讞，豐記糧行不清不白，儘管無實據佐證勾結山賊盜匪，但其去職師爺則確定於山寨落草為寇。因而，衙門判定，豐記糧行沒收充公，鄢氏母子三人掃地出門。

豐記糧行充公後，本應出價拍賣，但王聖人出了主意，說是他願代為出頭，替衙門經營這糧行，並以其盈餘，充作公門資財，挹注沂州府府庫。就這樣，好好一座豐記糧行，就此落入官府手中，並委由王聖人代為經營。

這王聖人，慣常標榜清廉，以大人先生自居，接手豐記糧行後，他搬離自宅，住進糧行。此後，戮力整頓，汰換殘弱，將之前營私舞弊店夥全都革除。之後，引進新壯，提振業績，並且涓滴不取，悉數歸公。這差使，王聖人並不白幹，他雖辦事不拿錢，卻是逞其意志，行其主張，罰其所惡。

接事後，他於豐記糧行門前左邊牆上，以雪白石灰，刷上九個大字：「作之君，作之師，作之親」。而豐記糧行門前右邊牆上，則以雪白石灰，刷上「三綱五常為人根本，天地君親行事準繩」。

至於鄢氏，則被視為前手店東餘孽，姑且收留，令其充任廚娘，整日在廚房裡轉悠，供應糧行上下人等三餐飲食。長子儲仰歸，此時十四歲，半大小子，有一膀子力氣，就在糧行裡搬運糧食，成了扛活兒長工。糧行第三進院落，儲家家宅已為王聖人接收進住。王聖人倡言，說是鄢氏母子三人係為賊人家屬，早該掃地出門，如今，還收留三人，已是恩澤。於是，鄢氏帶著儲仰歸、儲仰寧，只能擠身二進院落裡一間雜貨倉庫。

這王聖人經管豐記糧行，行事規矩嚴苛刻板，絲毫不見「作之親」，反而處處皆是「作之君」、「作之師」，動輒板起面孔，大道理一套又一套。他自四書五經、朱子治家格言、弟子規、禮運大同篇、正氣歌、太平歌詞之類古板典籍當中，摘取箴言警句，寫成字帖、條幅，於豐記糧行前後三進院落裡，到處張貼，到處懸掛。

不僅於此，他每日晨間開門前，終昏關門後，必召集店中所有人等，群集前院，聽他講述格物、致知、誠意、正心、修身、治國、平天下大道理。不單講道理，每逢初一、十五，廟會之日，他還率店中夥計，穿上背心，上書「興正氣，滅邪佞」字樣，在廟會市集上滿處轉悠，宣揚「王氏家規」。

匆匆數年，鄢氏終日操勞苦熬，容顏衰頹，體虛氣喘，難耐操勞。兩個孩子，儲仰歸、儲仰寧，缺吃少穿，亦是苦不堪言。這年夏天，酷暑大旱，時疫紛起，人心惶惶。這天，吃過夜飯後，不大工夫，店裡夥計、長工全都跑肚拉稀，川流不息，往茅房跑。王聖人亦是腹痛難耐，在住房裡，跑馬燈一般上上下下，往痰盂裡吐，往馬桶裡拉。

第二天，店夥倒了一半，癱睡床上，下不了床。另一半，磨磨蹭蹭，勉強下床，卻是沒力氣幹活。就有人傳出話來，說這是鄢氏母子幹的好事，在昨日夜飯裡添加材料，整得眾人不得安寧。王聖人偏聽偏信，叫人拽出鄢氏母子，到前院跪著聽審。

王聖整頓衣冠，踱著方步，行至前院。昨晚拉了一夜，這時體力虛弱，沒法久站訓話，只好拉把太師椅，坐了下去。一張嘴，就是連串大道理：「我說鄢氏，《朱子治家格言》裡說，黎明即起，灑掃庭除，要內外整潔。這道理，妳知道吧？要不知道，我給妳講一講。」

「這意思是說，每天一大早，起身之後，就要把庭院打掃乾淨，裡裡外外，都要弄乾淨。這裡裡外外，就包括廚房。昨天夜飯之後，店裡十幾、二十多口人，全都上吐下瀉，跑肚拉稀，這都是吃壞肚子之故。為何吃壞肚子？就因為妳這廚娘，沒把地方弄乾淨，髒東西跑進飯菜裡去，弄得大家都虧空了身子。」

「還有，妳那倆孩子，整天到處野，四處亂跑，也不能幫辦店裡雜事。說不定，就是那倆孩子帶進來髒東西，汙了飯食。妳說，這該怎麼處罰？」

「老祖先留下了聖賢書，這裡頭，《禮記．禮運大同篇》有言，『故人不獨親其親，不獨子其子，使老有所終，壯有所用，幼有所長，鰥寡孤獨廢疾者皆有所養』。要知道，妳是匪犯親屬，本該流放，但我這人心存仁念，因而，讓你們母子仨，都留了下來。」

「我這就是照著老祖宗聖賢書做事，妳是壯有所用，妳倆兒子，是幼有所長，我讓你們一家三口皆有所養。你們不知感恩，竟然恩將仇報，行這鬼魅魍魎之事，汙穢了飯食，讓糧行眾人上吐下瀉，跑肚拉稀。妳說，妳該當何罪？」

鄒氏一個弱女子，拖著倆孩子，明明是自己家業，卻為王聖人之故，改為公產，並由王聖人替衙門當家作主。幾年來，鄒氏心裡這股怨氣沉潛累聚，積鬱甚深，亦積怨甚深。如今，外頭時疫盛行，糧行裡人來人往，不定哪個行商、過客、買家、夥計從外頭帶回毒苗，搞得眾人上吐下瀉，跑肚拉稀。這筆臭爛帳，王聖人卻硬要鄒氏頂缸，鄒氏心裡那火氣，可就大了。

泥人也有三分土性，鄒氏並非泥人，火氣自然打從心裡燒了起來。鄒氏心頭委屈至極，抽抽搭搭，飲泣言道：「總管，您老人家聖明，事情沒有您老不知道的。您想，昨天那夜飯，大家都吃了，我們母子仨也吃了。為何，眾人皆跑肚拉稀，獨有我們母子仨沒事？」

「這不是昨晚夜飯時，有個賣燒雞小販，沿街叫賣，剛好到糧行大門外。因而，您老人家囑咐夥計到大門外去，拿公款買了幾隻燒雞回來，大夥兒一齊吃燒雞。咱們母子仨，上不得台盤，當然沒份吃燒雞，可憐我倆孩子，眼睜睜瞧著眾人吃燒雞，獨獨我們母子仨沒份。」

「這下可好，燒雞吃出了問題，大夥兒跑肚拉稀，卻把這爛帳賴到我們母子仨頭上。您老熟讀聖賢書，當知道《朱子治家格言》裡也曾提到，『勿恃勢力而凌逼孤寡；刻薄成家，理無久享』。」

「這《朱子治家格言》還說，『乖僻自是，悔悟必多』，我當家的失蹤多年，下落不明，就剩下我與倆孩子，既孤且寡。您說，我和孩子是疑匪家屬，也就憑您的話，說了就算數。幾年來，有啥憑據說咱家當家的是山寨盜匪？前幾年，您說，有人見到以前糧行帳房閻桐春，在山上落草為寇，當了強盜。那是閻師爺，不是我當家，我當家的，叫儲懷遠，至今下落不明，留得我母子仨，在這兒受您聖人擺布。」

王聖人聞言，不禁大怒。這人內心裡，何嘗不曉得，糧行原東主儲懷遠下落不明，師爺閻桐春雖然落草為寇，但糧行東主並非賊寇，硬行沒入糧行，事屬理屈。這人性格，寧可他負天下人，不可讓天下有一人負他，因而，他聞及鄢氏搶白之言，當下暴怒，臉上青一陣，紫一陣道：「鄢氏，看來，我是養癰貽患，好心沒好報。既然如此，今天妳就收拾收拾，再住一夜，明天一早，給我滾妳個鹹鴨蛋！」

鄢氏當即止了抽搭，緩緩言道：「王總管，您在糧行裡，到處貼警世格言。這裡頭，太平歌詞當中，有幾句話，遲早應在您身上。這句話說，『人要到了難中拉他一把，人到了急處別把他來欺。閻王爺好比那打魚的漢，不定來早與來遲。今日脫去鞋和襪，不知明日穿齊穿不齊』。」

王聖人聞言大怒道：「好潑婦，妳竟然敢咒我死。我就算死，也死在妳後頭，非先把妳弄死不可。」

說罷，王堅學站起身子，居高臨下，惡狠狠盯著鄢氏母子三人。鄢氏公然不懼，還是跪在那兒，回嘴道：「要弄死我，恐怕不容易。您是聖人，滿嘴仁義道德，如今，誣賴我們在飯裡下毒，卻是一無證人，二無證據，您豈敢光天化日，朗朗乾坤，當著眾人，弄死我們母子仨？倒是我們母子三人，得防著您暗中出陰招，就像您巧取豪奪，三下兩下，就把這豐記糧行歸到您名下。」

王聖人暴喝一聲道：「住嘴，這糧行不在我名下，這是公產，我替府台大人管著這糧行。」

鄢氏道：「對我娘兒仨來說，這都一樣，反正，這糧行是你弄鬼，才被衙門沒收。要不是你，我們娘兒仨也不會如此受苦。」

兩邊撕破了臉，都動了怒氣，口角駁火，爭罵不休。末了，還是夥計過來拉開二人。王聖人怒氣沖沖而去，鄢氏則摟著倆兒子，回到院角雜貨倉庫，三人相擁而泣。這天，鄢氏已不至廚房任事，王聖人另行指派夥計權充伙夫。鄢氏一家三口，一整天也就是吃了幾個饃饃，三人腹中皆飢餓難耐。

這天夜裡，鄢氏趁眾人已睡，萬籟俱寂之際，悄然出屋，到了廚房，找個小炭爐，將大灶裡尚未燒盡碎煤塊撥出一堆。繼而，拿火鉗子將這堆碎煤塊，慢慢夾入小炭爐裡。趁夜，鄢氏將小炭爐抱回雜貨倉庫，置於地上，關上門，掩上窗，又拿衣物，將門縫、窗縫全都堵死。鄢氏躺回床上，瞧瞧身旁儲仰歸、儲仰寧，二子俱都熟睡。

時候不大，鄢氏就迷糊過去。鄢氏才剛迷糊，身旁儲仰歸即被尿壓憋醒，但覺屋內煙氣嗆人，自己頭暈腦脹，噁心暈眩。於是，掙扎而起，搖搖晃晃，推門而出，復又把門關上。儲仰歸此時才十六歲，還不懂炭氣帶毒，更不曉得適才屋裡那煙氣，是她母親所為，因而，這才又把門關上。

到得外頭，儲仰歸頭暈腦脹，連茅房都撐不到，就勉強對著牆角，嘩啦啦撒了泡尿。尿才撒完，就覺得天旋地轉，支撐不住，昏厥在地。等到醒來，已是天色大亮，身旁人聲鼎沸，眾人紛紛喊道：「醒了，醒了，王總管，這小子醒了。」

第三十八章：燻煤氣儲家大哥腦子半殘，唱鼓書分離鴛鴦驀然重逢

儲仰歸坐起身來，就見身旁不遠處，母親鄢氏與弟弟儲仰寧躺在地上，兩人身上從頭到腳，蓋著張蘆席，只有兩人腳跟露在蘆席外頭。儲仰歸當即大哭，高聲嚎叫，哭娘，哭弟弟。

儲仰歸身旁站著王聖人，滴滴答答，不知說些什麼，儲仰歸全沒注意聽。末了，有個夥計將他扶起，塞給他一個包袱，裡頭是他幾件衣服，並有五兩碎銀子。之後，這夥計輕輕推著他，推出糧行大門，隨即關上大門。這一天，豐記糧行歇業，報請官府公差、仵作，上門驗屍，收殮鄢氏並儲仰寧屍身。

那天夜裡，儲仰歸先醒後暈，雖然逃得性命，腦子卻已些微受損，言行舉止看似正常，其實難以凝神思索。自此以後，儲仰歸遇事無法多想，稍一用腦，就頭痛欲裂，思路打結。遭王聖人派夥計驅趕出門後，儲仰歸不知重回糧行討公道，只是在街面上流浪。那五兩紋銀，隨即耗盡。

儲仰歸腦子微殘，沒法子多思多想，身上沒錢，四處流浪，竟成了乞兒。無可，無不可，他信步而行，有人施捨殘羹剩飯就吃上一頓，否則就是挨餓忍飢。有破廟宇爛亭子就借住一宵，否則就露宿田地裡或道路邊。就這樣，一路往北，迤邐而行，數年間，遊蕩過山東，進了直隸，然後，在天津紫

竹林，碰上了魯老泉。

這魯老泉，其實並非歹人，在紫竹林這片地方，也算是急公好義，修橋補路，扶貧濟困。只因天主教教義、行事，均與中華傳統格格不入，魯老泉因緣際會，就成了反天主教頭面人物。儲仰歸不是天主教教民，不穿洋衣、不用洋物，一路流浪到紫竹林，為魯老泉所見，發了善心，收留儲仰歸。儲仰歸在紫竹林，待在魯老泉家幫忙雜務，農忙時下田耕作，農閒時下河打魚。

十餘年下來，儲仰歸已是望三十之人，神智雖常清醒，但仍偶爾糊塗，腦力有限，無法深思。此外，心智受限，導致生活轉變，多口腹之慾而舉動顢頇，漸漸就變成了臃腫胖子。這次，魯老泉招兵買馬，聚集眾江湖藝人到聖路易堂，指名要扳倒儲幼寧。事前，魯老泉編了一套數來寶詞兒，授予儲仰歸，令儲多所練習，翻來覆去背誦，每日演練。今日對陣，就要儲仰歸揭序幕，唱數來寶，臭天主教。

儲仰歸滴滴答答，有一搭，沒一搭，將儲幼寧八歲離家後，至今遭遇，勉強交代完畢。儲幼寧邊聽，邊猜，半聽半猜，才弄清楚他大哥十餘年來際遇。當下，儲幼寧拉著儲仰歸，進了教堂，面見洋神甫駙馬爺，說是希望能讓儲仰歸跟著他，一起在教堂暫住。儲幼寧到紫竹林聖路易沒幾天，兩度打跑魯老泉。若非儲幼寧，這聖路易堂不知要遭什麼罪，因而，儲幼寧說是要拉儲仰歸一起住，駙馬爺當然是無有不可，全都答應。

儲又寧並且言明，待魯老泉同意和解，不再攻打聖路易堂，他將攜儲仰歸離去。此事，駙馬爺亦同意。當天夜裡，儲幼寧勉為其難，抓筆寫字，寫了封偶有白字，文字欠通，但語意清楚長信。

信中，敘明在天津巧遇大哥儲仰歸，決定攜儲仰歸南下，至山東沂州府，設法奪回豐記糧行，為儲家討公道云云。次日白天，他帶著大哥儲仰歸，雇車進城，先到電報局，拍發電報，言簡意賅，說是另遇新糾葛，恐怕身上盤纏不夠，寄望金阿根能匯款若干，以充行囊之資。

其實，之前幾日，饗屁爺離天津回北京之際，曾到電報局，替儲幼寧拍發電報回揚州，表示在天津遇不平之事，行俠仗義，須多勾留時日。因而，如今儲幼寧這封電報，就只是索求盤纏而已。拍發電報後，又至英吉利國所經營郵局，將昨夜所寫長信，買了郵票，貼上信封，投入郵筒。

在城裡辦完事，又回紫竹林，卻不是回聖路易天主堂，而是到村子裡，去找魯老泉。儲幼寧兩度打跑魯老泉，算是結了冤家。然而，兩次對陣，儲幼寧都手下留情，傷人不傷命，結的不是死冤家，還留了活結可解。

原本，儲幼寧無須再理會魯老泉，但現如今，他與大哥儲仰歸團聚，而魯老泉照拂儲仰歸十餘年，有恩有義有情有愛，儲幼寧不能裝作不知。更何況，儲幼寧日內將攜大哥，離開天津，南下山東，到臨沂討公道。臨走前，也該對魯老泉打聲招呼。

兩人到了魯老泉家門外，隔著籬笆，儲幼寧喊道：「魯老泉，我是儲幼寧，聖路易堂與你對陣那人。今天來，不是上門叫陣，而是謝謝你照拂我大哥。」

這話說完，籬笆裡門扉嘩地一聲打了開，魯老泉手上執把單刀，晃了出來，隔著籬笆，瞪眼瞧著儲幼寧。儲幼寧見狀，臉上使力拉起嘴角，堆了個笑臉，指指身旁儲仰歸道：「魯老泉，這人是我大哥。我八歲上與大哥分離，那天這才重逢。我大哥說，十幾年來，他住你這兒，現下，我要帶大哥離開天津，故而過來，向你道聲謝。」

魯老泉道：「那天，我見他沒跟我回來。找人去打聽，說是被你帶進教堂，還住了下來。咳，養他十幾年，說翻就翻，我最恨天主教，他卻住進教堂。這情分就算是完，你要帶他走，請便，我半句話沒有。」

儲幼寧道：「魯老泉，不，我喊你魯老丈好了。魯老丈，話不是這樣說，你想想，魯國柱要不是天主教神甫動刀，割掉爛腸子，還洗了腹腔子，早就沒命了。咱們不提甚麼孔老夫子，也不提什麼天主、基督，就說行醫救人，天主教神甫確實救了魯國柱。這事情，你不能說不對。」

魯老泉道：「我還是那話，天主教是邪教，大毛子、二毛子，全不是好東西。如今，你武藝高強，替天主教撐腰，我打你不過。但你別小看中華大地黎民百姓，眾家民氣皆反洋人，皆要砸天主教，今天幹不成，遲早有天會火燒連城，天下大亂，殺盡所有洋人。」

儲幼寧道：「魯老丈，你不了解洋人。洋人，你和他講道理，他也對你講道理。你要是蠻幹，他就船堅炮利硬壓你。中國雖大，大不過歐西所有洋人國。你說，民氣皆反洋人，遲早有一天火燒連城，殺盡所有洋人。真有那一天，所有洋人國必會聯手，幾國洋人，組成各國聯軍，打咱們一國。到時候，中國要吃天大的虧。」

「魯老丈，我這不是滅自己威風，長洋人志氣，事情就是這樣，要是惹翻了洋人，中華大地必遭荼毒。」

魯老泉道：「天主教占民地建教堂，禁拜祖先，不准掃墳，縱容地痞流氓入教，教民欺壓善良百姓，勾結官府，衙門素來袒護教會與教民。這口怨氣，咱們忍不下。這仇，遲早要報。」

儲幼寧嘆了口氣道：「啨，魯老泉，咱們這是驢子彈琴給牛聽，我說我的，你說你的，兩人說不到一塊兒去，就說到太陽下山，說到明年此時，還是枉然。既然如此，咱們不說道理了，就說，你能不能給句話，還帶人去鬧天主堂不？」

魯老泉道：「你在那兒，我帶再多人去，也是枉然。」

儲幼寧道：「我要走了呢？」

魯老泉道：「我也想通了，你在不在，其實一樣。要知道，衙門偏著洋人，上回，縣太爺就派了親兵小隊，到教堂外頭擺陣式。一時三刻，我魯老泉還沒那能耐撼動衙門、攻下教堂。我在這兒等，等到哪天中華大地齊震動，遍地義民風雷起，我才動手。要動手，一起頭就砸了衙門，殺掉狗官，然後，才攻教堂。」

儲幼寧聽這話，身子不禁顫動，起了雞皮疙瘩。但轉念一想，倘若真有那一天，就算他在，也保不了教堂。而那一天之前，就算他不在，魯老泉也不會拉起隊伍，再度攻打教堂。因而，他放下心來，對魯老泉拱拱手，算是謝過照拂儲養歸十餘年恩情。拱完手，道了聲謝，儲幼寧拉著大哥，轉身離開，回教堂去。

回了教堂，儲幼寧將適才魯老泉之言，悉數轉述予駙馬爺。這洋神甫聞言後，微微仰著臉，出了會子神，繼而道：「唉，這死結，怎麼也解不開。我看，在華洋人遲早要遭劫難。遭了劫難後，各國必組聯軍反撲，到時候，換成中華大地遍遭劫難，無論信不信教，是不是教民，都要水深火熱走一回。」

又過幾日，有電報送到聖路易天主堂，給儲幼寧。電報裡說，五百兩款項，已匯至天津錢莊。電報上又說，之前接獲北京西什庫天主堂洋神甫電報，說是儲幼寧留在天津，係為濟弱扶傾，必須再做勾留。對此，金家上下甚為擔憂，故而，金阿根已指派金秀明即日啟程，自上海搭快船至天津，兩日可到。

那日，儲幼寧到天津城裡，先拍發電報，繼而寄出快信。那快信，內容詳實，講述在天津巧遇大哥儲仰歸，決定攜儲仰歸南下，至山東沂州府，設法奪回豐記糧行，為儲家討公道。而電報，則僅是簡略要求匯款。電報快，瞬間可達；信件慢，須得穿山過水，才能寄達。揚州金家，見了電報，尚未收信，就即時匯款，並派金秀明北上赴天津。

收了電報次日，儲幼寧又帶著儲仰歸雇車進城，至錢莊兌取五百兩匯款。將匯款兌換為銀票、碎銀兩後，帶著大哥四處轉轉，想找個小館子，吃頓好的。兩人整天待在教堂裡，飲食自然沒有外頭自在。儲幼寧自十五歲上，進了金家之後，飲食起居頗為豐裕。離開揚州，一路往北，經德州而北京，身上盤纏充裕，不缺銀兩，吃喝隨意，口腹之慾無憾。

這一陣子，每日待在教堂裡，雖不缺吃少喝，但總不像之前，想吃啥就點啥吃。因而，到了天津城裡辦完了事，就帶著大哥四處蹓躂，想找家小館，哥兒倆打打牙祭。這幾日，儲幼寧與大哥相處，漸漸熟稔大哥習性，曉得他這大哥，言行舉止大體正常，無虞失常，但腦力有限，沒法子多思多想。因而，儲幼寧只能撿簡單事情，說予大哥聽。

尤其，儲仰歸竟從不問儲幼寧，父親儲懷遠後來如何？帳房師爺閻桐春後來如何？還是儲幼寧撿簡單情節，約略告知儲仰歸，就說儲懷遠與閻桐春俱已仙逝。對此，儲仰歸亦無悲痛之情。儲仰歸曉得饑渴，曉得疲困，能吃能睡，簡單言談話語也算正常，但沒法子聽得懂繞彎道理，也沒法子講清楚繞彎道理。

此時，二人正在街頭上蹓躂，驀然間，儲幼寧就聽見熟悉鼓槌擊鼓聲，咚咚咚咚幾聲，接著，則是月牙板互擊幾下，繼而，則是大鼓書詞兒流竄而出。儲幼寧心頭大震，又驚又喜，順著唱腔尋聲而去，繞過牆角，拐個彎，眼前是道人牆。他走入人牆，撥開眾人，眼前豁然開朗，果然，韓燕媛站在當中，眉目流轉，風情萬種，正唱著大鼓書。

一旁，韓福年則是咿咿呀呀，還是拉著胡琴。但定眼細看，韓老頭精神不濟，眼旁有殘屎，鼻下有涕痕，邊操琴，邊打哈欠。儲幼寧曉得，韓老頭阿芙蓉癖好頗深，看樣子，癮頭上來了。

韓燕媛唱功了得，圍觀眾人不時叫好。儲幼寧也不出聲，就是站在人群中，時候不大，韓燕媛眼神一轉，就見到儲幼寧。兩人四目相對，立時傳情，雙方皆是喜不自禁。之前，儲幼寧與蓋喚天攻打東城剛健宅院，兩人皆負重傷。後來儲幼寧昏迷多日，韓家父女入住蓋喚天先農壇宅院，韓燕媛衣不解帶，日夜照護儲幼寧。

待儲幼寧甦醒後，次日韓家父女即離去。在那之後，儲幼寧又見過韓燕媛幾次，但每次相見，雖然近在咫尺，卻有千山萬水相隔其間，阻絕情意流通。之後，經蓋喚天、響屁爺開釋，儲幼寧對重見韓燕媛已心死。

儲幼寧與蓋喚天、響屁爺，離京赴津前，天橋藝人曾在永定門外雞毛店，擺餞行宴。當時，韓福年父女並未現身，儲幼寧當場並未詢問韓家父女下落，而眾人亦假作不知，無人提及韓家父女。當時，隱隱約約，儲幼寧心中覺得，韓氏父女失蹤之事與蓋喚天有關，但他亦未就此質問蓋喚天。儲幼寧與天橋藝人就此別過，此後再無韓燕媛音訊。

如今，驀然間在天津地面猝然相遇，兩人都是又驚又喜。對此，儲仰歸自然毫無所感，老頭韓福年則是毫無表情，還是暮氣沉沉，拉著胡琴。好不容易，韓燕媛唱完一曲，斂了一回賞錢，就此打住，眾人也就散去。儲、韓見面，心中說不盡喜悅，千言萬語都化為凝視眼神，互看幾眼，一切盡在不言中。

儲幼寧帶著諸人，找了間館子，要了個套間，點了幾個菜，拉下帘子，四人就此吃了中飯。席間，儲幼寧先詳盡說了別後諸事，也言及，將帶大哥儲仰歸回臨沂老家，向王聖人討公道，要回豐記糧行祖產。

之後，韓燕媛講述別後景況道：「你傷好了後，我和乾爹搬離蓋幫主先農壇宅院，還是回南城永定門外雞毛店那兒。每日裡，依舊是進城去，在南城天橋一帶賣藝。但沒多久，就出了事。」

說到這兒，韓燕媛略略偏著頭，拿眼瞧了韓福年一下，繼而道：「你知道的，我乾爹有煙癮，每天賣藝完事之後，我們都去煙館那兒，淘弄點煙土渣子，拿回雞毛店那兒。晚上睡前，早上起身後，總得燻幾口，這一天才能晚上睡得著，白天能幹活兒。」

「其實，我們給那點錢，根本買不著啥東西，連煙土渣子都買不著。這還是因為花子幫照應，我們按時繳例錢，花子幫就給點照應，要煙館稍微通融，好歹每天給點煙土渣子，讓我乾爹對付著過。」

「有天晚上，賣完了藝，去煙館淘弄煙土渣子。那天，剛好煙館換了管事的，原來那管事的，我們也熟了，每天都準備好一點煙土渣子，等著我們去取。新來管事的不識我們，講話就難聽了點，我乾爹一不高興，就踢翻地上一盆洗煙槍水。那水一漫，就淹溼了一包大煙煙土。這下子闖了大禍，我和我乾爹，當時就被煙館拿住。」

「後來，我說了多少好話，煙館才找來花子幫，連夜通知蓋幫主。蓋幫主過來，先是攬下那包煙土，說是花子幫照價賠償，把我們贖了出來。繼而，蓋幫主說了，說是我和我爹得離開北京，到別處去討生活。」

「我後來想想，這是蓋幫主有意如此，要藉這事情把我支走，免得分了你的心。其實，蓋幫主對咱麼父女也不薄，臨走前，送了我們五十兩銀子，還請我們吃了頓飯。那頓餞別飯，也是在雞毛店那兒，擺在地上。那天，還來了個洋神甫，就是西什庫天主堂那個神甫，叫什麼響屁爺的。」

「天橋藝人，像是金牙秀才、魯定中等也一起吃這送行飯。那頓飯，旁人都假作不知，不提你，獨有洋神父響屁爺話多，說什麼西洋有個哲學家，叫什麼名，這名，我總也記不住。響屁爺說，那洋人哲學家講，男女之間，可以有一種什麼愛，就是不住一起，不是一家人，也能有愛，什麼清清白白的愛。結果，蓋幫主罵響屁爺，要響屁爺別胡亂攪和。」

「我倒是想問問響屁爺，那洋人哲學家，講的是什麼樣兒的愛？但我還是沒問。就這樣，拿了蓋幫主五十兩銀子，其他人也送了點程儀，我們父女倆，就離開了北京城。離開北京後，一路往東南，就到了天津。離開北京，日子不一樣，每天不一定能淘弄到煙土渣。那五十兩銀子，是保命錢，不能拿去買煙土。因而，我義父這口嗜好，沒煙土渣時打飢荒餓一頓，有煙土渣時飽一頓。就這樣，時候一久，他腦子就不太靈光，看著正常，也還能拉胡琴，其實腦子不夠使。」

儲幼寧聽了，啞然一笑道：「咱們倆，還真是同病相憐，我大哥，你義父，兩人都一樣，都是看著正常，其實腦子壞了，腦力不夠使。」

二人相談甚歡，聊著聊著，自然而然，就聊到未來。韓燕媛容顏轉黯，問儲幼寧道：「你帶著你大哥去臨沂討公道，要回祖產，討回那糧行，又能怎樣？難不成，你留在臨沂不走，幫著你大哥經營糧行？你不回揚州了嗎？不是說，你夫人早都給你生了大胖小子，你怎能不回去呢？你要回揚州，誰幫你照管你大哥？誰幫你管糧行之事？」

儲幼寧兩眼直勾勾，盯著韓燕媛看了會子，繼而轉開眼神，沉思片刻道：「妳說這話，正好講到點子上。這，的確是個難題。剛才，有個想法，湧上我心頭。我想，可不可以，妳帶著妳乾爹和我一起走？一起去臨沂。等我拿下糧行之後，交予妳經營。我一家五口，爹娘、二哥都不在了，就這一個大哥，腦子也壞了一半。我把糧行交給妳，妳自去經營，無論賺多少錢，都歸於妳，唯一擔待的，是替我照顧大哥。」

「我想過，我大可以帶著我大哥一起回揚州。但我大哥畢竟幼年時，在臨沂生長，現在腦子不夠使，回到個熟悉環境，比較能安生過日子。倘若到了揚州，我東顛西跑，沒法子常在他身邊，得委由我義父家，另外派人照料他，反而沒留在臨沂舒服。」

韓燕媛聞言，嬌嗔道：「我要你糧行幹什麼？我一個走江湖女子，自幼拋頭露臉，走江湖走慣了，要我去當糧行主事，我一不懂糧行營生，二不會使喚底下長工夥計，根本壓不住陣腳。」

儲幼寧道：「這妳不用擔心，我如拿下糧行，定然對夥計長工把話講清楚，此後由妳擔起主事大任。妳雖是女子，卻絲毫不弱，妳精明幹練，本事頗大，能挑重擔，能扛重任。這一點，我可是親眼所見。」

韓燕媛道：「這，也不是你說了算。你剛才不是講，揚州那兒，你義父派了你義兄，要趕到天津，與你會合，共商大計。」

儲幼寧道：「這也怪我，寫了封長信，信裡敘明事情始末，之後，又拍發電報，電文只說要揚州匯款。信慢，電報快，揚州那兒，我義父見了電報，不知原委，心裡犯急，就要我義兄即刻啟程來津。沒事，過兩天，我義兄到了，我與他商量，他應也會同意我看法，把糧行交與妳們父女經營。檯面上，說是交給妳義父，其實，就是交給妳。我這義兄與我感情最是交好，他曉得我性情，我們生死與共，他對我無不支持。」

飯後，儲幼寧帶著大哥，送韓燕媛父女回住處。韓燕媛在北京，住城外窮苦雞毛店旁；在天津，則是住城外海河邊村落，距紫竹林不遠。兩人分手時，儲幼寧講定，日內金秀明抵達天津後，即邀約韓家父女到聖路易教堂，與儲幼寧、金秀明相見。

兩天後，金秀明抵達天津，雇了洋車，直抵紫竹林聖路易天主堂。兄弟二人相見，自是親熱異常，訴不盡別後諸事。當夜，金秀明即宿於教堂。

魯老泉兩度攻打聖路易堂，都被儲幼寧擋住，鎩羽而歸，此後，氣燄消滅，火氣全失。因而，魯國柱一家四口已搬離教堂，搬回村中。甚且，金秀明抵達教堂之日，紫竹林漁村中又有幼兒腹痛如絞，為魯國柱送至教堂，請駙馬爺掌刀割治。事為魯老泉所聞，但竟無反制，任由魯國柱把幼兒送至教堂。金秀明抵達聖路易堂之際，駙馬爺正動著刀，為幼兒割治腸病。

當晚，儲幼寧與金秀明徹夜清談。一起首，當然得問金阿根、莫氏、金秀蓮好。繼而，探問劉小雲與兒子訊息。之後，則是費時頗久，交代與韓燕媛關係。儲幼寧與金秀明少年訂交，情如兄弟，又曾多次患難，心意相通，彼此毫無隔閡。因而，儲幼寧一五一十，將與韓燕媛戀情，從實交代清楚。

講完之後，儲幼寧呼地一聲，鬆了口氣道：「這些事情憋在肚子裡，不能與蓋嗅天討論，不能與響屁爺商量。其他人等，當然更不能講。揚州家裡，金爹爹應能體會我心情，但金爹爹畢竟是長輩，不宜對他說這些事情。想來想去，也就是只能告訴你，也只有你能體會我心中苦楚。」

金秀明道：「幼寧，這也難為你了，與這位韓姑娘相愛，卻彼此自持，毫無越矩之事。這樣，就好交代、好落場，各方面都留了餘地，方便處理。倘若有了男女之事，彼此拖泥帶水，難分難捨，事情就不好辦了。就你所言，這韓姑娘能文能武，闖過大風大浪，要是由她出頭主持豐記糧行，既照顧她義父，也照顧你大哥，自是最好不過。」

談完韓燕媛，金秀明對儲幼寧道：「幼寧，你離揚州一年，這當中，世事變化極大。一年之內，鐵路開築迅捷，不斷往內陸延伸，咱們揚州鹽商好日子，眼看著就要到頭。爹爹見機快，說是賣私鹽這營生，得慢慢收攏，漸漸結束。爹爹如今另有打算，想把銀子弄到上海去，在上海買地皮，蓋房子，說是裡頭利潤大。」

原來，上海自有租界以來，工商業頭角崢嶸，市面繁華，一年一個樣。市面繁華，欣欣向榮，房地資產自然跟著水漲船高，租界內地皮價碼，幾年翻一次身，江南殷實富商趨之若鶩，大炒租界地皮。金阿根早有入市上海之心，然而租借地皮已然炒高，金阿根因之猶豫躊躇，始終未能下手。

此時，上海租界又有新舉，公共租界當局在租界之外築路，稱為「越界築路」。築路之後，雖然路在租界外，租界洋人卻取得所築道路兩旁沿線警務權，並設立名目，收取稅費。如此一來，所謂越界築路，無異擴張租界範疇，在原有租界外，又擴充一片「半租界」地面。金阿根看準機會，決定移轉營生根基，由揚州鹽業，轉為上海越界築路兩側沿線房產。

上陣父子兵，打虎親兄弟，金阿根欲赴上海打天下，最是需要人手，除金秀明外，就指著儲幼寧。因而，此次金秀明北上天津前，金阿根特為交代，要金秀明見著儲幼寧後，交代儲幼寧，儘速結果天津之事，趕回揚州，協助金阿根，金家父子三人齊赴上海，打下新江山。金秀明離家北上時，金家尚未接獲儲幼寧長信，尚不知儲幼寧與大哥儲仰歸重逢，更不知儲幼寧將繞往山東臨沂，奪回豐記糧行。

如今，兩兄弟見面，金秀明曉得儲幼寧欲往臨沂，當然鼎力支持，說是趕緊把事情辦好，然後回歸揚州。第二天一早，儲幼寧帶著金秀明，面見洋神甫駙馬爺，讓二人相識。

駙馬爺說，昨日給紫竹林孩童動刀割爛腸，漁村並未阻撓，顯係魯老泉改了主意，教堂危急已過。就此，駙馬爺與儲幼寧俱曉得，儲幼寧保鏢大任，功德圓滿，就此告終。聖路易堂，無須儲幼寧續當保鏢，儲幼寧可離天津，南下山東臨沂，為儲家討公道去。

第三十九章：鉤鼻孔漲價車夫俯首稱臣，送紙盒銀色蟻仔啃食碎銀

次日，儲幼寧帶著大哥，與金秀明進城，找了牙行，請牙行代雇兩輛驢車，說是自天津經直隸滄州、山東德州、濟南而到臨沂。金秀明做事把細，將車資、打賞、車夫食宿費用，全都細細問過牙行，牙行也給了說法。儲幼寧又顧念韓燕媛父女，特為要求，要牙行轉告驢車車夫，務必先到紫竹林客棧，接了韓家父女，然後才到聖路易天主堂。

雇好了車，二人又在街面上買些零嘴、雜食、蚊香、成藥、洋胰子、換洗衣物等等。之前，儲幼寧獲匯款五百兩接濟，如今，金秀明又攜帶足夠銀兩，因而，這一路手頭寬裕，吃住無虞，不必受苦。

諸事齊備之後，回到紫竹林，去客棧探望韓燕媛父女。韓燕媛初見金秀明，神色自然，落落大方，一口一個「大哥」，喊得金秀明頗為滿意，對韓燕媛大有好感。當即，講明次日上午，驢車來接，眾人一齊南下，赴山東臨沂。

又過一日，上午辰時，兩輛驢車，一先一後駛抵聖路易天主堂大門外，車夫叫門，牛雙喜開了大門，放進兩輛驢車。儲家兩兄弟、金秀明，已然帶著鋪蓋捲等家當，等在教堂大院裡。洋神甫駙馬爺

帶著洋修女並同教堂人等，送儲幼寧三人上車，就此作別。

兩輛驢車，各有車夫一人。韓家父女那輛驢車，車夫較年輕，三十來歲年紀，喚作彭小八，面色透著憨厚。儲幼寧等三人這輛驢車，車夫五十來歲，名叫辜順生，眼神閃爍，顯露狡詐之色。對此，儲幼寧、金秀明絲毫不以為意，二人均是久走江湖，三教九流見之多矣，根本不把這車夫當回事。

這辜順生驢車上，擺著個木頭箱子。這箱子不大，也就是個裝洋胰子木頭箱子，上頭還有洋文。這木頭箱子想必之前裝了洋胰子，自歐西國家上了大海輪，飄洋過海，到了天津。之後，賣了裡頭洋胰子，就剩下這空木頭箱子。這木頭箱子裡，又夾了個紙糊盒子。

這紙盒子擺在木頭箱子裡，上頭鑽了些孔眼，裡頭是個啥東西，外頭卻瞧不出來。辜順生特別交代儲幼寧等三人，別碰那箱子。

兩輛驢車駛出紫竹林聖路易天主堂，折而向南，朝滄州而去。天津至滄州，路程約三百五十里路，驢車緩行，約費時四天。驢車緩緩走出紫竹林，走入廣袤華北大平原。這時，春日將盡，夏日敲門，華北大地將熱未熱，正是行路好時機。車上，儲仰歸依舊話語不多，眼神略嫌呆滯，儲幼寧則是有一搭，沒一搭，與金秀明談話，但一門心思，全在韓燕媛那輛驢車上。

金秀明何等精明，當然瞧得出儲幼寧心不在焉。當下，金秀明語重心長道：「兄弟，一個捨，也是捨；兩個捨，也是捨。今天捨，也是捨；明天捨，也是捨。既然如此，何不看開點，今天一次就捨掉，免得拖拖拉拉，現在不一次捨掉，之後，還要二次再捨，豈不是夜長夢多，徒增悲戚。等你回了揚州，會了小雲，抱了兒子，現在這心思，就拋到爪哇國去了！」

儲幼寧見心思為金秀明道破，臉色不禁有點紅，笑笑不語，不啻同意金秀明說法。當然，這道理知易行難，曉得是這樣，卻沒法子辦到。不一會兒工夫，儲幼寧又心猿意馬，老想著趕緊停車吃飯。當天中午，到了個三家村小聚落，停車打尖，至一破爛小館，食物簡陋，五人將就著吃飯。

這頓飯吃得熱鬧，金秀明與韓燕媛彷彿故友重逢，彼此話多，談得熱絡，一旁，儲幼寧倒有點受了冷落，不怎麼搭得上碴。儲幼寧亦知道，這是金秀明與韓燕媛刻意如此，破除僵局，化解杆格，免得自己尷尬。

吃過飯，返至車上，車夫卻不拉車。兩位車夫，都各自站在自家驢車前。韓家父女、儲幼寧等三人各自登車，那兩個車夫卻還是站定不動。韓燕媛問緣故，車夫彭小八面色靦腆，伸手指指另一車夫辜順生。那頭，金秀明亦問緣故。辜順生高聲答道：「這位爺，您身上雖未穿金戴銀，但瞧您這身行頭，曉得您是穿金戴銀家裡走出來的。哪兒不交朋友呢？今兒個，小的願與爺兒您交個朋友。」

「是這樣，這車資，您給牙行十兩銀子，但牙行扣去一兩，我實得九兩。這九兩銀子，啥事全包了，您老不管我吃，不管我住，不管我驢子糧草。這趟車程從天津到山東，十幾、二十日，又要住店、又要吃飯、驢子又要吃草料，開銷挺大，這十兩銀子車資，根本不夠開銷，您老幫個忙，多給幾兩吧！」

聽這言語，儲幼寧當即想到蓋喚天。上次離開北京到天津，蓋喚天非要同行不可，當時蓋喚天即曾講過：「車、船、店、腳、牙，不殺也該打。」如今，這車夫啟程前不拿翹，走了半道，這才拿翹，索要額外車資。對此，儲幼寧一聲不吭，交予金秀明處置。

金秀明面色從容沉靜，絲毫不驚不怒，語氣平穩問道：「那麼，你打算要多少？」

辜順生道：「最起碼翻倍，二十兩銀子。這裡頭，還要補足牙行所抽一兩，因而，還須補上十一兩銀子。這還是我這車，那小兄弟驢車也比照辦理。」

金秀明轉頭，看著彭小八，就見彭小八低了頭，面有愧色。金秀明心裡雪亮，這都是辜某搗鬼，攛唆彭小八。金秀明轉回頭，定眼瞧著辜順生道：「銀子事小，總共再補二十二兩，我也還出得起。我就幾句話問你，為何那天牙行講定十兩銀子，抽走一兩，給你九兩，你沒意見？今兒個上午，你們兩輛驢車拉到教堂接人，你也沒說什麼，怎麼這半道上，你就唱了反調？你要能講出個道理，我這才能加錢。」

這幾句話，全講在道理上，辜順生難以說出個道理，只能漲紅了臉，言語失了恭順，直來直往道：「跟您講好的，您聽不進去，難道，非要我趕人下車，你這才有覺悟？這有什麼道理，就是錢少，非要二十兩不可，你不拿錢，我就不走，你能拿我奈何？這兒荒山野地，我兩輛驢車一走，你們老老小小、男男女女，一共五號人，全給你擱這兒，一會兒天黑了，不定跑出什麼野狼黑熊，把你們全給攤了。」

話說到這分上，金秀明也不必說客氣話了，於是厲言問道：「我不給錢，也不下車，難道你能攆我下車？」

辜順生聞言，二話不說，向車駕略走幾步，刷地一聲，自驢車車頭駕座底下抽出一把單刀，虛晃幾下。那頭，彭小八驚喊道：「算了，能加幾兩，就加幾兩，別強要二十兩了。快把刀收起來，要是出人命就糟了。」

辜順生回罵道：「呸，你個吃裡扒外的，我在這兒替你爭銀兩，你卻在那兒扯我後腿，待會兒，我拿了銀子，別想我分給你。」

金秀明見了明晃鋼刀，絲毫不懼，右手一掀外衣衣襬，就見他腰間別著洋短槍。咻地一下，金秀明抽出洋槍，指著辜順生道：「來啊，看看是你鋼刀厲害？還是我洋槍厲害？」

儲幼寧一旁見了，欣然喊道：「芮明吞，老朋友，又見面了。大哥，您這洋槍，子藥管用嗎？」

金秀明道：「別忘了，咱們揚州有英吉利老友義律。這人本事大，隔三差五，總是給我換換子藥裡槍藥粉，我這子藥，萬年長青，永不犯潮失效。」

辜順生見了洋槍，曉得厲害，恨恨不平道：「有本事，你開槍啊！你殺了我啊！我這驢子，脾氣古怪，也只有我能吃定這畜生，讓這畜生乖乖拉車。你要殺了我，照樣沒驢車坐。」

金秀明笑笑，把芮明吞插回腰間，眼睛看著儲幼寧，下巴卻對著辜順生，搖晃兩下。那意思，是要儲幼寧出手搞定這車夫。儲幼寧笑笑言道：「人家都說，車、船、店、腳、牙，不殺也該打。我還真沒看過像你這樣憊賴的車夫。讓我想想，到底是該殺你？還是該打你？」

辜順生罵道：「你個沒眼色的，老子手裡拿著明晃晃鋼刀，你還講什麼該殺還是該打。這話，該由我說，由我拿主意，是殺你，還是打你。狼行天下吃肉，狗行天下吃屎，我鋼刀在手，我就是狼，我看你這是活得……，喲喲喲喲，救命啊！」

這辜順生，話才罵到一半，就呼天搶地大聲叫疼，喊救命。原來，他罵得起勁，沒料到儲幼寧猛然往下一跳，從車上跳至地上。儲幼寧身子落地前，人在半空中，伸出右手，食指、中指兩根指頭，深深鉤住辜順生倆鼻孔。待儲幼寧落地後，右手鉤著辜順生倆鼻孔，將這車夫拉倒在地。此時，辜順生扔了單刀，猛搖腦袋，冀望能擺脫儲幼寧兩根手指。

詎料，他愈是擺動腦袋，儲幼寧那兩根手指頭，就愈深入他鼻腔。此時，辜順生疼得求爺爺，告奶奶，腦袋受制於人，兩手兩腳卻不住踢騰，不住揮動。儲幼寧，則是好整以暇，半彎著腰，居高臨下，俯視辜順生道：「嘖，嘖，嘖，嘖，我好端端地拿兩隻手指頭，戳進你倆骯髒鼻孔裡，真是噁心吧啦，膩死人了。我問你，鬧不鬧啦？」

辜順生高喊：「大爺饒命，大爺饒命，小的不敢了。」

儲幼寧鬆了手指，右手在辜順生衣服上，抹了又抹，擦了又擦。待辜順生站起身子，儲幼寧道：「不行，你現在求饒命，說不敢了，待會兒我轉過身子，你還是會拿刀砍我。這樣好了，我眼前就讓你拿刀砍，我要讓你知道，你這輩子無論怎麼暗算我，都逃不過我手掌心。我愛怎麼折騰你，就怎麼折騰你，你當我車夫，就是老老實實當車夫，別再亂說亂動。」

言罷，儲幼寧撿起地上單刀，倒轉刀柄，倏地把刀柄伸入辜順生掌中。辜順生正疼得暈頭轉向，驀然手中多了把單刀，一時獃住，不知該如何是好。儲幼寧點手，指著辜順生道：「砍我，拿刀砍我。快砍，快砍，你要不砍，我再鉤你鼻子。」

辜順生聞言，不暇多想，舉刀就剁。儲幼寧待單刀近身，猛然側轉身子，避過單刀，繼而，右腿起腳，在辜順生右膝蓋後頭輕輕一點。辜順生右腿膝蓋眼被儲幼寧點中，身子沒站穩，稍微一晃，就見儲幼寧又伸出右手，食指、中指又鉤住辜順生倆鼻孔，又把辜順生拖倒。

這時，就聽見對面驢車上，韓燕媛噗嗤一笑。蓋因儲幼寧這幾下子，雖是教訓辜順生，其實也是刻意賣弄，以博韓燕媛一笑。果然，韓燕媛見此景況，忍俊不住，笑出聲來。韓燕媛這一笑，儲幼寧更得意了，兩根指頭稍加用力，地上辜順生喊得更大聲了：「救命啊！疼死人了啊！大爺饒命啊！」

儲幼寧道：「你剛才不是說，狼行天下吃肉，狗行天下吃屎，你鋼刀在手，你就是狼。我說，這也真是奇怪，怎麼南邊上海，北邊北京，中間山東，乃至如今這天津，怎麼恃強凌弱，欺負人的混蛋，一張口，都是這句混蛋話？」

辜順生疼得哭爹喊娘，聽聞此言，立刻接碴道：「大爺，您是狼，我是狗，您把我當成個屁，把我放了吧！」

這當口，金秀明說話了，他說：「兄弟，問問他，那木箱子裡那紙盒子，裝的是啥東西？」

金秀明早瞧出門道，曉得那紙盒子有點古怪，只是不知為何古怪，故而要儲幼寧問個分明？儲幼寧兩根指頭，還戳在辜順生倆鼻孔裡，辜順生講起話來，帶著鼻音。此時，他聽金秀明此話，不待儲幼寧開口，就拖著鼻音，嘟嘟囔囔道：「是螞蟻，是螞蟻，我給人送貨，到濟南送螞蟻去。」

儲幼寧一聽這說法，覺得興頭大起，因而，鬆了右手，打算好好審明白。辜順生得脫桎梏，疼痛未歇，躺在地上直叨氣。

金秀明道：「這還是根賤骨頭，好好和你講道理，你非要歪著腦袋發橫。現在可好，連著挨了我兄弟兩頓好打，現在可乖了吧？」

辜順生語調哀戚道：「今兒個我算是遇到凶神惡煞大剋星了，算了，就老實把這趟行程跑完了吧，只求這位爺，別再搗弄我倆鼻孔了。」

金秀明道：「你別光顧著你那倆鼻孔，我這兄弟，本事大矣，你要不信，我馬上要他搗弄你倆耳朵眼兒。」

辜順生聞言，立即用雙手摀住耳朵道：「不要，不要，別禍害我耳朵。你們想知道啥事，我照實說。」

金秀明道：「就說說那紙盒子裡，怎麼會裝了螞蟻？」

辜順生道：「這我也不知道，幾天前，我一大早，照例到牙行去，看看有沒有車程可跑。那天，牙行櫃檯管事告訴我，說是海河岔子那兒，村子裡有個姓管的老爺，要雇車去濟南。我趕著驢車，去了海河岔子。果然有個村子，一問人，果然有個老大爺，姓管。」

「我去了管家，出來個半大小子，說他爺爺本來要去濟南，但現在發了寒熱，身子不舒爽，沒法子上路。可是，他爺爺人雖然不能去，卻還是要雇車，送一箱子物件，送到濟南城裡去。後來，老頭出來，拄著拐棍，頭上蒙著布帕，敢情，還真是發著寒熱。老頭交給我十兩銀子，外帶這一箱子物件。」

金秀明聞言，哈哈大笑道：「你還真是不老實，已經收了人家十兩，又收我們十兩，這還嫌不夠，還在這荒郊野外，坐地起價，硬是還要多要十一兩。你這傢伙，也太狠了，要不是我兄弟武藝高強，我們還真要吃你大虧。接著往下說，後來呢？」

辜順生道：「當時，管老頭就要那半大小子，搬出這箱子物件。那時，我怕驢子半道上餓著，正低著頭，從驢車底下拽出幾束糧草，餵著這驢祖宗。管老頭以為我沒瞧見，就從懷裡，掏摸出一小塊銀子，扔進那紙盒裡。」

「管老頭交代我，儘快趕到濟南，還給了我地址，說是到了地頭，找一個姓紀，叫紀蒼頭的農戶，把盒子交給他。我一聽就知道，這名字大約是個渾號，不是真名。鄉下人，都知道姓氏，但名字未必曉得，就叫著綽號渾名。大約，這人頭髮偏白，白髮蒼蒼，又姓紀，故而叫他紀蒼頭。」

「我不識字，反正到了濟南，找個識字人幫我看。我載著這木頭箱子、紙盒子，又回到牙行，瞧瞧還有沒有順路營生。牙行管事見我又回來，以為海河岔子管老頭那生意沒弄成，因而，就說第二天一早，去紫竹林客棧、教堂接人，去臨沂。我想，這路途可走，中間會過濟南，於是，就攬下這差使。」

「那天晚上，我回家後就想著紙盒裡那銀子，於是，就想打開那紙盒。但那紙盒外頭木箱子已經釘死，而紙盒則是扔進銀子後，也黏死了，只有上頭留了幾個氣孔。我想，那銀子也不算大，也就是一兩，頂多二兩，也就算了。」

「那天晚上正睡著，我女人把我推醒，說是屋子裡有沙沙沙怪聲。我爬起來，點了燈，四處摸尋，沒聽到怪聲。等我熄了燈，爬回床上，撐著不睡，屏氣凝神，豎著耳朵，果然，沒過多久，就聽見沙沙沙沙怪聲。」

「這回，我不點燈，下了床也不穿鞋，光著腳丫子，慢慢四處尋摸。終於找到怪聲出處，就是那木箱子所裝紙盒裡頭，那些螞蟻所發出。這時，我點了燈，抱起木頭箱子，湊近燈火，那紙盒透光，就見紙盒子裡一堆螞蟻，圍著那銀子。螞蟻見了燈光，聽了動靜，就都趴著不動。但我透著光，卻見到怪事，那塊銀子，形狀透著古怪。」

「就算是碎銀子，也是經錢莊、票號拿刀切過，四周外表及那刀切之面，都應平滑完整。但那晚我透著燈火，瞧紙盒裡那碎銀子，卻見銀子外表坑坑窪窪，很不平整。我想，這可是奇事了，竟然螞蟻會啃銀子。那銀子，不是大銀子；那螞蟻，都關在紙籠子裡，這不關我事，我吹燈睡覺，只管把螞蟻送到濟南即是。」

辜順生一口氣，把紙盒怪事說完。儲幼寧並金秀明聽了，都覺古怪，但不明其所以然，也不知此事當中有什麼勾當，只好罷了，囑咐兩名車夫，趕緊上路。

兩人不解螞蟻玄機，讓儲幼寧想起了響屁爺，心想，要是響屁爺在此，這洋人博學多聞，多半能講出個道理。因而，驢車上，儲幼寧對金秀明大講響屁爺行誼，聽得金秀明抓耳撓腮，說是這等奇人，將來非要會會不可。

車行數日，到了滄州。儲幼寧早有決斷，要在滄州勾留，為的是找回佟暖。收回豐記糧行後，有個故人在也算多個幫手，幫著韓燕媛料理糧行諸事。鐵背熊佟暖，花皮豹夏涼，兩人同出自直隸滄州查家武館，是老拳師查琨悌門下弟子。後來，投軍跟著吉平山，吉平山被害後，兩人隨吉平山弟弟吉平海，在臨沂山上，落草為寇。

後來，吉平山部舊閻桐春，潛伏豐記糧行數年，任帳房並教書先生。紅槍會之亂，豐記糧行小受衝擊，店主儲懷遠有意聘請武師，用以看家護院。於是，閻桐春自臨沂山寨，引進佟暖、夏涼二人入豐記糧行，臥底潛伏。後來，儲幼寧八歲那年，眾人一舉綁走儲懷遠、儲幼寧。

嗣後，儲懷遠自盡，儲幼寧隨閻桐春習武，失手殺死貪官墨吏秦善北，遁往揚州，入金家門。又越數年，佟暖倉皇自臨沂趕至揚州，面見金阿根、儲幼寧，說是山寨已為玉面小專諸白鵬飛剿滅，閻桐春、夏涼，皆死於白鵬飛槍下。當時，佟暖曾言及，將回直隸滄州，投靠同門師兄弟。

現如今，儲幼寧將回臨沂討公道，奪回豐記糧行，需要人手助陣，自然想到佟暖。佟當年雖是臥底潛伏，但畢竟在糧行待過多年，熟悉糧行事務，如能同去，將成韓家父女臂膀助力。

到了滄州，住入客棧，五人一起外出蹓躂。儲幼寧逢人就問，順利找著查家武館，查琨悌早已仙遊，眼下是查家後人主持這武館。滄州武風頗盛，武館眾多，多年來作育大量武學英才，為華北乃至華中各鏢行供應鏢師、趟子手。查家武館，當年查琨悌在世時，好不興旺。待查老爺子過世後，一來子嗣武學造詣未及乃父，二來西風東漸，洋槍洋炮壓倒大砍刀、紅纓槍，查家武館聲勢已大不如前。

眾人到得查家武館門外，站在路邊豔陽下，朝武館前廳張望，只見武館內黑越越地，瞧不真切。眾人邁步往前，正要進武館大門，就聽武館裡有人高聲說道：「且慢，武館重地，爺兒們請進，娘兒們得在外頭待著。」

一聽這話，韓燕媛就心裡有氣，臉上顯現不悅之色。儲幼寧趕忙回頭，對著韓燕媛小聲安撫道：「破爛武館，小家子氣，擺什麼臭規矩？算了，別和他們一般見識，妳委屈點，帶著妳爹，在外頭曬曬太陽吧。」

儲幼寧這番話，韓燕媛聽在耳裡，十分受用，嫣然一笑，拉著韓福年轉身而出，在對街屋簷下站著。

儲幼寧等三人，進了武館，就見前廳空蕩蕩，只有個管事的坐在櫃檯後頭。適才，想必就是這人張口說話。除櫃檯外，前廳還擺著兵器架子，上頭架滿各式兵器。

儲幼寧朝櫃檯後頭那管事，兩手抱拳道：「管事的，請了，我叫儲幼寧，和其他這兩位朋友打天津來，往南走，過濟南，去臨沂。途經貴寶地，特為到查家武館來，想探訪故人。這故人，名為佟暖，江湖上人稱鐵背熊。不知，可否見告，何處可尋得佟師傅？」

櫃檯後頭那人站了起來，繞過櫃檯，走了過來道：「嘖，什麼鐵背熊，該叫彎背狗熊才是。這人，早先還可以幹幹鏢行鏢師、護院武師什麼的，現在不成了，腰受了傷，站都站不直，只能在這兒打打雜，幫幫忙，吃口閒飯。這會兒，人大概在後頭，你們自己找去。」

於是，三人邁步朝武館後院走去。儲幼寧惱怒這人言語不遜，經過此人身旁時，倏然起手，以指頭輕戳這人頸項。這人不察，突然覺得喉嚨癢，繼而不停大聲咳嗽，咳著咳著，先是聲音嘶啞，之後，就成了啞巴，荷荷荷荷用力出氣發音，就是喊不出聲響。

金秀明見狀，滿臉詫異之色，瞧著儲幼寧。儲幼寧左眼不動，右眼快眨，一副俏皮模樣兒道：「略施小技，稍稍薄懲，過幾個時辰，聲音就回來了。」

到了後院，就見七、八名武生，或蹲馬步，或劈腿，或練拳，在那兒各自習武。只見佟暖，戴個瓜皮小帽，卯著腰，拿著個大竹掃把，正在掃地。儲幼寧出聲喊道：「佟師傅！」

佟暖回身轉頭，看著儲幼寧，面帶迷惘之色，彷彿認不出人。儲幼寧又道：「是我啊，幼寧啊。您瞧，這是誰？這是我大哥仰歸啊！」

經儲幼寧這麼一說，佟暖又想了想，這才露出詫異神色道：「小少爺，是您啊！這幾年沒見，模樣兒都變了。啊，這是大少爺，樣子更是完全不一樣了。」

故人重逢，自是驚喜。四人到了外頭，出了武館，到了馬路對面，與韓家父女會合，找地方吃飯去。六人離去前，就見查家武館大門外，那管事的還站在陽光底下，彎著腰，荷荷荷荷，不停使勁咳嗽，聲音還沒回來，還是個啞巴。

六人聚餐，分別敘述別後之事。臨沂山寨為白鵬飛所殲，佟暖逃得性命，迤邐奔至揚州，向金阿根、儲幼寧報喪後，間關北上，回到滄州。他早年出自滄州查家武館，心想，無路可走之餘，回到查家武館，尋覓同門師兄弟，或者可得噉飯之地。沒想到，好不容易到了滄州，回到查家武館，卻見昔日同門師兄弟早已星散八方，館主查琨悌年老氣衰，已不管事。

武館新館主為查琨悌幼子，與佟暖素無淵源，看在老父分上收留佟暖，任其居於武館，幫著教習武藝。佟暖在山寨多年，生活困苦，身子已有虧空，但不自知。回查家武館沒幾個月，館主查琨悌油盡燈枯，駕鶴西歸。此後，佟暖失了老館主照應，景況更加艱難。

有次示範武藝，得下腰，天冷，佟暖沒等身子活絡就猛然彎腰，結果，腰肌勞損，扭折了腰。在那之後，沒法子教拳了，只好任打雜，供奔走驅使，地位卑微，飽看臉色。

聽到此處，金秀明道：「佟師傅，高興點，適才出武館大門時，您瞧見沒？武館坐櫃檯管事的，站在大門外，上氣不接下氣，在那兒直叨氣，大喘氣猛咳嗽，都成啞子了。這下子，您可解氣了。」

佟暖道：「是啊，我剛才也見著了，覺得奇怪，是誰給那傢伙苦受了？」

金秀明伸手一指，指著儲幼寧道：「還有誰？不就是他嘛！我這兄弟，武藝可高強了，打遍天下無敵手，多少壞東西都栽在他手上。要說行俠仗義，他這就是個大俠客。」

說到這兒，佟暖大為詫異，韓燕媛則是容顏如嬌，吃吃而笑。儲幼寧見狀，心裡一陣歡娛，心想，就算不能長相廝守，就憑韓燕媛所顯現這點愛慕之情，已夠他回味三生了。

佟暖詫異道：「沒想到，小少爺如今學了如此本事，老爺在天之靈，也該含笑九泉了。」

這話，讓儲幼寧聽了，有點摸不著頭腦，不知佟暖這話語所指為何？是他生父吉平山？還是他養父儲懷遠？

之後，儲幼寧講了此行大計，要恢復祖產，拿下豐記糧行，交由韓家父女經營。表面上，韓福年是東主，實際上，則是韓燕媛管事，並希望佟暖同行，將來協助韓燕媛掌管糧行百事。

佟暖一聽，咧著嘴就笑道：「那最合適，我年歲不大，但畢竟傷了腰，再在這武館待下去，只能勉強混口飯吃，那顏面哪，都被糟蹋光了。能回豐記糧行，幫著韓姑娘，那是最好不過。」

事情就此說定，次日上午，兩輛驢車駛到查家武館外，佟暖早取了簡單行頭、衣物、鋪蓋捲之類物品，外帶一把單刀，等在武館外頭。他畢竟是武師出身，現如今雖然腰身半殘，但遠行之際還是帶著兵器。臨上車前，佟暖朝武館大廳拱拱手，對廳內櫃檯後頭那管事的，說了幾句告別話語。

裡面那頭，那管事的，也啞著嗓子，回應了幾句。金秀明見狀，拿手肘輕戳儲幼寧腰際道：「嘿，啞巴會講話了咧！」

儲幼寧道：「也就是輕輕戳了頸子一下，不礙事，都說了，幾個時辰就能講話。今天還有點嘶啞，明天就盡復舊觀。」

佟暖上韓家父女那車，一路上正好與韓家父女說東道西，彼此熟識。佟暖與韓燕媛都是久走江湖，歷經滄桑，現如今，都指著儲幼寧能拿回豐記糧行，才能過得上好日子。因而，雙方言談話語很對勁，三下兩下，就告熟稔。此後，佟、韓相處融洽，漸如一家人。

由滄州往南，過了省界，進入山東，就是德州。這兒，也是儲幼寧一年前赴京時途經之地，因而，到了德州之後，又多勾留一日，儲幼寧帶著眾人，赴順德鏢局，請見老鏢頭胡延海。恰好，當時胡延海並未外出，人在鏢局，因而，眾人並未撲空。胡延海見儲幼寧去了北京大半年後，居然帶著眾人回到德州，自然喜出望外，要鏢局夥計去外頭，喊了外賣酒席，在順德鏢局後頭那院中之院，宴請眾人。

胡延海與金阿根是過命交情，如今金阿根長子金秀明到此，儲幼寧當然加意介紹。胡延海與金秀明自然也格外彼此客氣，問候儀注就鬧了半天，這才止住。大半年前，儲幼寧初識胡延海時，就見胡兩眼眼珠均有些許白色眼翳，瞳仁顯現渾濁之氣。大半年後再見，這白色眼翳更白，瞳仁渾濁之氣更盛。為此，胡延海見了金秀明，特為走前幾步，把腦袋湊著金秀明眼前，白眼珠子盯著瞧，瞧了半天，才說：「呵，長得果然像你爹金阿根。」

儲幼寧又想起刑部執事趙一刀，說是想將眾人引介予趙一刀。但胡延海說，大約年輕時砍頭太多，殺氣太重，孽氣纏身，趙一刀老來心神不寧，此時去了道觀，在內修行，希望能平息心中歉疚。

這天晚上，在順德鏢局後院，胡延海那院中之院私宅，席開一桌，眾人鬨然吃喝，極為暢快。席間，儲幼寧重說北京閱歷，打從天橋大戰花子幫講起，一路往下，香木金剛杵、東城杆兒上的丐幫、六必居綁架案、攻打剛健宅院、肥蛆療傷、入宮吃克食、揭發假太監小金魚，一案講過一案。這裡頭，韓燕媛身在北京，多少知道一些，但許多內情，此時也是首次聽說。

金秀明則是溫故知新，重聽儲幼寧再說一次。佟暖、胡延海則是聽得瞠目結舌，頗感詫異。胡延海道：「我年老體衰，來日無多，聽你這樣講，我還真想趁還走得動，去趟北京，會會那蓋喚天與響屁爺。」

一路往下說，就說到此行。說到此行，就講到兩個車夫，當然，就言及那螞蟻紙箱，以及紙箱裡碎銀子。

胡延海道：「螞蟻啃銀子，我倒沒聽說過有這種事情。可是，提到銀子，你們大概不知道，濟南那兒，山東省省城裡可出了大事。說是藩台衙門底下所管銀庫，出了五鬼搬運，庫房裡銀子，莫名其妙少了一大批。剩下的銀子則被啃食得歪七扭八，元寶都不像個元寶，形都沒了。」

儲幼寧道：「怎麼有這種事情？難道說，藩台銀庫裡，有螞蟻啃銀元寶？」

胡延海道：「這就不知道了，只曉得元寶少了許多，剩下來元寶，許多已無元寶之形。德州這地方，南來北往客商眾多，鏢行鏢客、趟子手也多，外地有個什麼新鮮事，鏢行裡常聽得到。我就是聽南邊來人講，濟南這會兒，鬧得不可開交，巡撫衙門開了鍋，逼著藩台衙門剋期破案。」

宴飲之後，眾人回到客棧。次日一早，兩輛驢車魚貫而出，繼續往南，朝濟南進發。這一路上，兩名車夫均頗安分。兩名車夫裡，彭小八原本就是安善良民，只因一起始因與辜順生搭夥同行，辜順生半威嚇，半利誘，彭小八才悶聲不響，由著辜順生鬧。

至於那辜順生，被儲幼寧連鉤兩次鼻孔，曉得這是個主子，可惹不得。要是惹了，不定什麼時候，又會伸手鉤鼻子，讓自己滿地打滾，疼得不可開交。因而，這一路上，辜順生已為儲幼寧所徹底收服，要他往東，不敢往西，要他追狗，不敢捉雞。

那螞蟻盒子，也是隨儲幼寧擺弄。儲幼寧與金秀明每日裡總有幾次，把那盒子抱起來，或者透過燈火，或者透過陽光，探查盒內動靜。就見那碎銀子，隨時日推演，而日漸縮小。那速度，很慢，但卻也很穩定，就是慢慢地，慢慢地，一點一點消蝕。

在此同時，紙盒底層全是銀白粉末，猶如灑上了一層薄薄雪屑。儲幼寧幾次與金秀明商量，猜測這紙盒、螞蟻、碎銀子、銀白粉末，到底是個啥虛玄，但都講不出個確切說法。這兩人丈二和尚摸不著頭，都說到了濟南，要好好探究此事。

儲幼寧內心深處，還有一層想法。他隱隱約約覺得，這紙盒裡螞蟻，與濟南省城藩台銀庫失竊之事有所關連。倘若到了省城，能助巡撫衙門破解此案，就可討得官面上人情，一層一層往下壓，壓到沂州府。如此這般，沂州府方能順利釋出豐記糧行，歸還儲家。

這想法愈是濃，儲幼寧愈想瞧出這窩螞蟻蹊蹺之處，但無論他如何瞧，無論他如何猜，卻始終參不透個中玄機。他也多次就此尋諸辜順生，但辜順生來來去去，還是那些話，並無新意。看來，辜順生並未撒謊，亦未藏私，事情就是如此，他所知有限。

如此這般，一路上行行復行行，這一日，兩輛驢車駛抵濟南。

第四十章：貼榜文山東巡撫請民捉賊，探銀庫雜木林中初現賊蹤

濟南是山東第一大城，亦是山東古城，所謂「四面荷花三面柳，一城山色半城湖」，恰是濟南最好寫照。濟南多泉，號稱有「七十二名泉」，素有「泉城」美譽。趵突泉、黑虎泉、珍珠泉、五龍潭，俱是濟南名泉，遊人如織，好不熱鬧。

進了濟南城，先得找客棧，安頓眾人，讓驢子解轠休養，吃糧喝水。儲幼寧並金秀明身上盤纏充裕，撿乾淨好客棧住下。韓家父女一間房，儲幼寧並金秀明一間房，儲仰歸並佟暖一間房。如此，佟暖可幫著照護、招呼儲仰歸，免得儲幼寧分神。至於倆車夫，則宿於車上，既省房錢，也護著驢子，免得有人偷牲口。

進了客棧，安頓已畢，少不得洗手、擦臉、撢衣服，把旅途塵土弄乾淨。之後，則是著著實實吃了頓好飯。飯後，儲幼寧將辜順生招來，問他待會兒要如何交螞蟻？

辜順生道：「啟稟爺，小的剛才已經拿那地址，向人問明白了。那地方就距這兒不遠，出了客棧，往南走，約莫兩里地，有個池塘，池塘周延有十幾戶人家。那池塘邊，有棵大柳樹，柳樹後頭那戶人家，就是我送螞蟻之地。」

這辜順生，算是被儲幼寧打怕了，也打服了，一開口，就是「啟稟爺」。辜順生幾句話一說，可把金秀明逗笑了，金秀明語氣詼諧，和順溫厚，對辜順生道：「你這不是犯賤嗎？當初好好對你，你卻發橫，又是漲價，又是抽刀。結果，被我兄弟打了兩頓，現在，怎麼就不鬧了？」

辜順生咧著嘴，哼哼哈哈，不好接碴。儲幼寧一拍金秀明道：「大哥，別為難他了，這一路上，他也算老實，沒出什麼花樣，我信得過他，別笑他了。」

儲幼寧轉了頭，問辜順生道：「約了交貨時間了嗎？」

辜順生道：「不必約，之前離開天津前，就說了，只要把東西帶到那地址，自會有人收下。」

儲幼寧道：「那就明天一早去吧，我隨你去。到時候，我換身衣裳，扮作你下手，你也別說什麼，我也就是去瞧瞧，到底是怎麼回事。」

在辜順生眼裡，儲幼寧比他爹還大，惹了爹，未必挨打，惹了儲幼寧，保證有頓好打。因而，儲幼寧啥說啥好，辜順生無有不應，自然沒口子說好。

韓燕媛、佟暖都曉得，到了濟南，車夫送螞蟻貨，把那紙盒子交出去。兩人也得知，這螞蟻十分古怪，竟然會啃食銀子，偏偏，濟南城裡藩台衙門銀庫鬧賊。因而，兩人都想明天跟去瞧熱鬧。這夥人裡，金秀明雖是儲幼寧哥哥，但論其本質，也就是個客卿，不好事事拿主意，因而，儲幼寧就成了頭兒，他說了算。

對此，儲幼寧道：「佟師傅、韓姑娘，明天去送螞蟻，還不定是什麼場面，是吉，是兇，我都說不準。兩位還是別去了，留在這兒，濟南城裡景致頗多，兩位明天就領著韓老爹、我大哥仰歸，到處走走，等我們回來。」

儲幼寧如是說，韓、佟二人自然無話，商議著明天如何走逛。金秀明並儲幼寧則是氣定神閒，悠哉游哉，根本不把明天刺探之事放在心上。尤其儲幼寧，打遍長江、黃河南北，從來沒碰過棋逢敵手對頭，自然不把明日之事，看在眼裡。

次日上午，吃過早飯，佟暖領頭，帶著韓燕媛、韓福年、儲仰歸，順手也把驢車車夫彭小八帶上，出了客棧，遊逛兒去。儲幼寧這頭，則是換上昨天請客棧夥計所買回葛布短衣、短褲，腳上套了草鞋，戴了頂草帽，上了驢車，與辜順生同坐前頭駕座，車後帶著那箱螞蟻，朝南而去。獨有金秀明，留在客棧，等候儲幼寧歸來。

金秀明無法隨同前往，否則，易於穿幫。原本，儲幼寧要金秀明隨佟暖等一行人出遊，但金秀明沒那心情，只願留在客棧，靜候儲幼寧。儲幼寧臨走前，金秀明特別交代，要儲幼寧把千里鏡帶上。當初，儲幼寧十五歲上，誤殺贓官秦善北，隨閻桐春流亡揚州，初識金秀明之際，金秀明曾贈與千里鏡一具。儲幼寧千里奔波，由揚州而德州，而北京，一路上都帶著兩樣寶貝。一樣是乾爹金阿根所給如意，另一樣，則是這千里鏡。

車轔轔，驢蕭蕭，走了約莫兩里地，果然見到一池塘。池塘四周，農舍環繞，池邊一株柳樹，柳樹後，有戶人家，家門口，站著兩人。這兩人，也是葛衣短衫、短褲，腳踏草鞋。這時，已近初夏，莊稼漢、手藝人、扛活兒長工都做這打扮。

車到池邊，繞過柳樹，直接停在那戶人家門口。那兩人，一高一矮，兩人目迎驢車駛近，俱不說話。待驢車止步停住，車夫辜順生一骨碌跳下車，朝那兩人拱手道：「敢問，有位紀蒼頭，住哪兒？」

那高者答道：「我就是紀蒼頭，你天津來的，有盒螞蟻要交給我是吧？」

辜順生一聽，就曉得找到了主兒。於是，繞到車後，爬了上去，把那木頭箱子抱了下來，轉到前頭，交到紀蒼頭手中。

儲幼寧看看那紀蒼頭，腦袋上那條辮子，果然是白多黑少，瞧上去白茫茫，難怪人家喊他「蒼頭」。

辜順生交了貨，不好還待在那兒不走，就牽著驢子，轉了個圈，驢頭朝外，慢慢走了出去。這車夫機靈，大約走了四、五十步，距離那兩葛衣漢子稍遠之處，就勒住驢嘴環，繼而高聲罵道：「你這不識眼色的畜生，怎麼這時候犯了脾氣？早上出門前，已然餵過你草料，現在又要討食，難道是我欠你的？」

說罷，拿起皮鞭，朝驢屁股虛抽幾下。辜順生久當車夫，對驢頗有一手，曉得驢脾氣，故而甩這鞭子，不是真甩，要真是抽了驢子，這驢子必然撒腿就跑。他那鞭子，也就是虛抽假打，皮鞭抽得呼響，連打幾個霹靂，彷彿抽在驢身上，其實離驢皮還有些許距離。

抽完，辜順生高聲言道：「這混蛋，吃了皮鞭都不肯挪腳步。沒法子了，只好再餵他點草料，再加點飲水。」

說完，辜順生轉頭，對著車駕上儲幼寧道：「哪，你去拿個水桶，到池塘邊，裝點水來。」

說罷，二人都跳下車座，辜順生俯身，到車底下夾層抽出幾束驢草料。儲幼寧，則是夾著千里鏡，提溜個水桶去了池塘邊，蹲下身去，扔桶入水。這時，儲幼寧不提那桶，就是矮著身子，藉著身前雜草遮掩，拿千里鏡往那兩人瞧去。儲幼寧能讀唇語，透過千里鏡，就見那二人舉起螞蟻木箱，邊透著陽光朝裡看，邊對著說話。

紀蒼頭對較矮那人道：「余老三，天津那兒，管老頭總算把這盒子螞蟻給送來了，你瞧，路上走了幾天，這塊銀子都快啃光了，紙盒裡結了厚厚一層銀粉。」

余老三道：「濟南這兒風聲愈來愈緊，咱們早該扯旗了。不知聶爺怎麼想的，早該收手，燒了螞蟻，煉出銀塊，遠早高飛，怎麼現在還進新螞蟻？」

紀蒼頭道：「聶定鈞也不容易，他在西域得異人技法，拿了銀母蟻，在海河邊養螞蟻，把北京戶部銀庫給掏了一半。可惜，被九門提督拿住，逼出所有銀子。我們在北京忙和了半天，全是為人作嫁，便宜了官面上那批人，只落了個僅以身免。因而，這才移轉陣地，到濟南來發財。」

紀蒼頭說到這兒，指著手中那紙盒，對余老三道：「你瞧瞧，管老頭還是有點本事，這批螞蟻個頭就比以前那些螞蟻大。個頭大，銀子吞吐量也大。這一路上，這批螞蟻剛孵化沒幾日，食量小，這麼多天，才啃完一小塊。現如今，你瞧瞧，這批螞蟻已然長大不少，等過幾天，食量就大了，一天就能啃下兩塊大元寶。」

兩人說到這兒，儲幼寧就聽見身後辜順生喊著：「那什麼，水打好沒有？這倔驢子已經把草料吃得差不多了。」

儲幼寧提了水，回身走到驢車處，卯著腰，把水倒入水盆裡，餵驢子喝水。這會兒工夫，辜順生則是站直了身子，摸摸驢頭，整整驢轡，拍拍驢身，捆捆驢草料。他身形不住晃動，遮掩儲幼寧。儲幼寧一屁股坐在地上，擎著千里鏡，又瞧柳樹下余老三與紀蒼頭，就見二人雙唇不斷開闔，對話不已。

就見紀蒼頭道：「趁著還有陽光，把這木箱裡紙盒子拿出來，找張木頭檯子，擺上去，曬曬太陽。聶定鈞說，銀蟻曬太陽，加速肚子裡銀粉消化。消化快，銀粉就拉得快，能多積銀粉。」

余老三聞言，轉身離開，未久即回，手裡拿了柄小斧頭，又拖出一把破爛木頭椅子。他捏著斧頭，小心翼翼，輕劈幾下，又拿斧頭柄輕敲幾下，就把木頭架子給拆了。拆了木頭架子，又小心翼翼，取出紙盒，擺在木頭椅子上，曬著太陽。

辜順生與儲幼寧在驢車這兒搗弄了好一會兒，還在那兒勾留，紀蒼頭見了，覺得古怪，就扯著嗓子，高聲問道：「怎麼啦，怎麼蘑蘑菇菇，還在那兒磨蹭？還不走啊？」

辜順生道：「這不是驢子鬧脾氣嗎？這圓毛畜生，說不走，就不走，吃了皮鞭，還是不走。這不是把草料、食水，都給這驢祖宗端來，吃也吃了，喝也喝了，還是不走。您老放心，我再抽這畜生兩鞭子，大約，他就會走了。」

說罷，拿起鞭子，又虛揮幾下，打得那鞭子劈啪直響，嘴裡也不閒著，得兒，得兒，得兒，喊了幾聲。隨即，用手抓著驢轡，輕輕搖兩下，驢子就起腳邁步，往前而行。虛抽鞭子，嘴裡作響，都是假的，用手抓驢轡，輕搖兩下，則是真的，那驢子就曉得，該起步往前走了。

兩人趕著驢車，往北邊客棧方向走，一路無話，順利回到客棧。這時，已過午後，金秀明守在客棧，接著儲幼寧，密商此事。儲幼寧就把之前在池塘邊，以千里鏡偷窺余老三、紀蒼頭唇語對話之事，詳細說予金秀明聽。二人對這螞蟻啃銀塊之事，俱覺得不可思議，都想探查追究，弄個水落石出。此時，韓燕媛等四人尚未歸來，儲、金二人就先要客棧煮了兩碗粗湯麵，權充午飯。

午後未久，韓燕媛等四人歸來，說是今日上午外出，四處遊逛，看了名泉，賞了彩花，看了市集。佟暖自懷中掏出一張官府招貼文書，說是在市集地上撿拾而來。

佟暖道：「這濟南城，人多之處，牆上到處貼著衙門招貼。有些招貼，大約日子久了，就凋零落下，我就撿回一張，給儲少爺瞧瞧。」

說罷，佟暖將那張文書招貼，交予儲幼寧。儲幼寧腹中文墨有限，雖然識字，但對衙門文書用語卻未稱嫻熟，因而，又把這文書交予金秀明道：「大哥，這上頭講的是啥，說來聽聽。」

金秀明細瞧這文書，上頭蓋著山東巡撫衙門大印，其文字為：「邇來布政使司下轄銀庫宵小橫行，以五鬼搬運之術，盜取庫存白銀一千二百餘兩。凡我軍民，如能舉報音訊，助有司當局擒獲賊匪，抑或自行捕獲賊匪，並追回所失銀兩，則頒予賞銀五十兩，並予明令褒揚。」

儲幼寧聽完金秀明敘說，對眾人道：「這事情，是個翻轉契機，我們已然打聽出若干蛛絲馬跡，倘能繼續往下追索，搗破這螞蟻大軍五鬼搬運術，捕獲歹人，起回贓銀，則豐記糧行歸復有望。」

「明天，咱們得想辦法，去藩台銀庫那兒，四處轉悠轉悠，瞧瞧情況再說。」

說完，儲幼寧拉著金秀明去見見濟南市面。兩人信步而行，到了街面上，向人打聽布政使司衙門，亦即藩台衙門。距離不遠，時候不大，二人行到藩台衙門外頭，就見牆厚門高，門口站著衙役多人，手裡不是水火棍，就是單刀、鐵尺。

衙門斜對過有家茶舖，生意頗為興隆，過路客、衙門官差人等、上衙門辦事黎民，都在這兒喝茶。儲幼寧拉著金秀明抬腿邁步，進了這茶館，要了壺碧螺春好茶，又點了幾客花生、瓜子、芝麻糖之類茶點，兩人坐下歇息。

這當口，就見茶館裡有張大桌，圍坐五人，俱是仕紳打扮，彼此高談闊論。儲幼寧定耳一聽，這夥人講的竟是銀庫失竊之事。就見茶館夥計提溜個大茶壺，輪著給各桌添加熱水。夥計走到那大桌旁，依序朝五人茶碗裡澆注滾水，邊加水，邊提醒道：「幾位爺，這茶館規矩，就是莫論國事。所謂言多必失，若論國事，不定什麼時候，就會跑出麻煩事來。」

五名鄉紳裡，為首一人，在屋裡還戴著大圓墨晶眼鏡，手裡搖著一把團扇，右手拇指上，戴著老大一枚碧玉扳指，瞧著不是官宦世家，就是商賈富戶。這人言道：「去，去，去，爺兒們談事情，輪得到你插嘴？咱們講的是歷朝歷代庫銀失竊之事情，又不是專講山東濟南藩台銀庫，打什麼緊？」

店小二好心沒好報，討了老大沒趣，嘟嘟囔囔，轉到別桌倒水去了。那桌那兒，戴大圓墨晶眼鏡鄉紳打著團扇，對其餘四人道：「聽過嗎，有一種活兒，得求爺爺，告奶奶，到處燒香，到處磕頭，還得請客送禮，多少白花花銀子送出去，才求得這活兒。幹這活兒，十年八年之後，必然留下脫肛、生痔、穀道鬆頹、糞便失控之症。這是個啥工作，各位聽過沒？」

旁邊一人道：「您老就別賣關子了，這是個啥活兒？怎麼聽起來這麼古怪？」

墨晶鄉紳道：「不古怪，這活兒就是庫丁，銀庫扛活兒兵丁。自北京朝廷戶部到底下各省巡撫、總督衙門，都有銀庫。銀庫裡，金元寶、銀元寶錠堆積如山，時時有進有出，所有進出，都得兵丁扛進扛出。這扛金銀元寶錠，可是發財活兒，本來，庫丁只用滿人，不用漢人，後來，打破滿漢藩籬，漢人也可當庫丁。」

「就拿北京戶部銀庫來說，為保護庫裡銀兩安全，戶部規定，庫丁進出銀庫須一絲不掛。出庫時，兩手高舉，防著腋下夾藏銀兩，還要跨過板凳，防著子孫堂那兒夾藏銀兩，口中還要啊啊啊，學鵝鴨叫，以示口中沒含銀子。哪，身上一絲不掛，高舉兩手，抬腿過板凳，嘴裡還學鵝叫，應該沒法子偷到庫銀了吧？不對，庫丁還是有本事。」

另一人問道：「難道說，夾在屁眼裡帶出去？」

墨晶鄉紳道：「欸，對了，你小子有起色，腦袋靈光。這幫庫丁有獨門絕技，就是把銀子塞在屁眼裡，藏於穀道當中，帶了出去。諸位會問了，銀元寶好大的個兒，穀道能裝多少？我聽人說，之此中高手，每次能夾銀元寶十枚。」

同桌者又問：「這可有本事哪，敢情，得起小就練這手功夫？」

墨晶眼鏡道：「沒錯，庫丁起小就練這門功夫。你道他們怎麼練？先是把雞蛋煮熟，等涼了之後，剝了殼，蛋身抹上麻油，往穀道裡塞，把穀道門口撐大。這樣，練一陣子，等練成了就換鴨蛋。這鴨蛋，個頭比雞蛋大，練功方式一樣，還是煮熟鴨蛋，剝了殼，抹上麻油，塞穀道裡。等鴨蛋也練成了，就練鐵蛋。」

「這鐵蛋可不一樣啦，鐵蛋沉，塞進穀道之後，得運氣，夾緊了，要是洩了氣，穀道一鬆，鐵蛋就從穀道口滑出來了。鐵蛋功練得久，起先是一枚鐵蛋，後來往上加，兩枚，三枚，儘量多塞。塞得愈多，將來當了庫丁，就能夾帶愈多銀元寶。這真是應了古人那句教訓話，吃得苦中苦，方為人上人，現在吃苦多夾鐵蛋，將來才能多夾銀兩，發財致富，成了人上人。」

「朝廷定規，看守戶部銀庫的士兵，一任三年，一旦當上了庫丁，就拚了命幹。只要穀道夾功高強，三年任期裡，弄個幾十萬兩銀子不成問題。差點的，也能弄個三、四萬兩，足夠下半輩子吃喝。」

這戴墨晶大圓眼鏡鄉紳，搖著團扇，滴滴答答，講敘上述內情，聽得同桌其他四人，一愣一愣，瞠目發呆。

這時，就聽見遠處有人銜著墨晶眼鏡鄉紳道：「你這壓根是鬼扯淡，哪有那種事？告訴你吧，我家二哥老婆娘家弟弟就是幹庫丁的，哪有你說那種神事。實話告訴你吧，北京戶部銀庫庫丁共有十三名，每日裡活兒不多，但管得挺嚴。哪像你說得那樣，一任三年，能發幾萬銀子財。」

墨晶眼鏡鄉紳，被人搶白，頗不受用，摘了眼鏡，翻著白眼朝遠處桌子那人道：「什麼你二哥老婆娘家弟弟，不就是你二哥小舅子嗎？怎麼繞著脖子講話，不怕把你憋死？」

遠處桌子那人，不慌不忙，繼續言道：「你別搶白，我往下說，你就知道我真是內行。要想當戶部銀庫兵丁，首先得考試，得兩手各提一千兩重銀袋，快走數十步，還要跳過庫房門口那高高門檻，這才算過關。當了庫丁後，每月和八旗兵丁一齊領餉，但每月只進庫扛活九次，上頭督考嚴格，哪能讓兵丁隨意上下其手。」

「庫兵統一管理，集中住宿，住在『旗倌』那兒，不是想回家就能回家。平常，不得亂走亂動，就是乖乖住在那兒。每次出差，進庫扛銀子，無論去抑或回，都有『旗倌』督控，搭馬車來回。馬車上，每車兩名庫丁，外加車夫、官差各一。由『旗倌』住處到戶部銀庫，沿途還有暗哨，暗中監控，就怕庫丁搞鬼，弄出差池。」

「你剛才說，庫丁進出庫一絲不掛、舉手、喊叫、跳門檻，倒都是真話。但你不知，那戶部門檻極高，倘若穀道裡夾帶了銀元寶，那麼，跳過戶部高高門檻，落地那一剎那，穀道口必然鬆開，穀道裡若夾了銀子，必定掉落地面。」

「更何況，庫丁進庫前，上頭會發領銀單，那單子上寫明了要領多少銀兩。繼而，庫丁要上秤，查明庫丁體重。待庫丁出來，扛出銀子，先秤銀子，察看是否符合領銀單上數字。繼而，庫丁再上秤，再秤體重。你想，就算庫丁穀道夾功高強，跳過高高門檻，落地後，穀道內所夾銀元寶不曾落地，等上秤時，還是會露餡。」

「你想想，剛才進庫，體重是這樣，怎麼一出來，就憑空重了幾十兩？若真碰上這種怪事，沒得說了，把那庫丁隔離開來，找人一旁監視，頂多一天，這庫丁就得解大號。等大號解出來，穀道裡有沒有夾帶銀兩，一翻兩瞪眼，馬上就見分曉。」

那墨鏡鄉紳隔著桌子，大聲問道：「照你這麼說，庫丁一清二白，絕無偷盜庫銀之事。那麼，為何從朝廷到各省，庫房裡銀子卻常有失竊之事。就說這山東省吧，濟南城裡，布政使司衙門下轄銀庫，就丟失了銀子，這話，是怎麼說的？」

遠桌那人道：「我不是說，庫丁無法盜竊庫銀。我只是說，剛才閣下所言庫丁盜銀技倆，把銀元寶藏於穀道當中，壓根行不通。至於偷盜庫銀之事，當然在所多有，但其手段，可謂鬼魅魍魎，絕非穀道夾銀這般簡單。但話又說回來，這山東藩台衙門下屬銀庫，所藏者，僅為山東省一省公銀。山東不比江浙兩省，並非富庶之地，省裡藩台銀庫存銀有限，為何會鬧虧空，實在耐人尋味。」

墨鏡鄉紳聽對方語氣，不為已甚，自己也就找個台階，順勢收場道：「承教，承教，省裡藩台銀庫丟了銀子，卻是大事，撫台、藩台、臬台，都為此傷腦筋。這不是，藩台銀庫本來位置偏僻，人煙稀少，現在卻撥了額外兵丁，四面守衛，看看能否抓到賊人。」

儲幼寧、金秀明聽著茶館裡兩造言語，都覺長進見聞，收穫頗豐。聽到這兒，儲幼寧站起身來，往那大桌略走幾步，對那墨晶鄉紳拱手躬腰，低聲耳語問道：「適才聽諸位談話，覺得蹊蹺有趣。敢問，這藩台銀戶，位於何處？為何出了此等大事。」

那墨晶鄉紳凡事喜歡充作多知多懂，如今竟有人折腰而問，自然臉上飛金，頗為得意，笑著小聲答道：「外鄉人，莫沾此事，遠處瞧瞧即可。那藩台銀庫，還不在這兒，要往鄉下走，順官道朝西走，約莫四、五里，有條岔路。岔路進去，是個三家村，幾戶人家而已。那地方，修了個似廟非廟大宅，前頭有廳有堂，後頭有房有室，住得有守庫官兵。最後頭，則是個大庫房，就是銀庫。」

儲幼寧使個眼色，與金秀明相偕而出。回到客棧，二人說了茶館見聞，並講述藩台衙門四周景況，並決定次日假作旅途迷路，去藩台銀庫實地察看。

次日上午，並不結帳，行李也留在三間房裡，吃過早飯，眾人上驢車。然而，櫃檯不答應，話講得漂亮，說是本小利薄，週轉困難，祈請客官先支付已住天數房資。金秀明曉得，這是客棧怕六人捨了行李，就此腳底抹油，開溜大吉。因而，他掏出銀票，不但付清已住天數房資，尚且預付三日。

金秀明吃過見過，曉得世事人心，此番在濟南勾留，要辦大事，須得眾人齊心。因而，到了驢車那兒，二話不說，掏出兩張十兩銀票，分別賞予彭小八、辜順生，兩名車夫自然連聲道謝。

發了銀票，金秀明道：「這不是車資，等到了臨沂，再給車資。這，只是一點心意，曉得你們倆路上辛苦，故而先給點賞錢。要知道，花花轎子人人抬，我這兒給了十兩銀子賞錢，到了臨沂再給十兩，等於車資加倍。你們那兒，也該落力點，幫著咱們辦事情。」

兩名車夫自然一諾無辭，彭小八看不出端倪，辜順生卻是「光棍眼，賽夾剪」，早瞧出門道，曉得儲幼寧與金秀明在濟南勾留，有所圖謀。而這圖謀，又與省城藩庫庫銀失竊有所關連。只是，辜順生還看不出到底是何關連。

眾人上車，驢車照著昨日茶館墨晶眼鏡鄉紳所指引路途，離了客棧後，走上官道，朝西而行。果然，走了四里多地，就見一岔路。驢車彎進這岔路，走到底，就是個聚落，約莫六、七戶人家，屋宇低矮破爛，也就是勉強遮風避雨而已。

蹊蹺的是，雖僅有六、七戶人家，其中一戶卻敞著大門，外頭擺上幾張破木桌，幾張破板凳，竟是家小茶館。更蹊蹺的是，這茶館裡外，還零零落落坐著七、八名茶客。

小聚落再過去，就是個大宅院，廣亮大門，屋頂拱起，上頭刻得有雕像，站著二十四孝人物，遠看像座廟，近看像學校，卻一不是廟，二不是學校。這宅院外頭，站著幾名漢子，衙役不像衙役，官差不像官差。

這些人手裡都拿著傢伙，那動作、架勢、模樣卻不似江湖人物。要知道，江湖路險惡，江湖人物出門在外，大體而言均是行動小心，眼神機靈，時時注意趨吉避凶，小心麻煩上身。這幫人，卻是大剌剌提著兵器四處轉悠，盯著來人緊瞧。這作派，只有衙役、差官才如此。然而，要說這幫人是衙役、官差，卻都沒穿官服、號褂子，全都是便衣便服。

大宅院前，這幫人或呆站，或遊走，並不時與茶館裡外那七、八名茶客對話。儲幼寧一看即知，這兩幫人是一路的，極可能均是便服衙役、官差。

兩輛驢車堪堪駛近那破茶館，車夫口中出聲，得勒，得勒，拉住驢子。驢車才停，這群帶兵器人等，就圍了上來。領頭那人，語氣兇惡問道：「幹什麼的？這兒沒路了，請回吧，別在這兒耽擱。」

金秀明跳下驢車，堆滿笑臉，拱手躬腰，並指著儲幼寧道：「在下揚州胡四，這是我兄弟胡六，另輛車上，是我弟媳婦、弟媳婦她爹、她舅。這兒還有一位，是我兄弟胡五。」

說到這兒，儲幼寧心中一蕩，心想，這金秀明也有意思，信口就把韓燕媛，派成了自己妻子。這雖然是信口胡編，儲幼寧心中卻有點欣喜。

就聽金秀明接著言道：「我們這是往臨沂去，不想，走錯官道，到了這兒。只因眾人又渴又餓，想就此打尖，休息片刻，吃點，喝點，然後上路。」

那領頭官差不為所動，揮著兵器道：「回去，回去，你道這兒是什麼地方？這兒是官府要地，不准閒雜人等勾留，快走，快走，否則別怪我不客氣。」

金秀明想想，既是如此，只好回頭，總不能要儲幼寧把這兒所有人等，全打趴了。就算全打趴了，也沒好處，今兒個到這裡來，為的是打探訊息，不是打架鬥毆。因而，金秀明一臉無奈，瞧瞧車上儲幼寧，儲幼寧也無奈點頭。於是，金秀明上車，兩車掉頭，順來路而回。

兩輛驢車，一前一後，堪堪要把這岔道走完，就要進入官道之際，儲幼寧耳中突然聽聞男子輕聲哭泣，趕忙挪動屁股，從車後頭往前挪，挪到驢車頭那兒，隔著駕座，要辜順生停車。辜順生勒住驢子，後頭彭小八那驢車也跟著止步。

金秀明詫異，問儲幼寧為何如此？儲幼寧豎起右手食指，放在嘴上，示意金秀明並辜順生別發聲響。儲幼寧凝聚心神，閉上眼睛，令聽力更加敏銳。這一回，聽得較為真切，路左邊林子裡，有男子低聲喃喃悲切言語聲，又有另一男子威嚇聲。

因隔得遠，金秀明、辜順生毫無所聞，儲幼寧雖能聞聲，但也就是聽見喃喃悲切低語，以及兇狠威嚇語氣，卻沒法真切聽清楚言辭。因而，儲幼寧跳下驢車，打著手勢，要金秀明跟著下車。之後，又朝彭小八那驢車打手勢，要佟暖下車，並要其餘人等候於車上。

儲、金、佟三人，躡手躡腳，慢慢走進林子。儲幼寧自佟暖腰間，抽出單刀。金秀明也自腰際，抽出芮明吞洋槍。三人一步一挪蹭，慢慢進了林子。林子裡樹多，只聽得哭泣、威嚇聲響愈來愈清晰，但還是見不到人。儲幼寧伸手示意，要金、佟二人止步，莫出聲響。

儲幼寧屏氣凝神，就聽見一男子哭泣道：「我已經依言而行，暗中幫了兩個月忙。起先還好，他們搬進、搬出，都是前幾排銀子，我在後頭弄事，他們不知。但前不久他們忽然抽查，發現後頭銀子都不見了，這就鬧了起來。庫丁總共就這幾個，我們都被帶去問話，連逼帶問，我快頂不住了，紀爺您就饒了我吧。」

「我已經替你們擺了不曉得多少窩螞蟻，再弄下去，遲早被發現。現如今，連巡撫大人都動了怒，滿大街貼文榜，要捉拿竊銀賊。這樣下去，我遲早會被發現，到時候，我上有老母，下有幼兒，一家全都沒命了。」

另一較蒼老聲音喝罵道：「你這膽小懦夫，當初怎麼說的，一百兩銀子包到底，我們啥時抽腿，你啥時收手。上回，你鬧了一次，結果怎麼著？給銀蟻咬了一口，那滋味如何？現在，你又來鬧，今兒個，我身邊又帶了銀蟻，怎麼樣，還要咬一口，你才舒服？」

那哭腔男子驚懼大起，直喊著：「不，不，不，不要，上回被螞蟻咬，皮開肉綻，手臂上潰爛好久，這才收口。紀爺，你放了我吧，我實在幹不下去了。別，別，別再拿那水滴我膀子上。救命啊，救命啊，疼死啦！」

儲幼寧聽見林子裡高喊救命，立即拔腿往聲音處奔去，金秀明並佟暖緊跟在後。三人往前跑了十幾丈，越過一株又一株雜樹，竄過一叢又一叢草籐，這才見到兩人。一個年輕漢子跪在地上，右手緊壓著左臂，高聲呼疼。這人身旁，站著個白髮高瘦老者，正是昨日在池塘邊柳樹後農舍，所見過的紀蒼頭。

第四十一章：遭脅迫運銀庫丁裡應外合，遇逼供白髮紀某盡吐內情

這時，紀蒼頭俯身看著年輕漢子高聲喊疼，一言不發，冷眼旁觀。待儲幼寧等三人奔近，紀蒼頭聞聲轉頭，盯著三人，皺皺眉頭表示：「幹什麼的？別管閒事，我這兒是討債，他欠我錢，我來討債。不關你們的事，該幹什麼，幹什麼去。」

這時，就聽見地上那漢子喊道：「救命啊，救命啊，我沒欠他錢，他逼我幹壞事，我不答應，他就放螞蟻咬我，疼死我了。」

儲幼寧等三人俱感不解，誰都被螞蟻咬過，也是是叮一口，疼一下。再怎麼樣，被螞蟻咬了，也不至於如此呼天搶地，高聲喊疼。金秀明走前面，舉著芮明吞，對準了紀蒼頭。那紀蒼頭當然曉得這是洋槍，但他沒想到，金秀明竟有洋槍，還對著他，因而，他面帶畏色，退後幾步。

儲幼寧趕上前去，扶起那年輕漢子，察看那人左臂被螞蟻咬過之處。不看還好，這一看，儲幼寧倒吸一口氣，這不是螞蟻咬，這是遭人潑了硝鏹水。那左臂上，有個紅點，紅點四周一吋方圓，皮肉俱都潰爛，爛肉上頭，還隱約泛著銀光。儲幼寧再細看，見這人腳邊地上有隻銀色大螞蟻，身長約有半吋，已被打爛，死在地上。

這關口上，儲幼寧就覺得身後氣息流動，一股微風朝自己背後脖子襲來。隨即，他一歪脖子，迅捷迴身，避過這一擊，就見紀蒼頭手裡拿著個細小琉璃瓶，自脖子旁揮過。紀蒼頭攻得快，儲幼寧避得更快，等避過了這一擊，才聽見金秀明驚嘆呼喊道：「小心！」

地上那年輕漢子高聲喊道：「小心，千萬別讓那東西抹上了。他先拿那東西在你身上抹一下，之後，就放螞蟻在你身上那地方，螞蟻咬一口，你就皮肉潰爛。媽呀，我這是第二次被咬了。」

紀蒼頭見突襲落空，頗感詫異，沒想到，儲幼寧見機如此之快，身手如此之靈便。一擊落空，紀蒼頭嘿嘿獰笑，跨步上前，又拿那細小琉璃瓶，往儲幼寧臉上抹來。儲幼寧火氣上來，惱怒這老者偷襲，身子稍微偏斜，一伸手，就拿住紀蒼頭手腕。儲幼寧拿住紀蒼頭手腕後，用力一旋，就聽見喀啦一聲，紀蒼頭手腕脫臼，琉璃瓶脫手。

這回，換成紀蒼頭疼得呼爹喊娘，高聲嗷嗷而叫。儲幼寧伸手一撈，就截住那細小琉璃瓶，抄入手中，拿到眼前，就見這細小琉璃瓶裡，閃閃爍爍，似有液體。這琉璃瓶有個蓋子，拿繩子繫在琉璃瓶脖子上。儲幼寧以其人之道，還治其人之身，順手一抹，就抹在紀蒼頭脫臼手背上。抹完了，把蓋子蓋上，又把琉璃瓶放入自己腰帶裡。

他早就見紀蒼頭腰間，懸著個小竹簍子。這竹簍子極小，只有一丁點大，簍子編得細緻，密密實實，但竹片雖細緻，卻還能透風。竹簍口子上，拿塊細絹布塞著。儲幼寧伸手一拉，把那小竹簍拉下。這時，紀蒼頭面帶驚懼，直喊著：「別，別，別，小爺，別開那竹簍。」

儲幼寧將竹簍放入自己腰帶，兩手抓住紀蒼頭右手手腕，使力一推，就把脫臼之處給接回。隨即，他又自腰間取下小竹簍，輕輕拔開絹布塞子，透著陽光，朝裡頭看，就見裡頭爬了三、四隻銀色大螞蟻。那螞蟻尺寸真是大，足有半吋長。

他師法刑部主事趙一刀砍人頭故技，驀然間，用手往前一指，高聲喊道：「看前面，誰來了？」紀蒼頭不查，著了儲幼寧道兒，真的抬頭往前看，這當口，儲幼寧將那小竹簍，往紀蒼頭手背上，剛才抹過液體之處倒螞蟻。就見兩隻大螞蟻張口就咬，紀蒼頭被咬，當時就疼得高聲喊叫，猛甩右手掌，將兩隻螞蟻甩至地上，拿腳踏死。兩隻螞蟻被踏扁，身軀體腔裡噴出銀色汁液。

這時，就見紀蒼頭右手手背上，有銀色汁液往手背皮肉滲入，隨即向外擴散。銀汁所到之處，肌膚當即潰爛，傳出一股子又酸又臭氣息。紀蒼頭疼得頭上冒汗，當即站直身子，拿左手解開褲帶，褪下短褲，朝自己右手臂撒尿。一陣尿汁撒完，疼痛稍歇，紀蒼頭穿上短褲，委頓於地，不住喘氣。

佟暖見狀，二話不說，行至年輕漢子那兒，要那漢子伸出左手，佟暖也解了褲子，對著那年輕漢子左手撒了泡尿。尿液沖至潰爛皮肉，疼痛之意果然消去不少，那年輕漢子也不再喊痛，也是委頓於地。

金秀明見儲幼寧鎮住了場面，揮手示意，對佟暖表示：「佟師傅，這兒不要緊了，您去外頭驢車那兒，幫著瞧瞧動靜，護著驢車與眾人。」

佟暖身子已是半殘，金秀明還委以重責，心裡自是感激，連忙答應，出林子而去。

金秀明對地上那年輕漢子道：「說說，這是怎麼回事？但得能幫得了你，我們一定幫忙。別哭了，尋死尋活，也濟不了事。」

金秀明話才說完，儲幼寧指著紀蒼頭道：「小爺我最討厭聽人講話時，旁人插嘴。待會兒，這人講事情，你給我安靜點，要是插嘴，小心我再倒螞蟻，咬你幾口。」

紀蒼頭聞言，嚇得打哆嗦道：「不插嘴，不插嘴。」

先前一日，儲幼寧假扮辜順生助手，到池塘柳樹那兒送螞蟻，曾見紀蒼頭。當時，紀蒼頭老成持重，行動端凝，對余老三講話，頗有作派。現如今，被螞蟻咬過，卻是畏畏縮縮，顫顫抖抖，一副窩囊樣，可見那螞蟻咬人，威力無窮，疼得可以，讓人想到那苦楚，就成了猥瑣窩囊廢。

那年輕漢子，話說從頭，講起自己遭遇。

原來，這人叫傅自雄，濟南周圍鄉下人，經鄉裡長輩引介到了濟南，入山東省布政使司衙門當差。這布政使司衙門，又稱藩台衙門；而布政使，則稱藩台大人。傅自雄做事向來謹小慎微，一步不錯，沒有差池。幾年後，藩台銀庫庫丁出缺，藩台就將傅自雄調入銀庫，任庫丁。

當庫丁，事情較少，餉錢較多，但得住銀庫裡。那銀庫，後頭是庫房，前頭則是廳堂與睡房，兵丁全住裡頭，一個月才能回家幾天。

三個月前，傅自雄回濟南鄉下老家。回家後，卻見家裡起造了新房。原來是低矮茅屋房，湫隘狹窄，如今，成了磚瓦房，寬敞明亮。不但有新屋，屋裡傢俱、廚具、寢具，俱都煥然一新。傅自雄到家，見裡外一新，心裡詫異。然而，之後還有更詫異者。

他回家後，家裡雙親、妻子、兒女並左鄰右舍，都說以他為榮，說他在銀庫當差，深得上人賞識，悄然派工匠到家，給修了新宅子，又買了新傢具。一時間，傅自雄丈二和尚，摸不著腦。

第二天，卻來了事情。次日，傅自雄還在老家待著，家人說，恩人來了。傅自雄出去一看，是個辮髮花白老者。這人，就是紀蒼頭。傅自雄家人見了紀蒼頭，一口一個恩人，喊得親熱。紀蒼頭也歡欣回應，與傅自雄家裡父母、妻兒，彷彿是一家人。

傅自雄滿腹狐疑，但還是得堆起笑臉，應酬紀蒼頭，當下，留紀蒼頭吃飯。然而，紀蒼頭敬謝不敏，只是示意傅自雄借一步說話。兩人走到屋外無人處，紀蒼頭說，給傅家蓋屋、買傢具，共費紋銀一百兩。傅自雄說，不認識紀蒼頭，也沒請紀幫家裡蓋房子、買傢具。

紀蒼頭翻臉比翻書還快，當即虎地一下，面容像拉下門簾子一般變了臉色。紀蒼頭說，倘若傅自雄不認帳，那麼，馬上找工匠來把紀家全給拆平了。傅自雄心想，這還真是吃了啞巴虧。試想，以前還有茅草破屋，現在蓋了新屋，要是真拆了這新屋子，連舊屋也沒了。真要那樣，傅家老小豈不是餐風露宿，喝西北風去了。

傅自雄無奈，問對方打算如何？紀蒼頭說，簡單得很，就是每次進銀庫時，偷偷到倉庫後頭去。庫房後頭牆壁那兒，地上有個小小通氣口，屆時，會有人在庫房外頭，自那小通氣口塞進個極小細竹筒以及一小紙包。

屆時，傅自雄拿了兩樣東西，到庫房後頭銀子架子那兒，將小細竹筒裡汁水，在每落銀堆上滴幾滴。之後，將小紙包打開，裡頭是一窩銀螞蟻，將銀螞蟻擺在地上，就算完事。完事後，再將小細竹筒與空紙包自通氣口塞出，外頭自有人接應。

那藩台銀庫裡頭擺放大量木頭架子，前後有序，一列一列擺放。銀子乃萬年之物，不愁發餿，不愁損壞，不愁風化，不愁消解，因而，銀庫進出銀元寶，向來採「後進先出」心法辦事。

亦即，如有銀子入庫，則儘量堆於前頭靠庫門之處木架上。如有銀子出庫，則先搬取堆於前頭靠庫門之處木架上銀元寶。至於銀庫後頭木架上，所堆放銀元寶則經年不動，長久擺放，每年一次，定期抽檢。

而藩台銀庫四面皆是高牆，牆高丈餘，外人無法翻入。藩台銀庫外頭，前面、左面、右面，俱是空曠之處，常川有兵丁來回放哨、守衛。並且，這三面高牆之內，是廳堂、睡房。獨有那後面，卻是幾尺高雜草到處叢生，矮樹遍布，而這一面圍牆，也是銀庫庫房牆壁。

這後面，因是雜草、矮樹叢生，亂七八糟，杳無人煙，故而平日並無兵丁巡查。這面牆壁地基之處，挖了個極小通口，大小僅有人手握拳尺寸。紀蒼頭威嚇傅自雄配合辦事，就是打這人手握拳大小尺寸通氣口，送進裝汁液竹筒，並小紙包螞蟻。

事情古怪，傅自雄當然要問原由，紀蒼頭口風甚緊，只要傅自雄把那幾件事幹好即可，其他事情一概別問。但紀蒼頭也說，大約就是兩個月，事情就完，只要挺過兩個月，之後海闊天空，兩方面各走各路，不會再麻煩傅自雄。傅自雄也問，說是自己入庫時間不定，紀蒼頭如何得知自己入庫時間。萬一入庫後，庫房後頭牆根那氣孔外頭無人接應，又將如何？

對此，紀蒼頭還是要傅自雄別問，說是到時候自會有人接應。傅自雄無奈之餘，只好答應。數日後，傅自雄搬銀元寶入庫。銀元寶置於木箱中，由馬車載運，武裝兵丁護持，由官差押解而至。庫丁自車上扛取木箱入庫，入庫之後，將木箱敲開，箱中銀元寶由稻草夾護，須撥去稻草，將銀元寶取出，置於銀庫架上。

每次庫丁入銀庫，無論搬進或搬出，完事之前，領班總會指定專人，拿掃把與畚箕四面巡行，將地面掃淨。如此繞行，有其必要，蓋因庫房宏大，人煙不至，難保沒有耗子匿藏其間。若有耗子，則必招來長蟲在此築窩繁衍。因而，每次趁搬運銀兩進出時，順勢打掃地面，免得耗子、長蟲並其他生物，在此安營紮寨。

這種差使，沒有額外賞錢。眾庫丁幹事，拿固定餉錢，誰也不願拿著掃帚、畚箕，在庫房裡打掃。因而，每次均是領班硬行指派，眾庫丁輪流擔此雜務。

那日，傅自雄與眾庫丁搬運銀元寶入庫，將元寶歸置擺放於木架上後，不待領班出聲，即自告奮勇，說是省得大家麻煩，他願主動代勞，擔負打掃之責。他拿著掃帚、畚箕，磨磨蹭蹭，邊掃地，邊就往庫房後方行去。傅自雄行至庫房後方，趴下身子，腦袋貼著地面，自氣孔往外望去，果然有人守候牆外。傅自雄瞧不見那人面孔，那人卻得見傅自雄身影，於是，塞進一具小竹管，以及一小紙包。

傅自雄趕忙接進兩物，隨即轉身，奔赴最後一排銀架，將小竹管上塞子拔開，輕輕在每落元寶上滴落汁液。隨即，打開小紙包，裡頭竟是一窩半吋長銀螞蟻。他心中驚懼，趕緊將螞蟻抖落地面。隨即，衝回庫房後方，將竹管與紙張，自氣孔中塞出。

那一瞬間，他驀然醒悟，曉得為何對方能準時接應。理由簡單，無論銀子入庫或出庫，事前均有藩台馬車到來，這批人只要在官道上放哨，見有馬車要彎進銀庫，就知庫丁即將入庫。

把事情幹完，傅自雄趕緊回到前頭，擺放好掃帚、畚箕，赤身裸體，與眾庫丁一齊出庫。

如此這般，前後兩個月，隔三差五就有藩台馬車到來，或存入銀元寶，或提出銀元寶。每次庫丁入庫，傅自雄都是搶著擔當事後打掃之責，他如此巴結當差，眾人落得清閒。每次，傅自雄都自庫房後壁通氣孔，取得竹筒、螞蟻，在後方銀架那兒幹事。

傅自雄不傻，自然好奇，自會巡查後方銀架上，銀元寶是否無恙。結果，他大吃一驚，心中頗駭。那後排銀架上銀元寶，有些已完全消失，憑空不見。另一些，則是莫名消蝕，殘缺不全，不成元寶之形。待下次再去，原先殘缺不全元寶，則消逝不見，另外又出現一批殘缺不全元寶時間一久，這勾當他愈做愈害怕。因而，有次入庫，他就沒接應竹筒與螞蟻。之後，他有次例假，離庫回家，路上就被紀蒼頭拿住。紀逼他繼續接應，他苦苦哀求。紀蒼頭見他不就範，就掏出竹筒，滴些微汁液到他小腿肚上，隨即放出螞蟻，扔在滴液之處。那螞蟻通體銀色，張嘴就咬，當時就疼得他呼爹喊娘。

經此凌虐，傅自雄怕再被銀蟻咬，只好繼續接應。那銀蟻咬過之處，當即潰爛，費時頗久才結了痂。痂落後，留下老大一個深紅傷疤。

到了後來，傅自雄邊幹這勾當，邊自我安慰，認為自己應能挺得過去。因這銀庫後頭，一年到頭無人踏足，也就是一年一度，藩台派人入庫，全庫清點，遍查所有木架上元寶。五個月前，這銀庫才做過全年清點，照例，得再過七個月才會再點。傅自雄本打算幹完這一票後，辭了差使，回老家去。

偏偏，屋漏又逢連夜雨，不知為何，藩台衙門十餘日前，突然又派人至銀庫，說是抽點存銀。這抽點，並非清點所有銀架，而是隨意抽取幾架，清點架子上元寶數額。即便隨意抽點，還是抽中後頭幾排木架。那幾排木架上元寶，已被侵蝕得差不多，隨意抽個木架，立刻發現元寶短少。這一發現，就改抽點為全點，慎重其事，全部檢查。

這一檢查，包子露餡，連消失元寶，帶殘缺元寶，總共短少白銀一千二百餘兩。事發後，省城震動，藩台衙門固然直接受創，臬台衙門也受牽連，巡撫老爺動怒，壓著臬台衙門，會同藩台衙門，一起查案。

無奈，翻來覆去查，卻總是查不出端倪。先查庫丁，細細推敲庫丁入庫、出庫，找不出破綻。繼而查圍牆，四周圍都看過，尤其仔細查驗庫房後方牆壁，除原有底部極小氣孔外，牆壁土石毫無破損。後來，又想出名目，認為有人偷匿於庫中，將銀元寶，自那牆壁底部氣孔，自內向外遞出，外頭有人接應。

但此說也查無實據，蓋因庫丁何時入庫、出庫，全無固定時程。何時有藩台馬車來，何時才入庫。那藩台馬車，有時連來三天，有時十天不來。如預先匿藏庫中，飲食、排泄，均成問題。

濟南省城裡，大小官兒群集會商，集眾人腦力，細細推敲，還是找不出蛛絲馬跡。末了，只好走下策，將事情公開，四處貼公文，蓋了巡撫關防大印，請黎民百姓幫著破案。

一時三刻間，尚無人懷疑傅自雄。但傅自雄有自知之明，曉得遲早總有一日會有人想起，這兩個月來，他每逢入庫，總是搶著拿掃帚、畚箕掃地。猶有甚者，事發後，每逢入庫他還是得接應，還是得收竹筒、螞蟻，那銀元寶，還是持續減少。

自案發後，省裡藩台又兩度全面盤點銀庫元寶存量，結果，兩次均發現，銀元寶繼續減少。如此，省裡巡撫、布政使、按察使，所謂「三大憲」，均是極度震怒，各衙門衙役蜂擁而來，一天三班，無論晝夜，在銀庫外頭來回巡守。適才儲幼寧等兩輛驢車，在銀庫外頭，即是為便衣差官所阻，飭令轉回。

然而，衙役、兵丁、官差再多，卻還是巡行藩台銀庫正面、左面、右面道路，卻還是略過後面樹林並草叢。蓋因後頭雜樹密布，向無人煙，而庫房後頭牆壁又堅實穩固，怎麼看，都瞧不出銀子會自此流失。

傅自雄愈幹愈害怕，上次入庫，雖還是主動拿著掃帚、畚箕，事後清潔打掃，卻不再去後方通氣孔那兒，接應竹筒與螞蟻。今日，輪傅自雄例休，他離開銀庫，打算步行回家，結果，就在這岔道與官道交口處附近，為紀蒼頭拿住，逼迫他繼續接應。

說到這兒，傅自雄對儲幼寧、金秀明道：「兩位爺，這就是我所知事情始末，全都說了，沒有隱瞞，請兩位爺替我作主，助我脫離這苦海。」

金秀明問儲幼寧道：「你看怎麼樣？有破綻、漏洞沒有？還有哪個環節沒交代清楚？」

儲幼寧道：「差不多，應該是齊了。他這說法，前後都完整關照，沒有前言不對後語之處。剩下來的，就等聽聽這位說法。」

說罷，抬手點指，指著紀蒼頭道：「聽聽你的說法，老實點，全都交代清楚了。要有一點不老實，我再放螞蟻咬你。」

紀蒼頭畏畏縮縮答道：「今兒個落你手裡，我算認了，實話實說就是。可是待會兒說完了，你得放我走啊！我要不回去，他們見我失了蹤影，就會到我家去，我一家老小都要遭殃。我那光景與這小子一樣，都是家人性命捏在他們手上。你要不放我回去，我全家人就算完了。」

儲幼寧道：「先別廢話，我得聽聽你所言，才曉得該不該放你回去。」

於是，紀蒼頭一五一十，說起了這幫銀蟻大盜來龍去脈。

原來，這夥人領頭的叫聶定鈞，這人本在北京靠變戲法維生，在天橋等市集上玩掌中術之類戲法。後來，手法不斷翻新，就登堂入室，去大戶人家喜慶壽宴上表演。到了後來，更往上升，連王公貴族、當朝一品文武大員家，也進得去，或者為內眷演，或者唱堂會時，在中間休息時間上去演幾手，墊墊場。

聶定鈞很有心，總不為已足，總想精益求精，更上層樓。但中華大地祖傳戲法，已為他學盡，而西風東漸，已有不少歐西洋人在華表演西洋技法。因而，這聶定鈞就有了想法，想去西域，學習回族魔術、雜技、掌中戲等鮮見技法。

詎料，他去西域，魔術戲法沒學到，卻因緣際會遇見一位奇人。那奇人，畜養各式稀貴蟲類，這裡面就有銀蟻。那銀蟻由蟻后繁衍，無窮無盡，生生不息。那蟻后，亦雄亦雌，身上同時帶有雌雄兩種物件，可自體繁衍後代。所育蟻仔，卻須以白銀為食，但光有白銀，還不濟事，蟻仔不識白銀，須在白銀上，塗布提味之物，蟻仔才會張口啃食。

而那提味之物，則自驢馬溺溲當中，細心提煉。驢馬溺溲，隨處可見，隨手可得，但提煉之術，則是祕技。

拿提味汁液，塗布白銀之上，乃成蟻仔糧食。蟻仔出生之際，體呈黑色。以白銀為食後，逐漸改色，通體轉為銀白。初初誕生，體長不過幾釐，之後，日見其長，十數日後，可長至半吋長，成為巨蟻。巨蟻食量，數十倍於蟻仔。十餘隻巨銀蟻，一日之間，可將一枚銀元寶啃食殆盡。

銀蟻啃食銀元寶，並非僅憑牙堅齒利，而係倚靠酸液。銀蟻通身充斥強酸，口中吐沫，亦是強酸。銀元寶表面塗布提味汁液後，吸引銀蟻食慾，張口咬住銀子，吐出強酸吐沫。強酸吐沫噴上銀子，立時腐蝕表面，銀蟻隨即以利牙刮拭，即能刮下一層銀子。如此，一口又一口，工夫不大，即能啃食可觀數量。

因銀蟻吐沫為強酸，連銀子都能腐蝕，因而，一旦咬住人肉，自然也是噴出吐沫，腐蝕傷口，疼痛難忍。因而，適才傅自雄並紀蒼頭為銀蟻噬咬之後，都是忍不住疼痛，高聲呼疼。

銀蟻以白銀為食，所排泄糞便則是銀白粉末。此等銀白粉末聚攏之後，放入琉璃容器，注入藥水，不斷攪拌，逐漸凝聚成銀色團塊。初時，這銀色團塊質地柔軟，還不成形。幾個時辰後，銀色團塊僵固，則成銀錠。

巨蟻啃食白銀，入肚後，經消化而排泄，所排出銀粉，再聚攏，投以藥水，回頭提煉為銀塊。如此，循環反覆，通扯而計，可回復八成數量。亦即，一百兩銀子入巨蟻肚腹，最後可煉出八十兩銀子。

倘若將白蟻碾成粉屑，加入銀白蟻屎，則可悉數回復，啃食一百兩，回復為一百兩。唯，因投入蟻屍所回煉白銀夾有雜質，純度較前減降。

至於煉銀藥水，則是各種洋藥，價格不貴，也易購得。貴重的，卻是藥水配方。這就好比祖傳名菜，食材普通，低價即可購得，但如何烹調，卻是珍藏祕訣，外人不知，難窺個中奧妙。

那西域奇人與聶定鈞投緣，接連授與兩大祕訣，先教聶定鈞如何自驢馬溺溲中，煉製提味汁液。繼而，又傳授煉銀藥水祕方，告知使用洋藥種類、數量、搭配比例。

聶定鈞於西域習得畜養銀蟻密技，並連得提味汁液、煉銀藥水配方後，那西域奇人更贈母蟻一隻。這母蟻，身兼雌雄兩性，無須交配即可繁衍後代。唯，那西域奇人卻未傳授聶定鈞，如何尋覓、生養母蟻之法。亦即，聶定鈞僅有母蟻一隻，須在母蟻有生之年，盡力利用蟻仔，煉製銀兩。

待母蟻壽盡而亡，所有把戲就悉數歸零，啥都沒了。那西域奇人告知聶定鈞，一隻母蟻約可活三年。三年後，母蟻壽命將盡，屆時，倘或聶定鈞需要新母蟻，儘可再赴西域，那人願意再贈新母蟻。

聶定鈞心想，母蟻壽命有限，須儘速在三年內，物盡其用，多煉銀兩。他告別奇人，兼程自西域趕返中原。一路上，他肚皮裡做工夫，籌劃大計，想定煉銀手法。回到中原後，他先不回北京，而是直放天津。之所以如此，理由簡單，他幹大事，須找幫手。

這幫手，不能是幫派人物，因他自己並非幫派人物，無法駕馭幫派人物；也不能是安善良民，因銀蟻煉銀之事，違法亂紀，非安善良民所能勝任。因而，只能找江湖賣藝人。他自己即為賣藝人出身，了解賣藝人心思，曉得賣藝人習性。而北京賣藝人都曉得他底細，不易兜攬入局，當他幫手，與他一起幹事。

天津，亦是跑江湖藝人重要碼頭，戲劇、雜耍藝人頗多。因而，他趕到天津，每日裡在藝人趕集之地轉悠，三下兩下就相中幾名藝人。這裡頭，就有紀蒼頭、管老頭、余老三。所謂財帛動人心，沒有買不動的人物，只有買不動的價碼。價碼不夠，誰也買不動；價碼夠了，火到豬頭爛，錢到公事辦。

聶定鈞早就瞧準了，管、紀、余三人年紀均已不小，每日裡卻還在街面上拋頭露臉，為三餐折腰，只要能予厚利，必然願意賣命。三下兩下，三人都願意入夥，但也對銀蟻戲碼心存質疑。因而，聶定鈞實地演練，自蟻仔啃食銀塊起始，一路展露半吋大銀蟻、銀蟻屎、藥水煉銀祕技，三人始心悅誠服，願意效命。

螞蟻盜銀，藥水煉銀，事關重大，就怕中途有人打退堂鼓，亂了陣腳，因而，聶定鈞要三人發下毒誓，倘若反悔、背叛，則家裡眷屬將受牽連。

四人結夥後，聶定鈞要管老頭在天津左近荒僻之處，海河旁濱河之地，租屋而居，專事飼養蟻仔。待蟻仔數量湊至兩百隻之後，聶與紀蒼頭、余老三攜帶蟻仔，聯袂赴京。到了北京，打探地形，找到戶部銀庫，軟硬兼施，威逼利誘，買通庫丁，裡應外合，放蟻啃銀。

裡應部分，自然是買通庫丁，入庫後，藉機至庫房偏僻角落，透過牆根氣孔，接入提味汁液並螞蟻紙袋。之後，庫丁將汁液滴於元寶堆上，放出螞蟻，隨即離去。那螞蟻，聞香而至，爬至提味汁液所覆元寶堆，張口就咬。蟻群同時施法，銀塊迅捷消蝕。

外合部分，紀蒼頭與余老三攜帶紙盒，匿於銀庫通氣孔外不遠之處。氣口至紙盒之間地面，將塵土打掃乾淨，滴灑提味汁液。如此，銀蟻群吃飽銀子後，循著味道，爬出通氣孔，爬回紙盒。隨即，兩人帶著紙盒，回到聶定鈞住處，等候銀蟻排泄出銀色糞便。

如此反覆施為，蟻糞堆積頗多，聶定鈞於是以藥水作法，自蟻糞中煉出銀子。果真，能煉出銀蟻所啃蝕銀子八成。

北京是朝廷所在，戶部是朝廷根本銀脈，戶部銀庫自然是金山銀海，積聚豐厚。聶定鈞等三人大展手腳，收穫頗豐，連續數月，日積月累，煉銀愈積愈多。此時，卻出了禍事。

原來，聶定鈞所買通那庫丁，是個兵油子。聶定鈞買通這人，雖說是威逼利誘，其實靠得還是利誘。那庫丁，只要有錢就可買通。錢財之外，外加威逼已是多餘。即便沒有威逼，那庫丁也願意入夥。這庫丁見財起意，自願入夥，這與後來傅自雄大相逕庭。

後來到濟南，找上庫丁傅自雄，先給傅老家改建新宅，繼而買了全套新傢具、新廚具、新寢具，最後，這才威脅傅自雄，逼迫傅同意當內應。因而，傅幹這事，戒慎恐懼，不得不為，口風甚緊，不虞走漏風聲。

之前在北京，所勾串那庫丁卻是見錢眼開，自願下海，拿內應之事當作天外飛來橫財。因而，這兵油子庫丁成了聶定鈞同夥，搭配緊密，彼此往還。故而，那兵油子庫丁曉得聶定鈞等三人住處、關係，及其他相關內情。當時，等於是四人同夥，一齊幹這回煉銀兩買賣。

這兵油子庫丁，心裡頗為自得，躊躇滿志，口風遂告不穩，茶餘酒後，往往不禁意露出口風，說是自己走了好運，就要發財云云。一次兩次，猶有可說，次數一多，就啟人疑竇，同儕庫丁上報領班，領班又再往上報。末了，這兵油子庫丁為九門提督衙門悄然捕去。

聶定鈞知悉後，當機立斷，不待九門提督衙門向庫丁逼出口供，即主動至九門提督衙門，說是有重要案情交代，要面見九門提督榮祿。聶定鈞主動交代一切，言及如能免於入獄，得保性命，願獻出所有回煉銀兩。如不能免於囹圄，則寧死不吐露回煉銀兩匿藏地點。

好榮祿，明明是樁公事卻私辦處置。他自忖，此事攸關戶部，他無力隻手遮天，須得戶部協辦才能順遂。於是，找來戶部尚書、侍郎，密商大計。嗣後，三人均同意，表面上查辦竊盜，私底下中飽私囊。至於聶定鈞等三人，則准其所請，就此放走。

密商之後，戶部突派專人清查銀庫存銀。戶部銀庫，不只一座，但僅有一座為聶定鈞入侵。那戶部專人清查所有銀庫，發現僅有一座銀庫，庫內所存銀元寶竟然損失逾半。因而，戶部公事公辦，糾舉此事，懲處相關管事官兒，並責成九門提督衙門、各城兵馬司捉拿盜銀賊。另一方面，則在銀庫帳冊上，將被竊銀兩，悉數銷帳。

一切舉措，不過都是障眼法。就此，官面上立了公事，將事情鍛造為銀兩盜竊案件，聶定鈞所盜銀元寶，就此了帳。之後，九門提督、戶部尚書、侍郎等，則將所抄來回煉銀兩，三一三十一，均分了事。

聶定鈞三人則是白忙一場，狼狽出京，回到天津。那銀母蟻，仍是源源不絕，產育蟻仔。眼見時日一天天消逝，銀母蟻壽命一天天短少，聶定鈞決定另起爐灶，離開直隸，到山東去重施故技。於是，管老頭依舊留在天津，掌管生育蟻仔，其餘三人，去了濟南。

經過打聽，曉得庫丁當中，傅自雄老實可靠，無虞走漏風聲。因而，紀蒼頭出面，至傅自雄老家，假扮傅自雄上司，為傅家拆茅屋，建新屋，購新家私。

原本，一切順遂，幹了兩個多月，前後累積大量銀蟻屎，陸續回煉出幾批銀錠。詎料，東窗事發，藩台臨時抽點，察覺庫銀遭盜。余老三、紀蒼頭都主張及時收手，將剩餘蟻屎全數回煉為銀錠，然後扯旗走人，但聶定鈞不許。

聶定鈞理由，還是個貪字，說是在北京忙和半天，全是為人作嫁，便宜了官面上那批人。現在到濟南，好不容易上手，就該持續下去，不因案發而收手。尤其，這次內應庫丁傅自雄，不同於上次北京那兵油子庫丁。北京那庫丁，是入幕之賓，等於同夥，知曉所有內情，一旦被捕，危及其他三人。而這次於濟南，內應庫丁傅自雄僅是受迫配合，對其他內情毫無知悉，即便被捕，亦不會危及其他三人。

職是之故，這銀蟻五鬼搬運，藥水回煉銀錠之事，聶定鈞依舊不改其志，如火如荼，戮力賡續，毫不中斷。前幾日，庫丁入庫，余老三、紀蒼頭照例帶著竹筒、螞蟻包，跋涉入密林，至銀庫後方，準備交予傅自雄。詎料，傅自雄並未伸手。聶定鈞猜測，這是傅自雄心中震慄，膽怯怕事。因而，要紀蒼頭緊盯庫丁形跡。

今日，傅自雄例假歸家，紀蒼頭等在路口，將傅劫入林中。之後，則是放蟻咬人，為儲幼寧、金秀明所見。

至於聶定鈞落腳巢穴，則是遠在天邊，近在眼前，就在藩台銀庫外頭，那小聚落當中。這三家村小聚落，僅有六、七戶人家，以種菜、砍柴為生，家裡精壯人口俱都離家，去濟南討生活。因而，聚落裡住的，全是老人、女眷並幼年孩童。

這幾戶人家，門前是路，門後是菜圃、小田，再往後，則是雜木林子。聶定鈞早就相準了距離藩台衙門銀庫最遠一戶破爛屋子，這屋子，屋主已攜家帶眷遷往濟南，獨留空屋於此。聶定鈞以廉價租下這屋，說是自己染有瘋症，症頭時有時無，神智時而清明，時而糊塗。因而，遵從醫者指示，尋找鄉間僻靜處，好好靜養。

至於紀蒼頭與余老三則是家人，到此幫著照料病者聶定鈞生活起居。這三人，一日三餐並不自理，而係包請隔壁老婆子幫忙燒煮，煮得了，或者是紀蒼頭，或者是余老三，過去隔壁老婆子那兒，把飯食取回。

盜銀案發作後，藩台、撫台兩衙門，雖加派便衣官差、衙役、兵丁，到銀庫外密切巡守，但壓根沒想到，竊賊就居於這三家村小聚落裡，全然沒想到該清查小聚落居者。就這樣，聶定鈞等安然無恙，聶定鈞這才能繼續犯案。

說到這兒，紀蒼頭喘了幾口氣道：「兩位爺，就這麼多了。這事情前因後果，我全說了。兩位爺，放了我吧！」

第四十二章：見巡撫索討祖產乍露曙光，追逃犯西洋短槍立下頭功

金秀明看著儲幼寧道：「聽出什麼漏洞沒有？還有什麼地方沒交代清楚？」

儲幼寧道：「差不多了吧，好像沒什麼前後不一，人、事、時、物、地都有了，前後串連，也說得通，就這樣了吧。倒是該如何處置這兩人，實在傷腦筋。」

紀蒼頭急道：「不對，您剛才不是說，倘若我交代清楚，就放我回去。」

儲幼寧怒道：「我幾時說過這話？可見你們當盜賊當久了，慣會出口成謊，睜眼說瞎話。我適才說，我得聽聽你所言，才曉得該不該放你回去。」

紀蒼頭道：「是啊，我所言切實，都交代清楚了，就該放我走啊！」

金秀明道：「放你走，你就有活路了？要知道，這事情揭開了鍋之後，聶定鈞並余老三一定被捕，腦袋能否保得住都是問題。因而，聶定鈞本事再大，也沒法子拿你家老小如何。同樣，他也無法拿這庫丁傳自雄家老小如何。」

「但你要曉得，聶定鈞不算什麼，要把你放了，真正要你一家老小不安的，卻是衙門。要曉得，銀元寶失竊之事震動省城，藩台衙門壓不住，只好報至撫台衙門。藩台、撫台，鬧了半天，都找不出

失竊原由，因而，已經貼了榜文，昭告通省，要黎民百姓協助拿賊。」

「你想，等撫台衙門拿住聶定鈞、余老三，嚴刑逼供，自然供出你紀蒼頭，還有他傅自雄。到時候，跑得了和尚跑不了廟，你們倆就算跑到天涯海角，抓不著你們，也會到你們家裡去，將你們滿門老小全鎖了去，下在獄裡。這結果，你們要嗎？」

金秀明上述言語，並非高深道理，常人也能想到。但傅自雄並紀蒼頭二人先被銀蟻痛咬，又遭金秀明、儲幼寧訊問，心智交悴，竟沒想到這結果。因而，二人眼現徬徨神色，落水後攀爬浮木一般，急忙問計於金秀明道：「那麼，我們該怎麼辦？該怎麼辦？」

金秀明有計較，他稍加思索，隨即回道：「這樣，你們二人斷無置身事外之理，所能求者，在於減損刑責。你二人放心，我自有一套話，能解脫你二人刑責。」

不單紀蒼頭、傅自雄，連儲幼寧都急切欲知金秀明有何錦囊妙計。於是，金秀明如此如此，這般這般，講述一套做法。三人聽了，也覺得這是不是辦法的辦法。

隨即，金秀明、儲幼寧幫著，簡單包紮了紀蒼頭、傅自雄手腳蟻噬傷口，扶著二人，到了林子外頭。外頭路邊，兩輛驢車等候多時，韓燕媛早就不耐，直要佟暖趕緊進林子瞧瞧。佟暖則說，剛才金秀明要他出來，就是瞧著外面動靜，如有事情好有個照應。又說，儲幼寧武藝高強，金秀明見多識廣，二人湊在一起，智勇雙全，不虞有事，不必進林子去。

二人正在爭論之際，儲幼寧等四人出了林子，眾人這才放心。照著稍早金秀明所言計策，傅自雄、紀蒼頭上了驢車，由儲幼寧押車，兩輛驢車朝來路駛回，先回客棧。至於金秀明則是不上車，邁步走回藩台銀庫。

金秀明邁步往前走，走回銀庫外頭，眾便衣官差、兵丁見有生人，連忙圍過來，還是那一套老辭兒：「什麼人？幹什麼的？這兒是銀庫重地，不准閒雜人等亂晃，哪兒來，哪兒回去。」

金秀明不慌不忙，走近眾官差、衙役，低聲言道：「各位大哥，揚名立萬，立功得賞的機會到了。各位不是要拿竊銀賊嗎？各位先別多問，千萬別出聲。一出聲，賊子聞訊，立時就跑了。那賊人，就在附近。請把各位主事頭兒找來，我自有話說。」

眾人一聽，俱都嚇了一跳，趕忙把金秀明引進破爛小茶館。小茶館裡，當間坐了個中年漢子，瞧起來，年紀較外頭差官、衙役要大一截。旁邊就有差官，指著這人，對金秀明道：「這是我們大哥，姓繆，我們都喊他繆頭。」

繆頭見手底下人，領進一個青年漢子，也覺得奇怪，正想問明情況，就見青年漢子開口道：「繆頭，先按下閒話不表，單揀重要事情講，我姓金，叫金秀明。今天到此，特為通知繆頭，盜銀賊就住隔壁不遠處，兩名賊人併同竊銀，全都藏在那屋裡。」

「您別多問，先去拿賊。拿下了賊，找到失竊銀兩後，先且耐著性子，守住場面。我們另外有人，已經去濟南面稟撫台，最遲今天夜裡，省裡就會有大批官人過來查案。沒得說的，這功勞，都記在您與這班弟兄名頭上。」

那繆頭聽了金秀明這番言語，自然是半信半疑，反正場子就在附近，帶人過去瞧瞧也不礙事。於是，繆頭點齊人馬，前後包抄，圍住最外頭那戶破屋，自前後兩門同時衝進去。

這時正是午後，聶定鈞、余老三剛吃過午飯，正在歇息，睡著午覺。驀然間，衝進大批官差、衙役，二人措手不及，猝不提防，就被眾人七手八腳給捆上了，捆得牢牢實實，彷彿兩顆粽子。

眾差官、衙役一陣亂搜，當場在裡間屋內，翻出一整落白銀，由布幕蓋著。掀開布幕，銀光閃閃，粲然生輝。那帶隊繆頭，喜不自禁，沒想到，這天大的功勞憑空自天而降。

金秀明腦子機靈，當即正色對繆頭言道：「繆頭，犯人抓到了，銀子找到了，這全是繆頭功勞，我草民一介，絕不居功。但，可有一件事，為繆頭與諸位弟兄們好，我不得不說。」

繆頭因金秀明通風報信，外加指點引路，這才抓到賊人，起出銀兩，對金秀明頗假辭色，堆著笑臉問道：「金兄有話請說。」

金秀明道：「這竊銀大事，裡頭必然有什麼彎彎曲曲，古古怪怪內情。這些內情，說不定牽扯到什麼彎彎曲曲，古古怪怪人物。咱們當官差的，把賊人抓到，把贓銀起出，也就盡了本分。其他事情，還是愈少知道，愈是為妙。」

「不該知道的事情，我們就不要知道。倘若多聽多問，曉得了不該知曉之事，到頭來，上頭不高興，功勞沒了不說，弄不好，還會追究下來。真要那樣，魚沒吃到，反而惹了一身腥。」

繆頭是老官場、老江湖，一聽這話就曉得厲害，連忙對手下道：「來啊，把這兩人隔開，一個關這屋裡，另一個關那屋裡，不許兩人講話，你們也不許和他們講話。倘若哪個多嘴和倆人犯講話，看我不剝你們皮。又，倘若人犯不老實，不肯閉嘴，就拿布堵住嘴巴。」

之後，聶定鈞、余老三被帶開，關在不同屋裡，禁止言語。房裡擺了馬桶，飲食由差役送進，房門外守著幾名差役，看守嚴密。

就這樣，金秀明幫著繆頭，把銀庫這頭場子完全鎮住，就等著濟南城裡撫台衙門派人前來。

話分兩頭，話說儲幼寧領著兩輛驢車，回到濟南客棧，眾人下車後，儲幼寧分派去處。他要彭小八與辜順生還是守著兩輛驢車，人不離車，宿於車上。彭、辜二人當日上午，已然領了金秀明每人十兩銀票，此時自然一諾無辭。

繼而，儲幼寧交代韓燕媛、佟暖，說是銀蟻之事，到了最後關頭，正是要緊時刻，他與金秀明分頭辦事，要韓、佟安心、安靜候於客棧。若遇事情，由韓、佟二人商量著辦，要護好儲仰歸、韓福年。

隨即，儲幼寧帶著傅自雄、紀蒼頭二人，朝巡撫衙門而去。之前在林子裡，金秀明、儲幼寧已細心剖析大局，傅、紀二人明瞭，一走了之，逃之夭夭，並非上策，會拖累家人，唯一辦法就是去投官，占得先機，將來才能減輕處分。

因而，傅、紀二人並不爭議，不吵不鬧，安安靜靜跟著儲幼寧離開客棧，朝巡撫衙門行去。這兩人，手上、腿上各有銀蟻啃噬傷口。那傷口，雖經包紮，但內裡還是潰爛。只是，蟻酸已發作完畢，儘管潰爛，疼痛卻還能忍，不像初初被咬之際那樣錐心刺骨疼痛。

三人行至巡撫衙門，到了門口，即為守門衙役攔阻。儲幼寧曉得衙役規矩，必然先是言辭威嚇，繼而伸手攆人，因而，一上來就給衙役下馬威道：「諸位，我只有一句話，藩台銀庫失竊之事已然為我所破。這事，攸關撫台前程，撫台為此大動肝火，如今破案，讓不讓我見撫台，各位自己斟酌。」

幾名守門衙役一聽，當即知道輕重，把三人延進大門，擺在大門內，緊貼著大門的聽差套間。這套間，為巡撫衙門裡聽差、傳達、衙役等人待命休息之處。儲幼寧帶著傅自雄、紀蒼頭，在此靜候傳見。

工夫不大，來了個人，瘦骨嶙嶙，頭戴瓜皮帽，鼻樑上架金絲眼鏡，大熱天還是袍褂齊全。儲幼寧正奇怪，怎麼巡撫大人親自進了下人棲息之地，那人就開了口道：「主公有事，分不開身，命我前來了解狀況。」一旁，衙役說道：「這是我們錢穀師爺，姓文，文師爺。」

儲幼寧道：「文師爺，失敬失敬。長話短說，藩台衙門銀庫遭竊一案，現已為我偵破。此處二人，有要緊線報，須面見撫台大人才能稟明。另，竊賊並贓銀已為我大哥拿獲，就地靜候撫台大人派人點收。」

那文師爺一聽，就曉得事情重要，拖延不得，於是，翻身就走。未久，衙役進來傳訊，說是巡撫大人在後頭宴客飯廳候駕。

官場上，如是正式審案，須進公堂，擺全套儀注，三班衙役肅立台下，拄著水火棍喊堂威。審案之外，如是官場同儕拜訪、洽談公事，則至簽押房。這簽押房，即為主事官兒批閱公文、處理公事、討論大計之處。如是官場宴飲，則另有宴客飯廳。儲幼寧私下帶著傅自雄、紀蒼頭至此，稟報機要訊息，無須開公堂審案。三人俱為基層草民，並非官場同儕，自不方便引入簽押房。於是，只好在飯廳延見

這巡撫，姓陳名士杰，湖南人，早年入湘軍，給曾國藩當幕僚，為曾國藩所薦，任江蘇按察使，亦即江蘇臬司，後來又任江蘇布政使，亦即江蘇藩台。後來，先當江蘇巡撫，繼而出任山東巡撫。這人任官久矣，在官場打滾多年，官面上各種竅門祕訣，曉暢嫻熟。他見了儲幼寧等三人，要三人不必緊張，站著回話。

陳士杰與儲幼寧對話，句句都問在關口上，三下兩下，就完全弄明白儲幼寧所言。陳士杰腦子清楚，辦事層次分明，當即下令，將撫標中軍將領找來，說是有要事聽辦。

這撫標中軍，為巡撫衙門衛隊。巡撫衙門並非軍營，亦無成建制部隊，只有這撫標中軍可供驅策。時候不大，撫標中軍帶隊官進入飯廳，俯身聽令。陳士杰交代清楚，要撫標中軍即刻動身，前往藩台銀庫，帶回盜銀案主、從兩犯，並起回所有贓銀，回巡撫衙門覆命。

撫標中軍帶隊官走後，儲幼寧指著傅自雄、紀蒼頭，對陳士杰言道：「大人，若非此二人坦承供稱，這盜銀一案難以破獲。望大人開恩，從輕發落此二人。」

陳士杰老於公事，心中早有定見。此事已然四處貼榜文，公告天下周知，而兩名人犯並全部贓銀，亦由銀庫外眾多差官、衙役、兵丁拿獲，自己更派了撫標中軍前去，案情不可能壓下，贓銀必須充公回收。這撫台衙門所能撈到好處，只有偵破全案，蒙受嘉獎。

傅自雄、紀蒼頭這兩人，倘若從嚴處理，打成竊銀犯，與余老三、聶定鈞一鍋煮，定然激起傅、紀二人叫屈喊冤，弄得場面難看，壞了顏面。然而，陳士杰是當朝二品巡撫，自不會將心中決策，明白說予儲幼寧等草民。因而，陳士杰面上不動聲色，只簡單對儲幼寧道：「是非曲直，本官自有處置。」

儲幼寧這幾年走南闖北，久歷江湖風塵，看人觀事俱有眼力。他瞧著陳士杰那態度，就曉得這巡撫不會深究傅自雄、紀蒼頭二人，因而，心裡重擔落地。這時，陳士杰閒閒問起儲幼寧根柢，儲幼寧揀能講之事，講了自己生平，尤其著重自己生父為綠營丁憂回鄉軍官，在鄉辦團練，抵禦太平軍，結果，為長毛所屠戮。

而自己養父，則因為仇人追殺，連夜奔逃，下落不明，以至家裡祖產，為官府沒收充公，改派專人經營。祖產遭沒收後，養母並次兄被逼自盡，剩下長兄流落異鄉。天可憐見，兄弟二人在天津重逢，但長兄經年流亡，神智已受摧殘，年紀輕輕，腦力即已受損。

這山東巡撫陳士杰出身湘軍，為曾國藩幕僚。他聽儲幼寧言及，其生父生前辦團練、剿髮匪，後為長毛所殺而殉職，心中油然而生出憐憫之心。繼而，他詳盡詢問儲幼寧生父吉平山當年辦團練、剿髮匪諸般細節，像是地點、兵力、髮匪將領姓名等等枝節。當初，在臨沂山上，儲幼寧與閻桐春相依為命，閻桐春經常細說吉平山生前種種，因而，儲幼寧對各項細節，記憶甚深。

如今，陳士杰逐項詢問，儲幼寧一一作答，所答內容，恰與陳士杰當年役於湘軍時，所知悉狀況若合符節。就這樣，心裡親近之感愈加強烈，因而主動詢及那祖產之事。這一問，正問到要害上，儲幼寧處心積慮，插手這盜銀案，就是指望藉此博取撫台青睞，好幫著拿回豐記糧行。

如今，陳士杰主動詢及，儲幼寧當然喜出望外，於是，一五一十，講述豐記糧行之事。

陳士杰聽完儲幼寧敘述，偏著頭想了想，對著門口喊道：「來人啊！」隨即，有個頭臉乾淨中年聽差現身，垂手聽令。陳士杰對著聽差道：「這兒有三個人，帶下去，帶到後頭廚房，看看熄火沒有？倘若沒熄火，叫他們熱幾個菜，弄點飯，給這三人吃。倘若熄火了，去外頭買點飯菜，叫他們送進來，給這三位吃。」

那聽差回道：「回稟大人，大廚房要到夜裡才熄火。這還是白天，大廚房爐灶裡，都還留得有底火。待會兒，我告訴大師傅，給這三位弄點飯菜即是。」

陳士杰轉頭對儲幼寧等三人道：「你們忙和許久，想必沒吃東西，肚子這會兒必然餓了。先下去，吃點東西，我得和師爺商量事情，等下有了結果，再告訴你們。還有，去看看有沒有什麼藥，給這兩人弄弄傷口。」

儲幼寧領著傳自雄、紀蒼頭，隨著那聽差出了巡撫宴客餐廳，往衙門側邊而去。衙門外頭有間大廚房，供應衙門裡幾十號衙役、差官、兵丁飲食。至於巡撫一家併同錢穀、刑名兩位師爺，則是另有小廚房。

三人到了大廚房外頭，聽差指著廚房隔壁一間屋子道：「隔壁是廚房，這兒是飯廳，大夥兒就在此吃飯。現在早過了吃飯時間，你們先在這兒待著，我去隔壁廚房瞧瞧，看看還剩了點什麼，請大師傅熱熱，你們就將就吃點兒吧。」

未久，那聽差就領著幾個雜役進來，一個雜役手裡端著個蒸籠，裡頭有幾個半冷饅頭。另兩個雜役，一個手裡捧著熱氣騰騰大海碗，裡頭是剛熱得的酸辣湯。另一個，則是提著個木頭盒子，上頭擺著幾盤菜，不外是涼拌黃瓜、紅燒豆腐、鹽醃老鹹菜之類。

三人折騰了一上午，午飯也沒吃，這時早就饑腸轆轆。當下，冷饅頭、熱辣湯、涼拌菜，吃得稀里呼嚕，把肚子給填飽。隨即，那聽差又帶了個衙役來，說這衙役慣會處置各種外傷，手裡還有家傳妙方良藥。於是，由著這衙役給傳、紀二人解開手腳傷口布疋，重新上藥，再度包紮。

此事才剛停當，就見聽差領了兩個人進來，指著儲幼寧等人道：「就是他們三人。」那兩人，一個之前見過，錢穀師爺文某。另一個，也是大熱天裡，袍褂齊全，頭上戴著瓜皮帽，兩眼炯然有神。這人轉頭，對聽差道：「你們都出去，門口不許有人，不准聽這屋裡談話。」

待聽差、衙役皆盡離去後，這人右手上下擺擺，示意三人坐下。待三人坐下後，這人與文師爺也拉著椅子坐下，緩緩言道：「我姓連，是這兒刑名師爺。這位，想必之前你們已經見過，他姓文，是錢穀師爺。」

「我們二人在撫台衙門裡，幫辦主公錢穀與刑名兩路事務。剛才，撫標中軍已然把盜銀案相關人犯，併同贓銀、銀蟻，悉數帶回衙門。有位姓金的男子，說是與各位一道，也跟著撫標中軍到此。」

「這兩天，主公會私審本案所涉各人犯。過兩天，主公則會升堂審案。這銀庫遭竊之事，主公早就貼了榜文，外頭早就周知，因而，過兩天升堂公審此案，衙門不設門禁，黎民百姓都會進來圍觀。」

「因而，有幾件事情，得先交代清楚。這些事，我先講。我講完了，換文師爺講。」

說到這兒，連師爺衝著儲幼寧道：「論實情，這案子是你與金某所破。但你又說，要對傅、紀二人從輕發落，因而，案情要改，改成傅、紀二人揭發。如此，才能戴罪立功，減輕刑罰。因而，待會兒你就得走，帶走金某，明天一大早就得離開濟南。這藩台銀庫遭竊之事，與你二人無關，這都是傅、紀二人所密報糾舉。」

儲幼寧聞言大喜，這刑名連師爺所言結果，正中下懷，就是儲幼寧所要結果。因而，儲幼寧點頭如搗蒜道：「正是如此，正是如此，明天一早，我們就離開濟南。自始至終，我們與本案無關。」

連師爺繼而朝著傅自雄、紀蒼頭道：「至於你二人該如何說，我之後自會講予你們聽。頂頂要緊的是，你們該如何說，得記清楚了，而且，一路不能改口供。如此這般，你們雖難免牢獄之災，但刑度輕，時間短，家裡父母妻小，也不受牽連。」

連師爺講到這兒，伸手示意，要傅自雄、紀蒼頭隨他而去。傅、紀曉得，此去將下至牢裡，但只要依教導說口供，可免重刑。兩人放下心頭重擔，站起身來，對儲幼寧拱手躬身，道了再見，隨連師爺而去。

這頭，錢穀文師爺接著對儲幼寧說事。文師爺道：「沂州府豐記糧行之事，承主公之命，我查遍巡撫衙門內錢穀檔籍，找到十餘年前沂州府所呈報公事。那公事，內容含混，文字簡略，僅說轄下豐記糧行東主失蹤，據報已落草為寇，故而沒收充公，委託賢良代為經營，所積利藪悉數歸公。」

「我將該份公事呈閱主公。主公閱後指示，此事前因後果含混不清，沒收充公理由曖昧，證據不足，著令沂州府就此事重新審理。因而，明日我會另擬函令，呈主公批示後寄發，交驛站以快馬送至沂州府。」

「正式官衙函令之外，主公囑我，以他名義另修私信一封交付於你，攜至臨沂，面呈知府。這信當中，主公剴切說明，說你是豐記糧行少東，協助省政有功，應將豐記糧行，歸還於你。」

「公、私兩面，主公都替你站住陣腳。但還有一事，得由你自己去辦。這事，就是你得向沂州府知府，證明你是豐記糧行之後，你得找到證人，說你是失蹤店東子嗣。要找到證人，才能取回糧行。」

「對了，你們到了沂州府，上衙門去辦事，與那府尹對應要用點心思。我們主公到山東時日不長，與下頭各道、府、州、縣老爺，不是那樣熟稔，但我們在省城，都聽說那沂州府尹十分不同。總之，這人剛正不阿，但脾氣很強，手段很硬，參他的人多，但保他的人更多。你們與這人談事情，須得費點力氣。」

說罷，文師爺將一封書信遞交儲幼寧。儲幼寧將信件貼身收好，隨文師爺走出衙役飯廳，說是想見巡撫，道聲謝，道個別。文師爺說，巡撫陳士杰正忙著處理盜銀案，適才已經交代，說是儲幼寧不必去謝。

儲幼寧到了外頭，就見金秀明站在庭院裡，枯候儲幼寧。兩人見面，恍如隔世，搭著肩膀，走出巡府衙門，慢慢而行，回到客棧。此時，天色早已全黑，客棧掌上了燈，韓燕媛、佟暖帶著儲仰歸、韓福年，坐於客棧前廳，已吃過夜飯，碗筷碟盤還置於桌面，尚未收走。

二人見儲幼寧、金秀明回來，不禁喜出望外，韓燕媛連忙喊來店小二，要店家趕緊再添飯菜。生意人最是現實不過，那天上午，金秀明不但結清房錢，還多付了三天，因而，店家當差巴結，立時就從廚房裡送出新鮮飯菜。

儲幼寧之前在巡撫衙門大廚房，已經吃過夜飯，但金秀明忙和了一天，卻是滴水、粒米未沾，這時可餓壞了，風捲殘雲一般，將飯菜一掃而空。邊吃，金秀明邊講銀庫諸事。

原來，銀庫衙役領班繆頭聽了金秀明建言，將聶定鈞、余老三分別關於不同房內，不准二人勾串，不准二人言語，也不准衙役、兵丁與二人談話。這一干人等，就在那破房裡外枯候，等著巡撫衙門派人來接。

時候不大，聶定鈞就出了花樣，說是後院雜樹林裡，還藏得有銀蟻屎回煉白銀。原本，衙役不准聶定鈞講話，但聶定鈞說，他所講言語攸關贓銀下落，得馬上去取出。否則，等被押回巡撫衙門，風聲走漏，贓銀就會落入他人之手。

衙役、兵丁聽聶定鈞這番話語，半信半疑，出了屋子稟報繆頭。繆頭也是半信半疑，就叫兵丁找了屋內衣物、被套等物件，撕了開來，搓成布條，綁來綁去，綁出一條布繩，縛住聶定鈞腰部。之後，要聶定鈞帶路，去雜木林子裡取回贓銀。

這差使，繆頭走前面，親自牽著那條布索，身旁跟著幾名差役，都拿著兵器，防著聶定鈞逃跑。

金秀明，則是遠遠跟在後頭，隨行瞧熱鬧。離了破屋，進入雜木林子，走沒多遠，聶定鈞不知使了什麼法術，就在腰際那布繩上，抹了提味汁液，然後在上頭放了銀蟻。

三下兩下，銀蟻就把布繩咬斷。隨即，聶定鈞拔腿就跑。他對這雜木林子熟，腳程快，東繞西彎，眼看著就要逃掉。繆頭等人跟在後頭，自然拔腳飛奔，在後頭猛追。跑著，跑著，後頭諸人只見聶定鈞回身，一揮手就灑來一片水珠子，滴在眾人身上，連金秀明身上都沾上幾點。

在那之後，就見聶定鈞又回身，又揮手，十幾顆銀色米粒迎面而來。眾人不察，不知那是個啥東西，只有金秀明曉得那是銀蟻，咬上了疼得要人命。因而，金秀明當場大喊，要眾人留神，趕緊閃躲。然而，說時已遲，那時真快，緊跟聶定鈞身後諸人，以繆頭為首，人人中獎，全都銀蟻上身，僅有金秀明位置較後，又立時閃躲，才未遭銀蟻毒吻。

就見雜木林裡，自繆頭以降，諸官差衙役全都倒地，大聲喊疼，呼天搶地，叫成一團。那聶定鈞，倏然止步，回頭瞧瞧，繼而又拔腿快跑。這當口，金秀明拔出腰間芮明吞洋槍，對著聶定鈞身旁，壓下槍舌。就聽見奔雷爆響，聶定鈞腳前地上樹葉爆開，嚇得聶定鈞當即站住腳步。

當時，金秀明心裡暗叫一聲：「好險！」

蓋因金秀明自擁有這芮明吞洋短槍後，僅射過兩、三次，對準頭毫無把握。此時情急，不得不然，拔槍而射，卻恰好擊中聶定鈞腳前地面，將地上所堆積樹葉打翻，嚇得聶定鈞住腳，此事純屬意外，恰好如此。

那聶定鈞，走南闖北，知多識廣，他一聽音爆，又見腳前地面樹葉爆開，以為來了洋槍神射行家，因而，只好止步，不敢再跑。

聶定鈞駐足不跑，眾官差則是疼得在地上打滾，呼爹喊娘，鬧成一片。金秀明往前衝，拿洋槍對著聶定鈞，然後大聲呼喊，要眾人趕緊朝蟻噬傷口上撒尿，緩和疼痛。金秀明右手拿槍指著聶定鈞，左手伸過去，稍微一拉，扯開聶定鈞腰間所繫小圓竹簍。這小圓竹簍，大概也就是兩吋高，圓徑寬約一吋，小巧玲瓏，掛在聶定鈞腰上，連公差衙役都沒注意。

取過竹簍，金秀明瞇著眼睛，透著陽光，往小竹簍裡瞧，就見裡頭僅剩下一隻大銀螞蟻，還在那兒爬動。金秀明順手一放，將這竹簍放進自己隨身袋裡。這當兒，場面亂了好一陣子，這才停當休止，眾差官衙役回過神來，又把聶定鈞捆上，身上也搜過，說是螞蟻用光了，無虞再犯。

幾個差官氣不過，在聶定鈞身上解下盛裝提味汁液小竹筒，在聶定鈞手臂上用力傾倒，倒出一點殘汁。然後，在地上找尋半天，總算找到一隻銀蟻。這銀蟻之前咬噬官差，被官差劈在地上，拿腳去踩卻沒踩死，踩了個半死，身上帶傷，卻還活著。於是，差官小心翼翼，拿手從蟻身後頭，攫住那半吋長螞蟻，放在聶定鈞手臂上。

瓦罐不離井邊破，將軍難免陣上亡，終日打雁，終究為大雁啄瞎了眼。這聶定鈞靠著西域神技，又是提味汁液，又是回煉藥水，又是銀螞蟻，在北京、濟南，連發兩次財都功敗垂成。如今，養銀蟻卻難逃被銀蟻所噬，當時就疼得軟了身子，忍將不住，伏在地面咬牙切齒低聲哭喊，不斷叫疼。

一串人離開破舊村屋，往後頭雜木林子裡去取贓銀，到頭來，只有金秀明全身而還，其他眾人，自逃犯聶定鈞到差官衙役，全都身帶蟻傷，沒精打采，回到屋內。至於贓銀，連個影子都沒有。

沒過多久，撫標中軍抵達，繆頭滴滴答答，與領隊軍官辦了交接，把聶定鈞並余老三，連同所有贓銀、剩餘提味水、蟻仔、半吋成蟻，全都移交予撫標中軍。不單如此，繆頭還寫了張單子，上頭將當日銀庫值班衙役、官差、兵丁姓名，全都羅列於上。繆頭懇請撫標中軍帶隊官，將名單轉呈巡撫，作為日後敘獎依據。

金秀明將藩台銀庫後續之事講完，話題一轉，衝著儲幼寧道：「兄弟，此番前去臨沂索討糧行祖產，剛才撫台衙門錢穀文師爺說得明白，說是你得證明你是儲家後人。」

「此事，我已有計較。你八歲離家，容貌已改，糧行老夥計也未必記得你長相。但你哥哥當年離家時，已是半大小子，如今容顏雖有改變，但變動有限，老夥計不難看出他是儲家長子。這裡頭，有個死結，得解開了才行。」

說到這兒，金秀明抬手點指，指著佟暖，對儲幼寧道：「佟師傅，當年在豐記糧行是護院武師。到了豐記糧行後，必有人認出佟師傅。這樣，就牽扯出麻煩，眾人必然會問，當初豐記糧行東主攜帶幼子，連同護院武師、帳房連夜亡命而逃，捨棄妻子、長子、次子。這一去，音訊全無，如今，當年失蹤武師卻隨幼主歸家，請問，這十幾年情節，又該如何交代？」

不待儲幼寧接話，佟暖接著話碴子道：「金少爺，這事情，我這兩天也想過，已經編了套話。當年我們連夜而走，閻師傅假冒東家，模擬東家筆跡寫了封信，就說半夜得悉緊急訊息，吉家兄弟知悉他在此處，派人來拿。冤有頭，債有主，不關妻子鄢氏與長、次兩子之事，對方只要他性命，取回幼子。因此，來不及喚醒妻兒，就先攜幼子逃逸，並請帳房、佟、夏兩位護院武師保駕，隨齊、孟，逃往關外。」

「我想，這封信內容，後來必為糧行上下知悉，老夥計也必然記得這留書內容。咱們就照這留書內容，往下編故事，就說逃至臨沂山區為山賊所攔，雙方鏖戰，儲東主殉命，閻師傅為山賊所擄。剩下哥兒幾個保著小少爺，脫離賊窟，後來輾轉將小少爺送至揚州，交予閻師傅舊友金老闆撫養。至於我們幾個武師，後來故事就好編了。」

儲幼寧聽佟暖所編故事，眼神隨之黯然，心思頗為不寧。這裡頭，吉平山是他生父，儲懷遠是他養父，閻桐春等同他義父。這三人，儲懷遠害吉平山身亡，閻桐春幫著報仇，綁了儲懷遠，隨後，儲懷遠落得自盡下場。這三人，都與他有生養之恩，三人現下均已作古，但生前卻恩怨糾葛，性命相搏。

如今，為了追討豐記糧行祖產，又要現編故事，等於將封塵傷口重新切開，令儲幼寧再度心中暗暗悲痛。這桌上，儲仰歸、韓福年腦力均非正常，金秀明、佟暖則深知儲幼寧身世。只有韓燕媛，曾幾次聽過儲幼寧講身世，但儲幼寧講是講，碰到要緊悲痛之處，往往略過不提。

因而，這桌上就數韓燕媛沒法子全盤進入狀況。她見金秀明、佟暖議論儲幼寧身世，而儲幼寧則眼神黯淡，曉得儲幼寧心裡難過，就直使眼色，要金、佟二人，別再商議此事。

金、佟二人識相，曉得儲幼寧難過，就住嘴不說。金秀明道：「今兒個忙和了一天，我和幼寧都累了，就此散了吧，大夥兒早點睡，明天一早，離開濟南，往臨沂進發。」

第四十三章：劫山道紈褲毛賊全都破相，歸故里景物不再人事也非

一夜無話，次日一早，兩輛驢車一前一後，離了濟南，朝臨沂進發。這一路荒山野嶺，往往車行一天，也未必能遇上人煙之處。因而，早在濟南時，佟暖即已囑咐車夫辜順生，帶著彭小八，買來紗布蚊帳、火種、白米、菜蔬、生果、西洋罐頭。途中，倘或遇上深山老林，杳無人煙，則自己撿拾柴火，堆土為灶，自行埋鍋造飯。

夜裡，如不見客棧，則就地歇息，各人架起蚊帳，一夜安眠。此時天已大熱，夜裡露天而宿，無虞受凍。韓燕媛雖是女流，但久走江湖，如此奔波流離，她完全不懼，反而覺得閒適安逸，猶如踏青旅行。

尤其，金秀明思慮周詳，在濟南時不但附和佟暖，要辜順生買生活所需，還另外要辜順生買來香燭紙錢等等祭拜之物。他曉得，由濟南往南走，前往沂州府途中，必會經過儲幼寧早年所居山寨，那兒，埋著他養父儲懷遠、義父閻桐春。屆時必會祭拜，故而需要香燭紙錢等祭拜之物。

這一天，距離臨沂已近，兩輛驢車在山區裡左彎右拐，繞來繞去。繞到後來，前頭是一下坡，兩輛驢車走完下坡路，眼前又是一條上坡路。兩條土坡夾峙之處，即是個山窪。

走到下坡盡頭，就是山窪。佟暖在後頭驢車上喊道：「小少爺，前頭又是上坡路，咱們就在這山窪裡歇息會兒吧。吃點，喝點，養養精神，待會兒再走那條上坡道。」

儲幼寧道：「好吧，就此停車，大夥兒下車，伸伸腿腳，活動活動。」

眾人在車上蜷曲久了，這時全都下車，連同倆車夫也都下車。男左女右，進路邊林子裡，就地解手方便。喝點飲水，稍稍進幾口乾糧，小半個時辰之後，眾人又告上車。倆車夫剛拉韁催驢子上路，驢車沒走幾步，就聽見呼哨直響，驢車前後兩斜坡路上，各出現幾人，一字排開，阻住去處與退處。

前邊，是驢車將走上坡路。後邊，是驢車剛才走完下坡路。前後兩坡，都站著有人，每邊各七、八人。儲幼寧自幼在山寨長大，對攔路打劫之事，並不陌生。此時見這場面，並不驚慌，要辜順生拉住驢子，將車停下。

前後兩邊山賊，見驢車停下，一前一後，夾擊而來。到了驢車前後，改為包抄，十幾名山賊，將兩輛驢車圍住。

金秀明多年來常聽儲幼寧講臨沂山寨盜賊之事，卻始終只聞其事，未見其人。今天，這才首度遇上山賊。只見這十幾人，年紀不大，氣色不差，絲毫不像儲幼寧所言山寨生活清苦模樣。尤其，儲幼寧多年來反覆講述，山寨賊人衣著破、兵器爛，砍刀有缺口，長矛槍生鐵鏽。眼前這幫賊人，卻是衣著光鮮，兵器耀眼。

那兵器還不止單刀與長矛槍，還有流星錘、雙鉤、短劍，甚至還有一桿長洋槍。見此，金秀明不禁拿手摸了摸腰際那柄芮明吞。那天在濟南鄉下藩台銀庫，為了追捕聶定鈞開了一槍。眼下，這芮明吞裡，還有五枚子藥可用。

這時，就見儲幼寧拱手抱拳，朝十餘名劫匪團團作揖道：「諸位請了，在下沂州府豐記糧行後人儲幼寧，眼下隨著好友金秀明，帶著哥哥儲仰歸、舊友佟暖，併同北京藝人韓福年父女一齊歸鄉。途經貴寶地，打攪各位，山寨規矩，我們懂得，逢十取一。」

「眼下，我們身上並無值錢財物，只有在下與金兄手中，還有銀票一百二十餘兩。山寨規矩，逢十取一，在下從寬估算，就此留下二十兩銀票。還懇請各位賜下貴山寨小彩旗一面，此後一路過去，好讓其他山寨好漢，曉得這兩輛驢車，已然繳了過山稅，不必再逢十抽一。」

說罷，儲幼寧朝金秀明揮手示意，要金秀明取出二十兩銀票。金秀明正要取銀票，就聽見山賊一聲暴喝：「搞什麼鬼，怎麼一堆屁話。可怪了，哥兒們幾個在這兒占山為王以來，怎麼凡是路過的都講一樣的話，好像一個老師教出來的，什麼逢十抽一，什麼賞面彩旗，好讓其他山寨賣人情。」

「這是哪朝哪代臭規矩？你們曉不曉得，黃曆都翻到今年了，怎麼還照著老黃曆說話？沒得說的，我不傷人命，你們車上、身上，所有東西，全給我留下來。」

儲幼寧定神望去，說這話的，是個二十多歲年輕漢子，年紀與儲幼寧差堪彷彿。這人手裡提著一柄短劍，劍身耀眼，泛著精光。這人身旁，高高矮矮，站了十餘人，剛好把兩輛驢車圍在當中。這十餘人，也都是二十啷噹，一個年老滄桑的都沒有。

儲幼寧頗覺奇怪，他在臨沂山寨生活七年，各寨都差不多，都是窮苦百姓無路可走，這才上山入寨當劫匪。如今，眼前這幫人，面色紅潤，不像是為生活所迫，逼上梁山。

伸手不打笑臉人，禮多人不怪，儲幼寧再堆起笑臉，低聲下氣道：「不瞞諸位朋友，在下幼年時，曾在山寨生活過幾年，曉得這山寨規矩，逢十取一，確是臨沂諸山頭所有寨子定規，各寨奉行不違。」

那持劍之人尚未答話，身旁持洋槍者接碴道：「米大哥，別廢話了。這幾個點子不曉得打哪兒，聽來這前朝破規矩，顛來倒去，反覆講什麼逢十抽一。咱別理他，直接動手，先把兩輛車給遷走得了。」

那姓米山賊手點頭，一揮手，幾名賊眾就趨前，推開彭小八、辜順生。儲幼寧高喊一聲：「慢著！」

幾名賊人皆轉頭，看著姓米賊首，聽候指示。姓米賊首尚未接話，儲幼寧又道：「冤有頭，債有主，今天就算被劫個精光，我也得曉得是哪路英雄好漢下的手，以後有冤報冤，有仇報仇。」這幾句話，是按著江湖規矩而說。同樣，按著江湖規矩，對方聽聞此言之後，即便不改其志，還是要硬劫到底，也該有問有答，報出自家名號。

但這夥山賊似乎不懂江湖規矩，那米姓山賊道：「此山是我開，是樹是我栽，若想打這兒過，留下買路財。咱們人勢眾，把你們這幫綿羊羔子圍住了，要殺要剮，全隨我意。你哪來的屁話，什麼有冤報冤，有仇報仇。信不信，今兒個我將你們全殺了，在這地頭上，現刨個大坑，把你們全埋了？」

這話，說得儲幼寧皺起了眉頭，兩條眉毛都快擰到一處去了。金秀明見狀，深怕儲幼寧暴怒，一傢伙把這十幾名山賊全宰了，正想出言緩和儲幼寧怒火，就聽見一旁韓燕媛銀鈴般聲音道：「快放我們過去，否則，要是遲了，你們這夥山賊命都要沒了。你道這位爺是誰，他就是個活閻王，你惹了他，他立時能要你小命。」

米姓山賊聽聞韓燕媛言語，瞪大了眼睛，滿臉怒容，快步朝韓燕媛走去，左手提劍，右手箕張，眼看著就要搧耳光，嚇得韓燕媛直往後縮。米某舉起右手，手掌全張，正待揮出搧耳光之際，驀然間，腦後一陣震盪，兩眼直冒金星，站立不穩，失足跌倒。

原來，儲幼寧眼看著米某就要對韓燕媛動手，一時情急，來不及使彈弓兵器，就直接一掌拍在米某後腦勺上。人之後腦，最是脆弱，若遇撞擊，動輒昏死。若撞擊力道猛烈，腦內出血，就是喪命。即便輕擊，亦是頭昏腦脹，兩眼發黑。儲幼寧情急，就是輕輕一掌拍在米某後腦勺上，米某立時天旋地轉，摔倒在地。

其餘賊眾見狀，立時提著兵器，就要動手。這當中，提洋槍那人，將洋槍舉起，對著儲幼寧喊道：「米老大，還好嗎？我替你報仇，斃了這忘八羔子。」儲幼寧見勢不好，迅捷順手撿起地上一粒小石子，相準了那洋槍槍口，一揮而就，將那小石子扔進洋槍槍管。這一招，算是重施當年崇明島擊殺羅剎傭兵羅曼諾夫故技。

在這關口上，金秀明對那持洋槍山賊高聲喝道：「不可，千萬不可開槍，槍管裡已經進了小石子。如開槍，槍管必炸，你必送命。」

那持槍山賊深知洋槍諸事，曉得槍管如進雜物，則彈丸射出之際，出路受阻，必將亂轉，衝破槍管，釀成炸膛，取走射手性命。因而，這人聽聞金秀明示警，立即將槍口朝下，不斷搖晃那桿洋槍，希冀能將小石子倒出。奈何，儲幼寧選材精細，那小石子恰好緊緊卡住槍膛，怎麼都倒不出。

儲幼寧連出兩招，眾山賊頗受威嚇，此時俱都遲滯不動，等待米老大後續指示。這米老大，搖搖晃晃，站直身子，嘴裡咕噥道：「搞什麼鬼，這幾個點子怎麼這等棘手。開山立寨沒多久，好不容易來了肥羊，怎麼這樣難啃。」

儲幼寧瞧出，這幫山賊，並非老於此道，皆是無膽匪類，有賊心沒賊膽。因而，他對著眾山賊道：「剛才對你們說人話，又是拱手，又是鞠躬，低聲下氣，願意逢十抽一，給你們二十多兩銀子。現在，小爺我改了主意，非把你們全打趴不可。」

「實話對你們說了，這兩輛驢車八個人俱是武學高手。剛才我已顯身手，你們當知我厲害。這剩下七人，身手如何，馬上立見高下。小爺我打擔保，這七人，無論男女老少，地上撿塊石頭，隔著十丈，一個對一個，都能把七名賊人腦袋給開了，打得你們一頭一臉鮮血，打得你們滿地找牙。倘若不能，沒得說的，兩輛驢車併同驢車上所有物件，連帶我們八人身上銀錢，全都歸你們。」

米老大等山賊，適才親見儲幼寧身手，曉得這人武藝高強。但其餘七人，除金秀明年輕力壯外，韓燕媛是女流，韓福年是老頭，儲仰歸瞧著就是弱智、佟暖是個半殘，彭小八與辜順生是車夫，怎麼看，這六人都不會武藝。

米老大指著金秀明道：「這人不算，其餘六人，隔十丈，投暗器，如不傷人，你們留下所有財物。」

儲幼寧當下答應道：「說定了，拉開場子，你們選六人，站過去，隔十丈距離，站定了別動。」這山頭，石子均是色淡，或淺黃，或花白。儲幼寧俯身，在地上慢慢挑揀，取了六塊石子，每塊約有核桃大小，交予六人。隨即，他招招手，要六人過來。六人過來後，儲幼寧一一指點位置，要六人站定位置。

他低聲道：「一人拿一塊石子，待會兒，我大喊一聲，你們六人，就拿著石子，朝對面那兒扔過去。」

佟暖是老江湖，當即問道：「小少爺，咱們這兒六人，對面也六人，應該是一人對一人，這樣才對。您得分配分配，我們這兒，哪個人該扔對面哪個人。」

儲幼寧道：「佟師傅，您別管，都交給我。都聽清楚了，我待會兒喊一聲，你們就把手裡石子往那頭扔。隨便扔，扔不準沒關係，都交給我。」

這當中，韓福年、儲仰歸，神智略有損壞，儲幼寧再三叮嚀，兩人也俱都點頭，說是明白。

那頭，約莫十丈外，六名山賊亦站成一排，米老大嘻皮笑臉，要六名賊人待會兒別怕，因對面六人老的老，殘的殘，弱的弱，笨的笨，怎麼也不可能扔出強勁力道石子。兩邊俱都站好陣勢，儲幼寧退至一旁，對著金秀明點點頭。儲幼寧慢慢摸出彈弓，左手捏著，右手又拿出裝彈子布袋。隨即，儲幼寧彎腰，緩緩坐於地上，將彈子布袋置於右手邊地上。

眾山賊見儲幼寧坐下，拿出彈弓、彈子袋，也不以為意，只是等著瞧老弱殘兵扔石子。這時，就聽儲幼寧大喊一聲：「扔石子！」

韓燕媛等六人，紛紛將手中石子往對面扔去。果真，老弱婦殘六人所扔石子，既無力道，亦欠準頭，眼見著，六枚淺色石子歪歪扭扭，就要落於地上。這時，就見儲幼寧兩手飛快，動作有如千手如來，彈弓飛速發射，六枚黑色石彈子強勁飛出，射向六枚淡色石塊。

那角度，全經儲幼寧瞬間精算，分毫不差，六枚黑色石彈子，各撞一塊淺色石塊。淺色石塊經石彈子猛擊，立時改換角度，激射而出，飛向對面六名賊人。就聽見啪、啪、啪、啪、啪、啪六聲，對面六名賊人，或摀嘴，或遮眼，或撫頭，或捏鼻，或抓耳，或摸腮幫子，全都掛彩，鮮血淋漓。

這當中，嘴部與眼睛中招者，災情最為慘重，前者掉了一嘴牙，後者瞎了一隻眼。其餘鼻頭、耳廓、額頭中招者，也俱都破相。

霎時間，儲幼寧放倒對手六人，其餘山賊自是又驚又懼。那米老大張著嘴，點手指著儲幼寧道：「你，你，你，你說話不算話。」

儲幼寧道：「我哪有說話不算話？我說，我這邊七人，隔十丈，朝那面扔石子。一個對一個，所扔石子，能把七名賊人腦袋給開了，打得你們一頭一臉鮮血，打得你們滿地找牙。你說，我哥哥不算，改成六人。現在，這六人所扔石子，把你那頭六人，打得一頭一臉鮮血，打得滿地找牙。我哪一點說錯了。」

自米老大以降，眾山賊沒料到，儲幼寧竟然武藝高強，能以後石擊打前石，令前石加速，令前石轉彎。因而，眾人都瞧著儲幼寧，防著他又出高招。儲幼寧見狀，左手虛晃彈弓，右手則作勢要自布袋裡撿取石彈子。眾山賊見狀，俱都矮身，環顧四面，打算找尋掩蔽之處。

儲幼寧見了，不禁啞然失笑，曉得自己已然收服了這群山賊，乃對眾人道：「都把手裡兵器放下，過來，我有話要說，不打不罵，就是講講道理。要不聽話，我再用彈弓放石彈子，看你們哪個逃得過？」

這山賊，總數原有十五、十六人，經儲幼寧打倒六名，連同米老大，還有十人左右。這幫剩餘山賊倒也聽話，紛紛放下手中兵器，聚攏過來。儲幼寧兩手虛按，要眾山賊全部坐下。待山賊坐下後，儲幼寧點手，指著米老大道：「你，就是你，你給說說，你們這究竟是怎麼回事。」

這米某已為儲幼寧神威所震，因而，一五一十，老老實實，話說從頭，交代清楚。原來，自長毛、捻亂之後，朝廷武備更迭，湘軍、淮軍漸次取代綠營。然而，綠營雖勢衰，猶是百足之蟲，死而不僵，各省之內仍駐有綠營部隊，由提督節制。

這山東綠營提督之下，有員副將，姓米，叫米國立。米國立有子，名米鴻鑣，即是這山賊頭子米老大。

米鴻鑣自幼在營中長大，從小就好舞槍弄棒，及長，拉幫結派，魚肉鄉里。他有父蔭，官府拿他莫可奈何。但也正因為有父親米國立，這米鴻鑣幹起壞事來，總是頂著個天棚，有個上限。雖為惡，但有限，米鴻鑣心裡總覺不過癮，總想順心適意，放手大幹一場。

偏巧，他因家在營中，消息靈通，早聽各路武將說過，說是自上海開了碼頭，海路貨商兩運盡皆發達。南來北往，多搭海輪，陸路商客大減，臨沂山上諸賊寨，因商旅銳減難以維持，許多山賊乃放棄寨子，下山另謀出路。

於是，一個多月前，這米鴻鑣就拉起一幫人，悄然離家，到了臨沂山上，尋得一處遺棄寨子，鳩占鵲巢，玩票一般當起了山大王。這幫人，家中俱都有產有業，生活不虞匱乏，全是紈褲混混，嫌家裡有人管著，沒法子肆意妄為。因而，上山占寨為寇，還帶足了糧草給養，到了山上，吃喝耍樂，過起了日子。

一個多月來，來往旅客沒有幾起，儘管傾力劫掠，也沒多大收穫。本來，眾人都已決定，日內就打道回府，怎麼來，怎麼回去，好歹當過幾天山賊，也算過了山大王之癮。今天，山頭坐探來報，說是兩輛驢車自北而來，米鴻鑣就拉起隊伍，傾巢而出，兩面夾攻。本以為可以大有斬獲，也豐收一回，沒想到，來了對頭剋星，眾人都栽在儲幼寧手上。

米鴻鑣說完，衝儲幼寧、金秀明作揖道：「儲爺、金爺，今兒個是我們不對，有眼不識泰山，冒犯兩位爺兒們。實話實說，咱們這批人，並非真的盜匪強徒。我們在這兒一個多月，劫過幾個過路商旅，但只取財物，從不曾傷人。要真傷了人，沂州府早就派人上山拿我們了。我們這是小惡小壞，罪輕罰淺。他們都挨了打，有一位掉了滿嘴牙，另有一位可能要廢掉一隻招子。兩位爺看看，是不是放了大家，我們連夜收拾收拾，明天就下山，不玩這山寨劫道把戲了。」

儲幼寧本來就不為已甚，見米鴻鏕這樣說，就順勢落篷道：「既然米老大這樣說，我大人不記你們小人過，都散了吧，趕緊下山。我再說一次，我姓儲，叫儲幼寧，現下往沂州府而去。沂州府豐記糧行是我家祖產，日後，你們要是還在沂州府混世，離豐記糧行遠點，別來惹事。否則，別怪我這彈弓無情。」

眾山賊吃了儲幼寧彈子神功虧，自然唯唯諾諾，不敢唱反調。就這樣，儲幼寧一行八人復又上車，兩車一前一後，接著在群山中左拐右繞，往沂州府而去。走了幾個山頭，又有山賊擋道。這次，擋道者為真山賊，亦是老山賊，儲幼寧自幼即知曉這批山賊。於是，照老規矩，逢十抽一，要金秀明留下二十兩銀票，並取得小旗子一面。

儲幼寧將小旗子交予車夫辜順生，把旗子插在驢車頂，一路招搖而過，再也沒有山賊打攪。這樣，連行兩日，俱是窮山惡水，杳無人跡，一行人餓了埋鍋造飯，夜裡掛起蚊帳，露天而睡。到了第三天，那山勢愈走愈熟，轉過個彎，眼前所見，赫然就是儲幼寧幼年所居山寨。

這地段，道路狹隘，左右兩邊俱是陡峭山壁，只剩中間窄道，勉強通車。走著，走著，就見路旁延伸出一條更窄山道。儲幼寧拍拍辜順生，示意將驢車彎入那窄山道。彎進這窄彎道，不遠處，就是一處出入口。這出入口，渾然天成，入口之內，是個環形山谷，四面全是峭壁。唯有這出入口，寬約兩丈，可容人車通行。

當年儲幼寧在山上過日子，那幾年，這出入口設有柵門。白天，柵門開啟。夜裡，寨門關閉，還在門後堆放大石塊，抵住寨門。此時，兩輛驢車一前一後彎入窄道，走到這出入口，卻見寨門早已腐朽，這出入口全不設防。

兩輛驢車通過那腐朽破爛寨門，進入山寨。這山寨，四面皆是峭壁，當中則是平坦乾泥地。當初，山寨正中，倚靠著山壁建著一寬敞大廳。竹子樑柱，茂草鋪頂，無門無牆，一面山壁，三面通敞，山壁上掛著個木匾，上書「聚義廳」。聚義廳旁，則是兵器架子，粗木欄架，一層疊過一層，上頭遍擱二、三十具白臘桿尖頭槍與大砍刀。蠟桿槍頭常有鏽蝕，大砍刀也缺口處處。

兵器架子過去，又是個靠山壁空敞棚子，棚子當間擱著石鎖、石擔、木人、梅花樁等諸般事物，牆上又是一塊木牌，寫著三個拙劣黑字「演武堂」。再過去，則是連串茅廬，小間為山寨當家並管事檔頭所住，大房則為眾嘍囉所居，全是茅草通鋪。之外，另有女房，予女賊並女雜役居住。倚靠山壁空地上，則開墾出數畦田畝，種了菜蔬、包穀、辣椒等等農作。此外，又養了幾群雞鴨禽類，滿地亂走。

往事歷歷在目，眼前景物，卻已全非。那聚義廳，房架子還在，但破破爛爛，久未修補。裡頭桌椅俱已不見，山壁上那「聚義廳」木匾也不見蹤影。兵器架子還在，上頭改掛了鋤頭、鐮刀、犁頭等農具。原來演武堂那地方，已經墾為菜田，連串茅廬則依舊完好，房簷下掛著乾辣椒、乾玉米棒子、野兔肉乾等物件。

這時，就聽見那茅廬門扉呀地一聲推開，跑出個五、六歲男童，衝著茅廬裡喊道：「爹，媽，有人來了。」

繼而，茅廬裡走出一男一女兩人，儲幼寧一瞧，就知道這是喬四與喬四娘，不禁眼睛一熱，大聲喊道：「喬四，喬四娘，是我啊，我是儲幼寧啊！」

那喬四夫妻，定眼瞧著儲幼寧，覺得眼熟，但一時想不起來。而「儲幼寧」三字，則是聽起來陌生，腦子裡沒這印象。兩人眼神茫然，對著儲幼寧問道：「閣下姓儲，我們這兒，以前沒人姓儲啊。」

霎時間，儲幼寧醒悟，當年他在山上，跟著閻桐春過日子，他那時姓吉，叫吉仁凱。那寨主，江湖渾名翻天笑，但本名為吉平海，是他親叔叔。而他親爹，則叫吉平山。

於是，他改了說法，對喬四夫妻道：「對啦，那時我不叫儲幼寧，我叫吉仁凱。」

喬四夫妻愣了一會兒，總算想起來，兩人歡騰道：「是啊，你是吉仁凱，寨主翻天笑侄子，和閻桐春閻師爺住一間屋裡。那年，你殺了貪官秦善北，後來，隻身外逃，從此就沒了音訊。」

當年，儲幼寧姓名還是吉仁凱時，殺貪官秦善北，之後，閻桐春與寨主翻天笑共布疑陣，說是吉仁凱自行逃走。當時山寨眾人都信這說法，因而，喬四夫妻今日見了儲幼寧，還說當年儲幼寧隻身外逃。

喬四接著道：「其實，你當年大可不必逃逸。要知道，後來沂州府只是派人上山找找，沒找到你，此後即無下文。後來聽說，那秦善北名聲已臭，他出自淮軍大營，自吹自擂，說是淮軍是他後台，給他撐腰。後來我們才曉得，淮軍送鬼出門，和他恩斷義絕，他死了，淮軍根本不聞不問。」

儲幼寧十五歲離開山寨，十餘年後重回此處，心裡感慨萬千。詢問喬四夫妻，這才知曉，山寨為白鵬飛剿滅後，未死山賊四散紛飛。有人投奔其他山寨，續當山賊；有人就此離去，行蹤杳然；另有若干山賊洗手不幹山賊營生，也不離去，而是就地轉行，在山上栽種糧食，自給自足。這喬四夫妻，即屬此類，在山寨住下，後來還養了兒子。

除儲幼寧外，車上其餘眾人皆都下車，四面遊走，裡外察看。就連兩名車夫，也都興致盎然，細細看著山寨內外。眾人皆聽過山寨，曉得山賊，前兩天第一次見山賊，今天第一次進山寨。眾人都覺新鮮，東摸摸，西看看，興頭頗大。儲幼寧則是領著金秀明，進入昔日與閻桐春相依為命小屋。這屋並無人居，屋子泥壁依舊，門扉腐朽，屋內空無一物，昔年桌椅、木床，早已不見。

儲幼寧瞧了瞧，想起閻桐春，不勝唏噓。繼而，由喬四、喬四娘在前領路，儲幼寧囑咐眾人隨他走出山寨，繞了兩個彎，到了山寨外頭山上，找了找，就見十幾個墳頭，連綿一氣，橫亙眼前。儲幼寧心中悲痛，信步慢慢往前挪步，分辨埋骨者姓名。

山寨凡事簡陋，生者缺衣少食，亡者墓塋殘破，就是挖個深坑，埋了屍身，填平墓穴，堆上高聳黃土堆。至於墓前，則是插上木牌，權充墓碑。木牌上，以木炭寫上亡者名字，如此而已。

時間一久，風吹雨打雪壓，高聳黃土堆逐漸陵夷，轉為低矮。故而每年清明掃墓，亡者後人須雇工往墳頭上添土，加高土堆。自山寨為白鵬飛剿平後，寨內眾人星散，僅喬四、喬四娘等少數幾人尚留守此地，耕作而活，無暇顧及寨外山頭墓塋。因而，儲幼寧至諸墳頭前，仔細找尋儲懷遠並閻桐春墳頭，卻因諸墳頭前木牌傾倒移位，而難辨墓塋埋骨者姓名。

察看半天，不停尋找，卻怎麼也無法確定儲懷遠、閻桐春、翻天笑、夏涼等人墓位。喬四、喬四娘雖在山寨耕種度日，但從未曾至寨外山頭這墳場流連，更不曾至此打掃、祭拜，因而，對於墳塋埋骨者身分，亦不甚了了。儲幼寧悲痛之餘，只能點起蠟燭，燒起紙錢，焚香膜拜，口中念念有詞，一體同拜以上諸人。如此，糊塗帳，糊塗了，連同貪官秦善北，都一起拜在裡面。

拜完養父、義父，儲幼寧又領著眾人，沿著土路車道前行，經過山寨，繼續往前，堪堪走到吊橋前，才彎進一條小徑。小徑盡頭，有間簡陋茅廬。當年，儲幼寧誤殺貪官秦善北，閻桐春故布疑陣，將儲幼寧暗藏於此。次日一大清早，閻桐春離開山寨，到這茅廬接著儲幼寧，爺兒倆下山遠颺，往揚州而去。

多少年後，儲幼寧重履斯土，還帶著眾人到此訪舊，再探這吊橋旁小徑盡頭茅廬，卻見茅廬早已坍塌，不復存在。僅在地面上，還躺著幾根爛木頭，算是當年那茅廬樑柱。

這天晚上，眾人在山寨裡自行埋鍋造飯。之前在濟南，金秀明並佟暖交代車夫辜順生，從寬估算，購買米麵、罐頭、菜蔬、生果。如今，經歷多日跋涉，生果與菜蔬俱已食盡，但米麵並西洋罐頭卻是存貨充裕。因而，這天夜飯，金秀明交代辜順生多煮米飯，多開罐頭，搭配喬四、喬四娘所栽種菜蔬，眾人席地而坐，吃得溝滿壕平。

吃夜飯時，佟暖特地問喬四、喬四娘，有無齊益壽、孟慶凰二人訊息。喬四、喬四娘告知，白鵬飛剿滅山寨時，齊、孟二人恰巧不在。山寨分崩離析，眾人離寨，幾個月後，齊、孟二人這才來到。這二人，長年四處貿易，定期歸返山寨，繳回貿易利藪。那次，二人回山寨，這才發現山寨已然被人剿滅，寨主、師爺、夏涼等骨幹俱已身亡，佟暖遠走離去。因而，此後齊、孟二人即不再回山寨。

飯後，金秀明要辜順生仔細估算，留下三日米麵、西洋罐頭，將多餘所有糧食全都留下，贈與喬四、喬四娘。次日一早，兩輛驢車開拔，離開山寨，搖搖晃晃過了吊橋，翻山越嶺，往臨沂而去。

十四年前，儲幼寧八歲，閻桐春等劫持儲懷遠，抱走儲幼寧，離開沂州府，往山寨而去。當年，也是兩輛大車，但一驢一牛，牛車走得慢，故而日復一日，走了許多天。如今，兩輛驢車離開山寨，往沂州府而去，驢車速度比牛車快，預估約莫三天時間可以到沂州府。

這一路行去，平靜無波，到了後來，愈接近臨沂，儲幼寧心神愈是不寧。一方面，此去得撥亂反正，奪回家產，俾便安置哥哥儲仰歸、韓福年父女。另方面，臨沂之後，與金秀明南返揚州，棒打鴛鴦兩分離，與韓燕媛各走各路，以後難以再見。

這一路上，儲幼寧雖然未與韓燕媛多有往還，但總是一起同行，每天打尖、吃飯、歇息俱在一起。就算未能深談，總也是朝夕相處，聚得一天是一天。而這沂州府，就是終點，過了這兒，勢必與韓燕媛分手。想到此處，儲幼寧不禁黯然。

《江湖無招　卷二：帝都逞威》完　待續

鏡小說 023

江湖無招

卷二：帝都逞威

作　　者：王駿
責任編輯：王君宇
協力編輯：林宛萱
校　　對：楊修
責任企劃：劉凱瑛
副總編輯：林毓瑜
總 編 輯：董成瑜
發 行 人：裴偉

裝幀設計：朱疋
內頁排版：宸遠彩藝

出　　版：鏡文學股份有限公司
11070 台北市信義區東興路 45 號 4 樓
電　　話：02-6633-3500
傳　　真：02-6633-3544
讀者服務信箱：MF.Publication@mirrorfiction.com

總 經 銷：大和書報圖書股份有限公司
242 新北市新莊區五工五路 2 號
電　　話：02-8990-2588
傳　　真：02-2299-7900

印　　刷：漾格科技股份有限公司
出版日期：2019 年 11 月 初版一刷
2020 年 01 月 初版二刷
I S B N：978-986-97820-6-7
定　　價：420 元

國家圖書館出版品預行編目 (CIP) 資料

江湖無招　卷二：帝都逞威 / 王駿著. --
初版. -- 台北市 : 鏡文學, 2019.11
面 ; 14.8×21 公分 . -- (鏡小說 ; 23)
ISBN 978-986-97820-6-7(平裝)

863.57　　108015166